dla wszystkich wnuków

PRZED KOŃCEM ZIMY

PRZED KOŃCEM ZIMY

Bernard MacLaverty

Przełożył Jarek Westermark

Stella była w łazience i szykowała się do snu. Dokładnie oglądała brwi w lusterku kosmetycznym, które Gerry zostawił obrócone powiększającą stroną do przodu. Pośliniła czubek palca wskazującego i przygładziła włoski, a następnie zajęła się powiekami. Miała już tego wszystkiego serdecznie dość – okrągłych, bawełnianych wacików, spodeczka z przegotowaną i wyjałowioną wodą, najróżniejszych kremów oraz wypełniających pojemnik na odpady patyczków kosmetycznych.

Życzyła Gerry'emu dobrej nocy, a w drodze do sypialni minęła ich ustawione w przedpokoju walizki. Włączyła stojące przy łóżku niewielkie radio, by posłuchać nocnego wydania wiadomości, i przebrała się w piżamę. Szybko, bo w sypialni panował chłód. Nie zamierzała przecież marnować pieniędzy na ogrzewanie przez cały dzień dodatkowego pomieszczenia tylko po to, by zapewnić sobie krótką chwilę komfortu przed snem.

Zanim się położyła, wyłączyła elektryczny koc. Gdyby zasnęła pod włączonym – co zdarzyło jej się już kilkakrotnie – Gerry zastałby ją w fatalnym stanie. Pewnie znów nazwałby ją „smażonym plastrem bekonu".

Uwielbiała mieć tę godzinę dla siebie; wieńczącą każdy dzień godzinę samotności. Butelkę z gorącą wodą, elektryczny koc, głosy dochodzące z radia. Gerry był w innym pokoju, miał słuchawki na uszach i nie kontaktował. Najpewniej wypił już kieliszek przed snem. Albo dwa lub trzy. Zewnętrzne drzwi wejściowe zostały zamknięte na klucz, a okna zaryglowane. Dom był zabezpieczony. Czasem po wysłuchaniu wiadomości Stella lubiła poczytać jeszcze przez chwilę w ciszy, tak że słychać było jedynie odgłos przewracanych stron. Bez jednego słowa. Ostatnio wciąż czuła się jednak zbyt zmęczona, by czytać, a nawet by utrzymać w dłoniach książkę. Tym bardziej w twardej oprawie. Doskonale potrafiła wyczuć moment krytyczny, gdy wiedziała, że za moment „kimnie". Kładła wówczas głowę na poduszce, a jej dłoń wyślizgiwała się spod kołdry, by odłożyć książkę lub wyłączyć radio. Długie listy zadań i obowiązków odpływały coraz dalej – o tej godzinie i tak nie mogła się już nimi zająć. Znikały za kurtyną, która miała rozsunąć się ze świstem dopiero rankiem następnego dnia. Sen nadchodził w mgnieniu oka.

Bezsenność, o ile dawała o sobie znać, ujawniała się dopiero w środku nocy. Między trzecią a szóstą rano Stellę można było znaleźć zwiniętą na kanapie; przez długie godziny sączyła gorące mleko i skubała ciastka. Czasem leżała w łóżku lub kręciła się po pokojach. Do głosu dochodziły wówczas jej zmartwienia i lęki, wyolbrzymione niczym obraz w lusterku kosmetycznym, stres przed świtem jest bowiem znacznie groźniejszy od stresu za dnia. Właśnie dlatego nie mogła z powrotem zasnąć. Czasem wystarczyło poczekać godzinę lub dwie, nie było to jednak regułą.

Niespodziewanie rozległ się ryk muzyki. Otworzyła oczy. Co na Boga...? Zamknęła je z powrotem i zacisnęła z całej siły powieki. Wdusiła głowę w poduszkę. Naciągnęła kołdrę, by zakryć drugie ucho. Ale muzyka dudniła dalej. Co on na Boga wyprawiał?

Gerry siedział ze wzrokiem wbitym w pustkę. Telewizor był wyłączony. Panowała cisza. Jego głowę oświetlał od góry stożek światła, reszta pomieszczenia tonęła w mroku. Sofę uznawał za bezpieczne schronienie; w jednej z poduszek znajdowało się wygodne wklęśnięcie, które uwielbiał. Pod ręką miał wszystko, co potrzebne – ulubione książki, magazyny muzyczne i filmowe, płyty CD. Tymczasem publikacje dotyczące architektury stały upchnięte na półkach w gabinecie. Stella była w łazience; kończyła swój wieczorny rytuał. Szczęknięcie zasuwki oznajmiło, że wyszła na korytarz.

– Dobranoc – powiedziała. Gdy zbliżyła się do kanapy, poczuł zapach pasty do zębów. Pomachała do niego samymi palcami, po czym odeszła. – Pamiętaj, że jutro wcześnie wstajemy.

Poczekał, aż zamkną się drzwi do sypialni, po czym ruszył do barku z alkoholem. Po drodze – w kuchni – napełnił wodą designerski dzbanek Kilkenny. Dotarł do barku i nalał sobie whiskey do ulubionego tumblera, po czym dopełnił go wodą aż po samą krawędź. Lubił szklanki z rżniętego szkła od Waterford Crystal – ich ciężar zdawał się zwiększać zarówno ilość, jak i moc napoju. Wrócił na sofę i postawił szklankę na regale. Płyn błyszczał w żółtawym świetle. Półki nie było widać zza poręczy kanapy, więc gdyby jego żona zdecydowała się wrócić, niczego by nie zauważyła. Nie, żeby zamierzał się przed nią ukrywać. Wszystkim mówił otwarcie, że „kiedy Stella idzie spać, daję w palnik i słucham muzyki". A jednak, gdy szklanka była poza polem widzenia, nie musiał się martwić, że żona dostrzeże, ile właściwie sobie nalał. Jej samej „w zupełności wystarczał" mały kieliszek wina do posiłku. Wino dobrze robiło na serce.

Centralne ogrzewanie zaprogramowano tak, by wyłączało się mniej więcej wtedy, gdy Stella kładła się do łóżka. Mieszkanie wypełniały teraz trzaski stygnących kaloryferów, budynek skrzypiał, a za oknem dął wiatr. Gerry czuł zapach stojących na stole kwiatów. Stella kupiła orientalne lilie Stargazer, które roztaczały woń tylko nocą. Pociągnął łyk ze szklanki. To dziwne, że przyniosła bukiet, choć wiedziała, że po ich wyjeździe nikt go nie powącha.

Wybrał płytę. Słuchawki, które wsunął na uszy, miały po bokach starte i ledwie widoczne oznaczenia „L" i „R". Choć muzyka od razu zabrzmiała dźwięcznie i w pełni czytelnie, podkręcił głośność. Wziął kolejny łyk, który znacząco obniżył poziom płynu w szklance; rozkoszował się smakiem. Whiskey była złota, a fasety szklanki srebrne. Wiedział, że alkohol pozwoli mu zasnąć; zapewni spokojną noc, po której znów będzie gotów do działania. Nie można przecież zacząć wakacji w fatalnym nastroju. Oczywiście wiedział też, że dla osiągnięcia celu niezbędne okaże się jeszcze kilkakrotne napełnienie szklanki.

Słuchawki odcięły go od reszty świata. Nawet tu – na sofie – czuł się czasem narażony na atak. Do pokoju za nim w każdej chwili mógł się wślizgnąć nieznajomy – mimo że drzwi były zamknięte na klucz, a okna zaryglowane. Czyżby ścigały go upiory Belfastu? *Emerytowany katolicki architekt zamordowany przez gang lojalistów.* Mogli z łatwością udusić go od tyłu. Nie, sofa wcale nie była prawdziwie bezpiecznym schronieniem. Znów pogłośnił muzykę. Wspaniały hałas: łomot kotłów wspierał natarcie sekcji dętej. Gerry z każdym kolejnym łykiem składał gratulacje kompozytorowi i muzykom. Potem coś błysnęło. Przez chwilę myślał, że to piorun – albo wybuch.

– Gerry.

Podniósł wzrok. Stella stała w drzwiach w szlafroku. Trzymała dłoń na włączniku światła.

– Przepraszam – zawołał, przekrzykując muzykę. – Moja wina. – Skoczył na równe nogi i ściągnął słuchawki z uszu. Nie był to pierwszy tego typu przypadek, ale tym razem nawet jego samego przeraziło natężenie dźwięku w pomieszczeniu.

– Ja pierdolę. – Schylił się i wyłączył główne głośniki.

– Nie wiem, co gorsze. Hałas czy przekleństwo – powiedziała Stella. – Jeśli chcesz zamieszkać sam, to jesteś na dobrej drodze.

– Przepraszam, nie zauważyłem, co się dzieje. – W pokoju zapanowała cisza zakłócana jedynie przez cichutkie dźwięki dochodzące z owiniętych wokół jego szyi słuchawek. – Nie wiedziałem...

– Uszkodzisz sobie słuch. Sąsiedzi zaraz przyjdą ze skargą. Jest wpół do pierwszej – powiedziała Stella. – A musimy przecież wcześnie rano wstać.

– Wszystko spakowane?

– O czym ty gadasz? Próbowałam zasnąć.

– Długo tu stoisz?

– Jakąś minutę.

– Czemu nic nie mówiłaś?

– I tak byś mnie nie usłyszał – odparła. – Nie chciałam cię przestraszyć. Gdybyś dostał zawału, nie miałabym z kim pojechać na wakacje.

– Niedługo przyjdę – oznajmił.

Wróciła do łóżka. On nalał sobie kolejną szklankę whiskey.

– Tylko kapkę.

Potem zalał jednak kapkę drugą kapką, a dwie kapki to już większa kapka. Cały świat zdawał się rozpoznawać jedynie dwa stany: trzeźwość i upojenie. Co jednak z przestrzenią między nimi – z całym spektrum stanów przejściowych? Pierwszy drink pozwolił subtelnie się wyciszyć, skoncentrować na innym świecie; był niczym żelazko wygładzające zagniecenia koszuli wokół guzików. Stella wyśmiałaby go, gdyby usłyszała to porównanie. „Nigdy w życiu niczego nie prasowałeś. Tylko byś się sparzył... nie mówiąc już o koszuli". A jednak prasował wystarczająco często, by wiedzieć, w czym rzecz. Rozgrzana stopa żelazka sunęła po materiale, wygładzając wszelkie nierówności. Kolejne porcje alkoholu pozwalały Gerry'emu unieść się wyżej. Rozwinąć skrzydła i szybować na kominach termicznych rozbudzonych przez poprzednie drinki. Pił dalej. Przecinał krępujące go więzy i uwalniał to, co było dotąd uwięzione. Słyszał coraz lepiej, widział więcej, kochał mocniej. Jutro znów mieli wyjechać. Wyjazd w środku zimy – niewielu mogło sobie na to pozwolić! Przeszedł na emeryturę wiele lat temu, jednak rutynę jego życia nadal przerywały zagraniczne wyprawy, zwodniczo podobne do urlopów. Wygłaszał wykłady, przedstawiał artykuły... był wyrocznią w świecie architektów, odbiorcą wyróżnień, kolekcjonerem gratisów. I zazwyczaj wymagał, by towarzyszyła mu Stella.

* * *

Obudził się w niemal całkowitej ciemności. Czuł suchość w ustach, było mu zimno w nos. Oczy powoli przyzwyczaiły się do otoczenia. Dostrzegł niewyraźny zarys zaciągniętych zasłon – na zewnątrz było już odrobinę jaśniej, co sugerowało, że jest między piątą a siódmą rano. Po każdym przebudzeniu prowadził te same durne rozważania – czy warto wstać do łazienki? Wiedział, że jeśli tego nie zrobi, nie zdoła ponownie zasnąć, zsunął więc pościel na bok, usiadł i wypił łyk wody. W sypialni było zimno jak w lodówce. Słyszał miarowy oddech Stelli. Wsunął stopy w kapcie i wstał. Nagle: żyrandole światła w ciemności, które rozbłysły, by po sekundzie zniknąć. O Jezu! – a miał nadzieję, że nigdy więcej ich nie zobaczy. Pająki blasku, iskry, błyski. Zapowiedź udaru. Zdjął kapcie, położył się z powrotem i nakrył kołdrą. Przecież przyczyn mogło być wiele. Czyżby za dużo wypił? Ale jak dużo to za dużo? Wiedział, że robi sobie krzywdę. Postanowił nawet, że nie będzie pił od Nowego Roku. Ale jeszcze nie teraz, Boże, jeszcze nie teraz!

Powiedział swojej optyczce o błyskach, gdy wyrabiał zastępcze okulary. Stare musiał gdzieś zgubić, a choć przykleił do etui etykietę z nazwiskiem i adresem, nikt mu ich wspaniałomyślnie nie odesłał. Po co one komu? Przecież każdą parę okularów robi się na zamówienie, więc jeśli nieznajomy spojrzy przez *jego* szkła, nic u licha nie zobaczy.

– Lepiej czy gorzej? – pytała optyczka.

– Lepiej. – Starą soczewkę zastąpiła nowa.

– Lepiej czy gorzej?

– Gorzej.

Nie ma wyjścia, poleci kolejne sto dwadzieścia funtów.

– Proszę oprzeć brodę...

– Na podpórce?

– Tak.

Patrzył w oczy kobiety, bojąc się, by nie poczuła, że z ust pachnie mu starym dziadem; dzieliło ich ledwie kilkanaście centymetrów. Żyły własnych siatkówek kojarzyły mu się z czerwienią jesiennych drzew. Déjà vu – zupełnie jakby znów był w konfesjonale. Ten sam półmrok, ta sama bliskość nasłuchującej twarzy. Kiedy ostatni raz byłeś na kontroli wzroku, mój synu? Sam czy z innymi? Lepiej czy gorzej?

Optyczka powiedziała, by nie martwił się żyrandolami światła. „W pana wieku każdy je widzi", oznajmiła. Nie wolno za szybko wstawać.

Nadal potrzebował skorzystać z łazienki. Podniósł się z łóżka, tym razem powoli i bez fajerwerków, po czym powlókł naprzód i wymacał drzwi. We własnym domu umiał przecież poruszać się nawet w całkowitej ciemności. Nacisnął klamkę delikatnie, by szczęknięcie nie obudziło Stelli, i ruszył przez korytarz, omijając spakowane walizki. Powietrze w łazience było tak lodowate, że kłuło go w twarz. Ogrzewanie zwykle uruchamiało się o ósmej, ale Jaśnie Pani zapewne wyłączyła je ze względu na wyjazd. Nie warto przecież ogrzewać domu, jeśli skorzystać na tym mieliby tylko ewentualni włamywacze. Lepiej zjeść śniadanie w płaszczach, wśród kłębów pary unoszącej się znad filiżanek herbaty. Zaczął opróżniać pęcherz; zamknął oczy i starał się nie wybudzić bardziej niż to konieczne. Pomyślał, że jego lekarz może mieć inne zdanie na frapujący go temat. „Tak, pająki światła to niewątpliwie zapowiedź udaru. Nawet hipochondryk musi przecież na coś umrzeć".

Nacisnął spłuczkę i ruszył z powrotem korytarzem, gdy zauważył, że zza drzwi do gabinetu sączy się delikatny blask. Panujący w pokoju mrok naruszały błyski kolorowych światełek routera i innych urządzeń – miniaturowe wesołe miasteczko. Dwa telefony ładowały się obok siebie. Stella musiała wstać wcześniej, gdy jeszcze spał. Teraz usiadł przed monitorem. Najwyraźniej sprawdzała coś w internecie i nie wyłączyła komputera. Zupełnie nie umiała zacierać za sobą śladów. Na ekranie widniało jakieś niemożliwe do wymówienia słowo na tle trawy, drzew i zalanych słońcem domów. Środek trawnika zajmowała religijna rzeźba przypominająca nieco Serce Jezusa. Poniżej znajdowały się słowa: „Odszukać bramę jest czasem trudno, ale kiedy już się uda, wystarczy przez nią przejść, by znaleźć się w innym świecie". Nazajutrz mieli wyjechać, wyłączył więc komputer. Było zimno i ciemno. Zadrżał, po czym wstał z fotela.

Sypialnię wypełniał miarowy oddech Stelli. Gerry podszedł do łóżka od swojej strony, okazało się jednak, że gdy był w łazience, przesunęła się na sam środek materaca. Gorąca jaskinia pościeli miała w swoim centrum miękkie ciało drugiej osoby. Poduszki doskonale wpasowały się między policzek a ramię Gerry'ego. Jaskinia pachniała bawełną. Przysunął się do Stelli i ułożył tak, że jej pięta przylegała teraz do jego śródstopia, jego kolano do wewnętrznej strony jej kolan, jej pośladki do jego podbrzusza. Stali się parą miękkich, złożonych krzeseł. Spokojny oddech momentalnie ustał. Poczuła jego przybycie i przesunęła się w tył, by mocniej się w niego wtulić. W odpowiedzi objął ją ramieniem. Materiał jej piżamy podjechał w górę. Przez przypadek musnął zimnymi palcami bliznę na jej brzuchu; zmarszczkę na skórze przypominającą drugi pępek. Kolejną, odpowiadającą jej szramę nosiła na plecach. Ten sam ślad na dziobie i rufie.

– Przesuń się – rozkazała.

Oboje mieli już na sobie płaszcze. Dreptali w tę i z powrotem w oczekiwaniu na taksówkę. Ich mieszkanie znajdowało się w dużej, wiktoriańskiej kamienicy o sufitach zdobionych stiukowymi rozetami i z kimationem na gzymsach. Kiedy się wprowadzali, Gerry powiedział, że wysokie pokoje projektowano chyba z myślą o żyrafach. Z narożnych okien roztaczał się widok na dwie ulice oraz otaczający budynek wąski pas zieleni porośnięty przez trawę i krzewy. Stella sadziła tam rośliny, które wykopywała w lesie – często nosiła ze sobą w tym celu łyżkę do zupy i plastikową torebkę. Niedawno wzeszły przyniesione przez nią przebiśniegi. W kolejce czekały już importowane hiacynty i żonkile.

Gerry był w sypialni. Uważnie przyglądał się przymocowanemu do pęknięcia w ścianie wskaźnikowi rozwarcia rys. Powszechnie uważano, że budynek osiada, ponieważ na tych terenach prowadzona była niegdyś działalność wydobywcza. Pęknięcia powstawały na skutek przesuwania się ścian wewnętrznych względem zewnętrznych. Tapeta wiotczała wówczas, marszczyła się i opadała. „Z nami jest podobnie", skomentowała niegdyś Stella. „Nie tylko psy upodabniają się do właścicieli". Co pewien czas spod framug okiennych osypywało się nocą nieco zaprawy. Na kaflach kominkowych można było niekiedy znaleźć gruz i ślady sadzy.

– I jak? – Stella zajrzała do sypialni. – Widać coś?

– Nawet nie drgnęło. Sama zobacz – skinął na wskaźnik.

– Pytałam o taksówkę. Nie potrafiłabym odczytać tego ustrojstwa, nawet gdyby wskazywało na trzęsienie ziemi – powiedziała.

– Kto ma paszporty, ty czy ja?

– Wszystko jest w twojej torbie na ramię – odparła. – Sam ją pakowałeś.

Taksówka spóźniała się już sześć minut.

– Gdybym jechał na nudne spotkanie architektów, przyjechałaby o pięć za wcześnie.

– Uspokój się, Gerry.

Na oczach Stelli opróżnił torbę i ułożył całą jej zawartość na łóżku. Jego komórka, paszporty, oba bilety, karty czekowe, leki. Ona tymczasem zajrzała do własnej torebki, z której wyjęła kosmetyczkę, portmonetkę, krople do oczu, sztuczne łzy, pół opakowania cukierków Werther's Original, albumik zdjęć rodzinnych, terminarz i komórkę.

– Jezu... terminarz? – Gerry przewrócił oczami.

– Mam w nim numery telefonów – odparła.

– Przecież nie znamy nikogo w Holandii.

Zignorowała go. Dalej grzebała w odmętach torebki.

– Nie znamy na pamięć numerów wielu z naszych znajomych. Chodzi o sytuacje awaryjne. Wziąłeś szampon?

– I odżywkę. Wszystko odmierzone: po dwadzieścia pięć mililitrów. Walka z łupieżem w dobie terroryzmu.

– Jaki jest limit?

– Sto mililitrów.

Na szyi miał zawiązany czerwony szalik z angory. Przejrzał się w pełnowymiarowym lustrze.

– Ktoś mi powiedział, że wyglądam w tym ekstrawagancko.

– Kto?

– Nie lubię ekstrawagancji.

Poszedł do garderoby, gdzie znalazł granatowy szalik. Wrócił do sypialni i znowu przejrzał się w lustrze.

– Coś między ekstrawagancją a nudą – ocenił.

Stella obserwowała go z bezpiecznej odległości.

– Może zawiąż inny węzeł. Choćby oksfordzki.

– Węzły mają nazwy?

– Na przykład „wyblinka". Albo „podwójna ósemka".

– Język prosto z placu budowy.

Rozprostowała szalik i zaczęła wiązać inny, bardziej wymyślny węzeł.

– Nie potrafię tego robić na tobie, muszę się widzieć. – Obróciła go twarzą do lustra, stanęła z tyłu i wspięła się na palce. – W dół! – powiedziała, opierając mu dłonie na ramionach. Posłusznie ugiął kolana i nie ruszał się, póki nie skończyła.

– Język budowy znasz od podszewki.

– Bo taki już mój zasrany zawód. – Zaczął skubać szalik; pociągnął za dłuższy koniec i węzeł się rozsupłał. Gerry znów zawiązał go po swojemu.

– Jak wolisz – powiedziała i odeszła.

– Zadzwonię do firmy taksówkarskiej. – Wszedł do gabinetu i podniósł słuchawkę.

Gdy usłyszał dźwięk odkurzacza, zajrzał do przedpokoju. Stella przesuwała ustawione w pionie urządzenie w tę i z powrotem po dywanie. Dostrzegła jego głowę.

– Już jedzie, proszę pana! – krzyknęła.

– Już jedzie, proszę pana – powiedział głos w słuchawce.

– Dziękuję. – Gerry odłożył telefon na widełki. – Co robisz?

– Zobaczyłam jakąś czarną plamę – skinęła w stronę dywanu.

– Zawsze to mówią.

– Co?

– Że już jedzie, proszę pana.

– Rozumiem, że nie chcesz, żeby włamywacze zastali bałagan?

Stella wyłączyła odkurzacz i zwinęła rurę. Poszła do salonu, po czym wróciła z plastikową torbą w jednej ręce i bukietem lilii w drugiej. Wrzuciła kwiaty do torby i zawiązała ją na supeł.

– Wyrzuć je – powiedziała. Gerry spełnił polecenie. Następnie znów wyjrzał przez okno.

Taksówkarz wysadził ich kilka kilometrów od terminalu. Gdy zaczęli zadawać pytania, wyjaśnił: „Nowe przepisy. Wprowadzili je po tym, jak na lotnisku wybuchł samochód-pułapka".

Następnie wyciągnął z bagażnika ich dużą walizkę i postawił ją przed Gerrym. Stella zajęła się własną. Oboje w tej samej chwili wysunęli teleskopowe rączki i ruszyli naprzód z terkotem kółek. Pasek torby na ramię wpijał się w ciało Gerry'ego niczym drut do krojenia sera. Dotarli do głównego wejścia do terminalu chronionego przez słupki z nierdzewnej stali.

– Musiały kosztować miliony – rzucił Gerry, przekrzykując chrobot walizek. – A przecież zamachowiec może wsiąść na motor i przejechać *pomiędzy* słupkami!

Kilka osób paliło papierosy za znajdującą się przy drzwiach plastikową barierą. Wyrzutki. Trędowaci. Stella przekroczyła drzwi, po czym spojrzała na wyświetlacz i wraz z Gerrym ustawiła się we właściwej kolejce. Po każdym kroku popychali stopami walizki.

– Bez nas nie wystartuje – powiedziała.

– Zobaczymy. Wszyscy mają tu więcej bagaży niż rozsądku.

Ostatecznie udało im się przedostać przez kontrolę celną, gdy pracownik ochrony wyrzucił szampon i odżywkę Gerry'ego. Powiedział, że nie wolno wnosić płynów w otwartych pojemnikach. Poszli na kawę, żeby się uspokoić.

– Powiedzieli coś o twojej łyżce do kopania?

– Zabieram ją przecież tylko na spacery.

Stella została, by popilnować bagaży, a Gerry ruszył na przechadzkę po strefie wolnocłowej. Wszędzie perfumy. I reklamy perfum. Całe lotnisko przesiąkło ich zapachem. Szczupłe sprzedawczynie chętnie rozpylały próbki na nadstawione nadgarstki. Nie był zainteresowany.

Dotarł do alkoholi, choć Stella kazała mu niczego nie brać. Powiedziała, że butelkę jego ulubionej irlandzkiej whiskey taniej będzie kupić już w Amsterdamie. Gerry nazywał ją „przyjaciółką podróżnych". Pomagała na sen. Z zakupem alkoholu w Holandii wiązało się jednak zbyt wiele niewiadomych. Czy sprzedawali go w supermarketach? W sklepach monopolowych? A może, tak jak w Norwegii lub Kanadzie, trzeba było szukać państwowych punktów z alkoholem, które – jeśli dobrze pamiętał – otwarte były niestety tylko w godzinach pracy? Lepiej było działać teraz, gdy nadarzała się okazja. Spróbował kupić butelkę jamesona, ale kasjerka poprosiła go o kartę pokładową. Wycofał się i pomaszerował z powrotem do Stelli.

– Co jest? – zapytała.

– Prosi o kartę pokładową.

– Kto?

– Nie znam jej imienia. Panna Deirdre z miasta Airdrie.

– Kup mi werthersy, jeśli nie zapomnisz.

Zabrał kartę pokładową i paszport (na wszelki wypadek). Kasjerka wsunęła butelkę w biały rękaw siatkowy, po czym umieściła ją w torbie.

– Czemu prosiła pani o moją kartę?

Uśmiechnęła się. Nabiła kwotę i podała mu torbę.

– Takie są przepisy.

Nie lubił stać przy pisuarach obok innych mężczyzn. Wolał wejść do kabiny. Odstawił butelkę whiskey, żeby umyć ręce, a plastikowa torba nie wygłuszyła brzęku szkła o marmur. Suszarka do rąk była nowa i niezwykle silna – ryknęła tak, że aż się przestraszył. Skóra na jego dłoniach załopotała.

Do łazienki wszedł mężczyzna z synkiem. Gerry obserwował ich w lustrze. Ojciec podszedł do pisuaru, dziecko stanęło obok.

– Zostań tu – powiedział ojciec. Chłopiec był posłuszny. Chwilę później przeszedł jednak pod suszarkę do rąk, która natychmiast obudziła się do życia. Ryknęła i dmuchnęła mu w głowę gorącym powietrzem. Włosy malca zafurkotały, a on sam wrzasnął ze strachu. Nie wiedział, dokąd uciekać. Gerry postąpił krok do przodu.

– Nic mu nie jest! – Ojciec uniósł głos, by przekrzyczeć hałas. Widać było jednak, że dziecko płacze, że jest w histerii. Darło się na cały głos. Gerry kucnął, objął chłopca i poklepał go po plecach, podczas gdy drugi mężczyzna kończył robić swoje. Dziecko odwróciło się w stronę ojca, który uśmiechnął się i wziął je na ręce. Dotknął mu czoła, by sprawdzić, czy nie jest gorące.

– Wszystko dobrze. Tylko się przestraszyłeś. Był okropny hałas.

Gerry zrobił współczującą minę.

– Biedny malec – powiedział. Potem zwrócił się do ojca. – Ja też mam szkraba w tym wieku. Wnuczka. Dzieciaki trzeba przed wszystkim chronić!

– Dajesz radę, co, synu? – spytał ojciec, odchylając się od dziecka. Mały przestał płakać, wstydził się jednak być w centrum zainteresowania w toalecie pełnej dorosłych mężczyzn. Wtulił się w szyję ojca, który ruszył do drzwi.

Gerry poszedł do sklepu WH Smith's i kupił paczkę cukierków Werther's Original. Zamierzał udawać, że zapomniał i zaskoczyć Stellę tuż przed startem samolotu.

Szedł ogromnym korytarzem, trzymając ręce splecione za plecami i oglądał sufit niedawno rozbudowanej części lotniska.

– Hej – powiedział, siadając obok Stelli.

– Co kupiłeś?

– Przyjaciółkę podróżnych.

Przewróciła oczami.

– A werthersy?

– Zapomniałem.

– Jesteś niezawodny.

– Masz dość cukierków, by przetrwać?

– Tylko resztkę opakowania.

Gerry wyciągnął nogi i splótł dłonie na karku. Opowiedział jej o dziecku i suszarce do rąk.

– Projektantów i architektów należałoby pociągać do odpowiedzialności za takie sytuacje – rzekł. – To karygodne. Ktoś popełnił błąd.

– Biedne maleństwo – powtarzała raz po raz.

– Przytuliłem go, póki jego ojciec nie odszedł od pisuaru.

– Nie musisz wchodzić w szczegóły – powiedziała Stella. – Teraz ty pilnuj bazy.

– Skoro mam chwilę – rzekł Gerry – powiedz, gdzie jest gazeta.

Wskazała palcem, wstała i odeszła. Śledził ją spojrzeniem. Dotarła do strefy wolnocłowej, a jej sylwetka wydawała się zupełnie maleńka na tle ogromnego holu. W architekturze najważniejszy jest stosunek wielkości obiektów do człowieka.

Gerry otworzył gazetę i zaczął czytać.

Wróciła zaskakująco szybko.

– Wyświetlił się napis „boarding" – powiedziała.

Szli wyłożonymi wykładziną korytarzami przez dziesięć czy piętnaście minut.

– Gdybyś powiedział naszym rodzicom, że dywany będą kiedyś liczone na kilometry, toby nie uwierzyli.

Samolot ryczał na pasie startowym, czekając na swoją kolej. Stella nie znosiła zarówno startów, jak i lądowań – tego, że maszyna musiała się rozpędzić, oderwać od ziemi, a pod koniec lotu uderzyć w nią znów z całym impetem; skrzydeł, które się trzęsły i otwierały, sprawiając wrażenie zepsutych, oraz ryku ciągu wstecznego. Przymknęła oczy i mocno chwyciła podłokietnik, a Gerry zakrył dłonią jej dłoń. Wybijał palcem uspokajający rytm.

– Co to? – spytał.

– Opaski na nadgarstki.

– Skąd je masz?

– Ze strefy wolnocłowej.

– Po co ci one?

– Pomagają na mdłości.

– Niby jak?

– Uciskają odpowiednie punkty. – Pokazała mu biały paciorek umieszczony po wewnętrznej stronie opaski. – Naciska tu, gdzie można wyczuć puls. Hamuje nudności. Już tego próbowałam i działało. Na promach. Pamiętasz?

– Słuchaj, latam od wielu lat i ani razu nie widziałem, żeby ktoś zwymiotował. No, poza jednym wyrostkiem, który pewnie jadł przed odlotem nieświeże ostrygi i pił zwietrzałe piwo. Lepiej byś zrobiła, odmawiając różaniec. W wyjątkowej intencji.

– Jakiej?

– „Boże, nie pozwól mi zrzygać się w samolocie".

– Odmawiałyśmy różaniec w samochodzie, kiedy jeździłyśmy na tańce – powiedziała Stella z uśmiechem.

– Nie wierzę.

– Kierowca był starszy od nas, ale bardzo miły. Płaciłyśmy mu tylko za benzynę. Dawał nam swój różaniec na czas podróży.

– Biedni napaleni faceci pędzili jak wariaci, żeby wydać resztkę kasy i pokręcić się chwilę na parkiecie, a ty w tym czasie odmawiałaś różaniec?

– Irlandia w latach pięćdziesiątych.

– Czy któraś z was kiedyś zwymiotowała?

– Ani razu.

– Czyli lepiej odmawiać różaniec, niż wyrzucać pieniądze na cholerne rękawki.

– Opaski. Rękawki wkłada się na ramię, żeby nie utonąć.

Gerry wyciągnął paczkę werthersów.

– Cukierek przed wylotem, moja pani?

– Mówiłeś, że zapomniałeś. – Wyciągnęła kolejne opakowanie. – Więc kupiłam swoje.

– Ależ jesteś zorganizowana. – Gerry schował cukierki z powrotem do kieszeni.

Silnik samolotu zawył głośniej i maszyna skoczyła naprzód, aż przyspieszenie wgniotło ich w fotele. Po chwili ucichł chrobot podwozia.

– Lecimy.

Stella uśmiechnęła się i otworzyła oczy.

– Wzięłaś jakąś książkę?

– Jestem na wakacjach.

Wtuliła się w fotel.

– Bardzo się cieszę na ten wyjazd – powiedziała. – Mam sporo planów.

– Jakich?

– Własnych.

Gerry gwizdnął, jakby powiedziała coś tajemniczego.

– Ja tak samo.

– Czyli będziemy się mogli rozdzielić. – Posłała mu przesadnie szeroki uśmiech.

– Czemu nie wybraliśmy się w jakieś ciepłe miejsce? – spytał. – Na przykład na sąsiednią półkulę?

– Za dużo zachodu.

Samolot wzniósł się i zatrząsł, gdy wleciał w chmurę. Stella znów chwyciła podłokietnik, a Gerry znów położył dłoń na jej dłoni.

– Jak to się stało, że byłaś już w Amsterdamie, a ja nie?

– Pojechałam na zjazd. Nauczycieli.

– Kiedy?

Wzruszyła ramionami.

– Chyba w latach osiemdziesiątych. Miło będzie wszystko sobie przypomnieć.

– Tworzysz storyboard.

– Słucham?

– Myślisz o wszystkim z wyprzedzeniem. Przygotowujesz plan wydarzeń. Tych, na które masz ochotę.

– Storyboard?

– To termin z branży filmowej. Przed nakręceniem filmu trzeba rozrysować sceny w formie komiksu. Dzięki niemu dokładnie wiadomo, co się wydarzy.

– Ładne określenie.

Lot nie był długi. Stella rozwiązała dwie krzyżówki. Obie trudne. Jedną z porannej gazety, a drugą – którą trzymała w terminarzu – z niedzielnego wydania. Była przekonana, że rozwiązywanie krzyżówek pozwoli jej zachować sprawność umysłową do późnej starości. Nazywała je „pompkami dla mózgu".

Samolot skręcił. W dole widać już było Amsterdam.

– Poprzednio odwiedziłam go latem – powiedziała Stella. – Lecieliśmy nad polami tulipanów. Z góry wyglądały jak świeżo rozpakowana plastelina. Krzyżujące się linie w barwach podstawowych.

– Teraz jest bardzo szaro.

– Jeśli pada, chętnie prześpię się chwilę, gdy dotrzemy do hotelu.

– Przecież jeszcze wcześnie.

– Wczoraj zrozumiałam, co oznacza prawdziwe niewyspanie.

– Co?

– Nie zmrużyłam oka. Przez ciebie i twoją muzykę.

– W domu nigdy nie drzemiesz za dnia.

– Wyjazd rządzi się własnymi prawami.

Budynek lotniska powitał ich zapachem kwiatów. Hiacynty w styczniu. Stella sprawdziła kurs walut i wyciągnęła trochę euro z bankomatu. Cmoknęła z niezadowoleniem, gdy wypluł z siebie jedynie banknoty o wysokich nominałach. Połowę dała Gerry'emu, a resztę wsunęła do portfela. Gdy ruszyli w stronę dworca kolejowego, Gerry wskazał na jej nadgarstek.

– Możesz już to zdjąć.

– Opaski miło mnie grzeją. – Patrzyła na tablicę informacyjną.

– Spójrz.

– Na co?

– To Europa – powiedziała. – Nie dostajesz od tego ciarek? Jesteś na tej samej połaci ziemi co Rzym, Warszawa, Berlin, Praga... nawet Moskwa. Wystarczyłoby wsiąść do pociągu, by...

– Najpierw dotrzyjmy do Amsterdamu.

Tablica zadrżała, zatrzepotały litery, a wszystkie informacje w jednej chwili skoczyły o linijkę w górę.

– Pociągi dwupiętrowe – zachwycił się Gerry.

– Wychodzi z ciebie chłopiec!

Znaleźli miejsce w pustym wagonie i rozsiedli się wygodnie.

– W którym kierunku będziemy jechać?

Gerry wskazał palcem. Stella zmieniła miejsce.

– Widzę, że lubisz patrzeć w przyszłość.

– Od zawsze.

Pociąg ruszył. Gdy opuścił stację, okazało się, że na zewnątrz jest szaro i pada. Stella schowała do torby opaski, które ściągnęła z nadgarstków.

– Powinniśmy złapać taksówkę – powiedziała. – Wokół dworca może być dość nieapetycznie. Ostatnim razem szliśmy z walizkami pośród ćpunów i szumowin, a w tamtych czasach walizki nie miały jeszcze kółek.

– Idzie nam zdecydowanie zbyt sprawnie – rzekł Gerry. – To zły omen.

W głównej hali drogę zastąpiło im stado gołębi. Zagruchały i przyspieszyły, chcąc jak najprędzej się usunąć, Gerry przystanął jednak, by przyjrzeć im się z bliska.

– Widziałaś ich stopy?

Stella potrząsnęła głową.

– Niemal wszystkie są zdeformowane. Na Glasgow Central jest to samo. Mają przykurczone łapki, brakuje im palców, biegają na knykciach...

– Rzeczywiście – przyznała Stella. – Nigdy tego nie zauważyłam. Biedactwa.

Kilka ptaków poderwało się do lotu tak blisko, że poczuli na twarzach powiew ich skrzydeł. Gerry zrobił unik. Oczyma wyobraźni wszędzie widział zarazki.

Gerry zapłacił taksówkarzowi, a Stella wyciągnęła znikąd parasol i wyszła na deszcz. Ruszyła przodem w stronę hotelu, wciągnęła walizkę po schodach i dotarła do dużych, obrotowych drzwi. Recepcjonista, który ich powitał, dobrze mówił po angielsku.

– Będą państwo chcieli wychodzić osobno?

Dostali dwie plastikowe karty magnetyczne do otwierania drzwi pokoju. Portier sięgnął po ich bagaże, Gerry powiedział jednak: „Nie trzeba, damy sobie radę".

Kiedy zasunęły się już za nimi drzwi windy, zajrzał do koperty, w której były karty.

– Trzysta dziewięćdziesiąt sześć – powiedział.

Stella wybrała piętro. Gdy winda ruszyła, pocałowali się, jak mieli w zwyczaju. Delikatne muśnięcie między piętrami... o ile byli sami.

– Wstydzę się traktować kogoś jak sługę.

– Gerry, to jego praca.

– Jest też kwestia napiwku. Facet stałby jak kołek i robił sobie nadzieje.

Dojechali na właściwe piętro i poszli za strzałkami w stronę pokoju. Gerry wsunął plastikową kartę w zamek i szybko ją wyciągnął. Zasłony były zasunięte, pokój tonął więc w mroku. Gerry podszedł do ściany, umieścił kartę w szczelinie czytnika i nakazał dudniącym, boskim głosem:

– Niech się stanie światłość!

Na ekranie telewizora pojawiła się zaadresowana do nich powitalną wiadomość.

„Hotel Theo życzy państwu miłego pobytu. Jeśli możemy w czymś pomóc, prosimy o kontakt".

– Nie pogardziłbym darmowym drinkiem.

Stella podeszła do okna. Rozsunęła zasłony i wewnętrzne firanki. Okna pokoju wychodziły na dziedziniec hotelu. Widać było przez nie ogromną krzyżówkę z ułożonych pionowo i poziomo rzędów okien. Gerry podszedł, spojrzał żonie przez ramię i objął ją w pasie. Pod ich oknem rozciągała się płaska połać dachu.

– Ale pada – rzuciła Stella. Na dachu leżała pusta paczka po papierosach Gauloises oraz plastikowe, dziecięce wiaderko.

– Pięknie – ocenił Gerry.

Stella postawiła walizkę na podwójnym łóżku, a kiedy otworzyła klapę, krople wody spadły prosto na narzutę. Zaczęła się rozpakowywać. Gerry podszedł do łóżka z drugiej strony i położył się na wznak.

– Doskonale – stwierdził. – Łóżko jest twarde jak kamień. Miękkie materace źle mi robią na plecy.

– Podoba ci się?

Podała mu celofanowe opakowanie oznaczone logotypem Marks & Spencer.

– Co to?

– Nowa piżama.

– Czarna?

– Jak smoła.

Uniósł brew i spojrzał na stojącą Stellę.

– Czemu? Kręci cię to? Pragniesz upojnej nocy z księdzem?

– Księża są zazwyczaj dość niezależni, by samodzielnie wybierać piżamy.

Stella odpakowała zakupy. Piżama trafiła pod poduszkę, a celofan do kosza, gdzie trzeszczał cicho, próbując odzyskać oryginalny kształt.

Podała Gerry'emu pilota.

– Znajdź informacje po angielsku.

Zaczął przerzucać kanały, a migoczący ekran generował losową mieszaninę europejskich języków. Wreszcie trafił na BBC News. Reporter był na plaży; rozmawiał z mężczyzną, który właśnie wysiadł z unoszącej się na falach, przepełnionej łodzi. Imigrant mówił łamaną, ale zrozumiałą angielszczyzną. Za nim widać było kobietę z dzieckiem. „Mężczyzna przybył wraz z żoną i synkiem do innego kraju, by uciec przed wojną", podsumował ze wzruszeniem ramion reporter.

– I tak to się toczy – skwitowała Stella, po czym ruszyła, by zanieść kosmetyczkę do łazienki. Gerry widział jej odbicie w lustrze zawieszonym naprzeciwko drzwi. Patrzył, jak wącha kostkę mydła, z którego zdarła wcześniej faliste opakowanie. „Zrobię tu sobie luksusową kąpiel! Albo i dwie!", zawołała. Wyciągnęła plastikową kosmetyczkę pełną kremów, tubek oraz sztucznych łez i po kolei ustawiła wszystko na półce.

Gdy wróciła do pokoju, Gerry wciąż leżał w butach na łóżku. Zrzuciła własne i ułożyła się obok, na narzucie. Zaczęła przeglądać wyciągnięty z torby przewodnik po Amsterdamie, aż znalazła opis restauracji, w której serwowano podobno „wyjątkowo pożywne potrawki". Spróbowała odnaleźć ją na mapie, ale zasnęła.

Obudziło ją pukanie. Zegarek wskazywał, że spali o wiele za długo.

– Kto tam?

Otworzyła drzwi. Po drugiej stronie stały dwie nieśmiałe dziewczyny w mundurkach. Uśmiechnęły się, a ta stojąca bliżej rzuciła coś po holendersku.

– Angielski – poprosiła Stella.

– Przygotować państwu łóżko? – zapytała dziewczyna.

– Dziękuję, damy radę sami.

– Czekoladkę? – Stojąca dalej pokojówka wyciągnęła tacę z kostkami zawiniętymi w złotą folię. Stella wciąż miała w dłoni przewodnik. Sięgnęła lewą ręką i niezręcznie zgarnęła kilka słodyczy. Podziękowała skinieniem głowy, po czym zatrzasnęła drzwi ramieniem.

– Nie byliśmy gotowi na przygotowanie łóżka – parsknął Gerry. – Znów niepotrzebna służalczość. „Ponieść panu walizkę? Prześcielić państwu łóżko? Może trochę czekolady na zepsucie zębów?".

Od strony korytarza rozległo się odległe pukanie. Usłyszeli raz jeszcze tę samą rozmowę, tym razem po holendersku.

O siódmej włożyli szaliki, czapki i płaszcze.

– Masz kartę magnetyczną? – spytała Stella.

– Tak.

– Kiedy wyciągniesz ją ze ściany, światła zgasną.

– Dobrze, że twoje studia na inżynierii elektrycznej nie poszły na marne.

Zjechali windą, cmoknąwszy się w nadęte wargi. Stella zapytała recepcjonistę o dobre knajpy w okolicy. Przystępne cenowo.

– Lubią państwo azjatycką kuchnię? – spytał mężczyzna.

– Może tajwańską?

Oboje przytaknęli. Wyciągnął spod biurka kartkę z mapą i zaznaczył położenie restauracji iksem.

– Jak się nazywa? – spytała Stella.

Recepcjonista wzruszył ramionami. Przerosło go tłumaczenie z tajwańskiego na holenderski i z holenderskiego na angielski.

– Jest dobra – powiedział z uśmiechem.

Podziękowali mu, odwrócili się i odeszli.

– Nic nam po mapie, jeśli nie wiemy, gdzie jesteśmy – szepnął Gerry do Stelli.

Odwróciła się do konsjerża i zapytała:

– Hotel?

– Przepraszam – powiedział, zaznaczywszy na mapie kolejny iks.

Gdy wyszli na zewnątrz, okazało się, że deszcz ustał, było jednak przeraźliwie zimno. Szli wzdłuż kanałów, w których przeglądała się miejska noc. Stella przylgnęła do ramienia Gerry'ego w poszukiwaniu ciepła. Światła lampek dekoracyjnych umieszczonych pod każdym mostem tańczyły na pomarszczonej powierzchni wody. A jednak uderzenia mroźnego wiatru co rusz barwiły ją na czarno. Gerry spojrzał w dół.

– Odejdź od krawędzi – poprosiła Stella. – Dostaję od tego ciarek.

– Od czego?

– Chodzi o czarną wodę. Musi być lodowata.

Gerry wysunął łokieć, by mogła znów wziąć go pod rękę.

– Kojarzy się z samobójstwem. Z chwilą, gdy ktoś ma tak dosyć życia, że wybiera śmierć.

– Ej, rozchmurz się. Jesteśmy na wakacjach – rzekł Gerry.

– Idziemy coś zjeść. Wypić kolejkę czy dwie. Właśnie minęliśmy irlandzki pub.

Dał się słyszeć dźwięk dzwonka i ostrzegawczy okrzyk. Stella obejrzała się przez ramię. Obok przemknęła dziewczyna na rowerze.

– Łał! – rzucił Gerry. – Spójrz, jak gna. Niesamowity widok.

Stella przyjrzała się oznaczeniom ulicznym, które miała pod nogami, po czym uniosła wzrok w stronę znikającej w mroku sylwetki.

– To ścieżka rowerowa. Czemu biegnie środkiem chodnika?

Kelner, który obsługiwał ich w restauracji, był niezwykle przystojny i bardzo podobał się Stelli. Otoczył ją nawet ramionami, gdy strząsnął czerwoną serwetę i pozwolił, by materiał opadł jej na kolana. Doskonale mówił po angielsku. Stella wachlowała twarz z wyrazem udawanej nieśmiałości, równocześnie zerkając na Gerry'ego i wysoko unosząc brwi.

Posiłek był smaczny. Wzięli do niego butelkę rioji – Stella wychyliła kieliszek, a Gerry po męsku dopił resztę. Doceniła temperaturę alkoholu:

– Im letniej, tym lepiej.

Gerry wypił do przystawki dwa lodowate heinekeny. Kiedy opłacał rachunek, zauważył, że Stella zabrała z jego deski serów niedojedzone herbatniki. Zawinęła je w serwetkę i schowała do torebki.

Aby dotrzeć do irlandzkiego pubu, musieli dostać się na drugą stronę ruchliwej drogi. Przy przechodzeniu przez jezdnię Gerry zawsze brał Stellę za rękę, jako że nie potrafiła prawidłowo oceniać prędkości nadjeżdżających samochodów, a spojrzenie w niewłaściwą stronę wiązało się w Amsterdamie z dużym ryzykiem. W domu Stella zawsze przekraczała jezdnię na pasach. Dla Gerry'ego trzymanie się za ręce było przejawem bliskości – zdecydowanie innej, niż gdy trzymała go za ramię. Skóra dotykała teraz skóry. Przylegała do niej w absolutnej bliskości. Ich dłonie były dla siebie stworzone.

Znaleźli pusty stolik. Barman miał dubliński akcent, a cały pub wypełniały irlandzkie rupiecie z lat pięćdziesiątych. Jedną ze ścian pokrywały reklamy guinnessa, kalendarze z irlandzkimi pisarzami, plakaty reklamujące linie kolejowe (autorstwa irlandzkich malarzy), zdjęcia łodzi pływających nocą z Belfastu do Heysham i Liverpoolu.

– Istnieje firma, która sprzedaje całe zestawy tego stereotypowego badziewia – powiedział Gerry.

Niedaleko drzwi rozkładał się zespół muzyków. Widać było skrzypce, bodhrány, długie brody i cały las mikrofonów na pionowych statywach.

– Muzyka popularna czasem ciężko mi wchodzi – rzekł Gerry. – A to chyba zawodowi naśladowcy irlandzkiego folku.

Przez dłuższą chwilę siedzieli, patrząc sobie w oczy.

– Stello, od lat nie postawiłaś mi drinka.

– Nie jestem dość szybka. Zwykle mkniesz do baru jak błyskawica.

– Poproszę whiskey. Jamesona. Wybór rozmiaru zostawiam tobie. Zabij ich, jeśli spróbują wrzucić do środka lód, ale weź osobno wodę.

Stella wyciągnęła portmonetkę i podeszła do lady. Wróciła, niosąc whiskey oraz dzbanek. Gerry spojrzał krytycznie na zawartość szklanki.

– Radosny kot by więcej napłakał.

– Zamówiłam podwójną.

– Uczysz się.

– Zagłaszczę cię na śmierć.

Wróciła do baru po swoją wodę gazowaną. Gdy usiadła, Gerry kończył właśnie rozcieńczać drinka.

– Alkohol to koła, dzięki którym jadę naprzód. – Uniósł szklankę. Stuknęli się.

– Skoro tego ci trzeba. – Upiła łyk.

– Nasze zdrowie.

– Twoje i moje. Chyba należy się cieszyć, że mamy siebie nawzajem. Mamy kogo ignorować.

– Wydajesz się zamyślona.

– Tworzę storyboard mojego życia.

– Dobrze się czujesz? – zapytał.

– Tak. Wszystko w normie.

– Nie o to mi chodzi. Po prostu...

– Co?

– Jesteś bardzo odległa. Cicha. Zamknięta w sobie.

– Nie zauważyłam. – Odezwała się znów dopiero po krótkiej chwili. – Pomyśl, co się dzieje na świecie. Właśnie w tym momencie gdzieś po Morzu Śródziemnym płynie zapewne łódka wypełniona po brzegi biednymi ludźmi. W każdej chwili może zatonąć. A my jesteśmy tu.

– Jak mówiłem: jesteśmy na wakacjach.

Gerry przeniósł wzrok na plakaty zdobiące ścianę za Stellą. Wskazał palcem dzieło Paula Henry'ego. Widniało na nim jezioro, w którym odbijały się kremowobiałe chmury. „Jezioro Lough Derg – wakacje w Irlandii". Stella pielgrzymowała tam już kilkakrotnie. Trzy dni modlitw i postu. Chodzenie boso na deszczu, brak snu, czarna herbata i przypalone tosty. „Zgłoszę panią do Rady ds. Turystyki!", groził z udawaną powagą Gerry. „Pani zdaniem to mają być wakacje?!".

Stella broniła swych wyborów.

– Pielgrzymka pozwala zapomnieć o codzienności i skupić się na tym, co ważne. A w dawnych czasach pozwalała też nawdychać się dymu papierosowego.

Zespół zaczął grać piosenkę *The Jug of Punch*. Wszyscy tupali do rytmu.

– Jak im nie wstyd nagłaśniać się w tak małej przestrzeni. – Gerry musiał krzyczeć.

Wokalista poprosił wszystkich, by śpiewali refreny razem z nim. Miał północnoirlandzki akcent.

– Dziwne – rzekł Gerry. – Irlandia dała światu dwie rzeczy. Przepis na dobrą zabawę... i samochody-pułapki.

Zespół grał teraz *Willy a Go, Lassie, Go*.

– Uwielbiam tę piosenkę – powiedziała Stella.

Muzyka zdawała się wciąż przybierać na sile. Pochłaniała większość słów Gerry'ego, choć krzyczał prosto do ucha nachylonej Stelli przez zwiniętą dłoń. Zespół zaczął grać buntownicze hymny wojowników IRA. Po *Sean South of Garryowen* zabrzmiały dźwięki *The Patriot Game*.

– Tego nie znoszę – skrzywiła się Stella. – Chodźmy.

Gerry przytaknął.

– Zakładają, że wszyscy popieramy przemoc. Że zaraz przytakniemy porozumiewawczo, jeśli do nas mrugną. Pieprzona wolność dla Irlandii. – Dopił whiskey.

– Nie mogę się doczekać łóżka – ryknęła Stella. – I butelki z gorącą wodą!

Wracali do hotelu inną drogą, drżąc z zimna. Księżyc pędził przez chmury, które czasem zupełnie go zasłaniały.

– Jest w trzeciej kwadrze?

– Nie mam pojęcia – rzekł Gerry. – Rzadko bywam na Ziemi. To żart Chica Murraya.

– Wiem.

– Księżyc jest wygumkowany z prawej strony.

– Kilka nocy temu był w pełni.

– A ja byłem w pełni szczęśliwy – powiedział Gerry. – Boże, co za ziąb.

Na niebie roiło się od mew podświetlonych od dołu przez latarnie. Szybowały przez nocne powietrze, chichotały, czasem miauczały jak koty. Widmowe łuki skrzydeł w ciemności. Krążyły leniwie, rozglądając się jak piloci w kokpicie; szukały resztek, skrawków pożywienia. Jedna z nich przecięła tarczę księżyca.

– Człowiek zapomina, że Amsterdam leży nad morzem – powiedziała Stella. – Póki nie zobaczy mew.

Oboje skulili się dla ochrony przed wiatrem i ruszyli, by jak najszybciej dotrzeć do hotelu.

Przystanęli jednak na widok dziwnego obiektu, który leżał na chodniku przed schodami prowadzącymi do drzwi wejściowych.

– A to co, na Boga?

Stella była pewna, że nic tu wcześniej nie leżało.

– Nie mam pojęcia. – Gerry schylił się, by lepiej widzieć.

Oglądali ociosaną bryłę lodu wielkości kuchenki mikrofalowej. Jej powierzchnia była w kilku miejscach nacięta. W głębi widniały białe żyłki pęknięć.

– Czeka na „Titanica” – powiedziała Stella.

– Wygląda jak rzeźba Rachel Whiteread, laureatki Nagrody Turnera.

– A kto to?

– Rzeźbi domy wywrócone na lewą stronę. Odlewy domów. Negatywna przestrzeń zaklęta w betonie. Tyle że tu mamy lód.

Gerry położył stopę na bryle i pchnął. Powoli ruszyła naprzód i zsunęła się w stronę kratki kanalizacyjnej.

– Jedzie jak kamień do curlingu – ocenił Gerry.

– Wygląda jak twoje serce.

– Wrzucę ci je do drinka.

Stella była już w hotelowym szlafroku. Wsunęła włosy w plastikowy czepek, podczas gdy strumień wody wpadał do wanny i spieniał płyn do kąpieli. Jej odbicie w lustrze powoli zaszło mgłą. Rzadko brała długie, hollywoodzkie kąpiele – uwielbiała jednak robić to na wakacjach. Powietrze wypełnił zapach lawendy. Powiesiła szlafrok na drzwiach i wślizgnęła się pod warstwę piany, zadowolona z chwilowej samotności. Gdy zakręciła wodę, zapanowała cudowna cisza. Słychać było jedynie niewyraźne, dochodzące zza drzwi dźwięki telewizora. Wyjęła dłonie z mydlin i przyjrzała im się uważnie. Okazało się, że noszenie bagaży fatalnie wpłynęło na stan jej paznokci. Oba pierścionki – zaręczynowy i obrączkę ślubną – nosiła na lewej dłoni. Przylgnęło do nich nieco piany, która skojarzyła jej się z wydzieliną larw pienika, ale spod spodu przebłyskiwało nadal nieco złota. Mydliny zaczęły pękać z cichym sykiem, odsłaniając jej kolana i zarys sylwetki. Potem brzuch, na którym wciąż widniał ślad odciśnięty przez spodnie. Występy i rowki – metody łączenia desek – tym razem widoczne na skórze. Oraz blizna obok pępka, tuż ponad bladą linią po cesarce. Aby zobaczyć bliznę na plecach, musiałaby stanąć przed lustrem i spojrzeć przez ramię.

Gdy wyjeżdżali nad morze, nosiła czarny kostium jednoczęściowy. Po tylu latach Gerry zrezygnował już z wygłaszania komentarzy na ten temat. Zrezygnował właściwie ze wszystkiego. Poza alkoholem.

Czy w jej wieku nie było już za późno na zmiany? Ledwie potrafiła choćby pomyśleć o odejściu. Wymagałoby przecież zbyt wiele wysiłku. Z drugiej strony wszyscy wiedzieli, że jest doskonałą organizatorką. Miała to we krwi. Podejmowała wyzwania – była przewodniczącą zarządu kamienicy, przyjęła pozycję szafarki Komunii Świętej w swojej parafii, organizowała wyprzedaże rękodzieła i rzeczy używanych. W ciągu wielu lat kupowała i sprzedawała mieszkania w imieniu ich syna, Michaela. Gerry nazywał ją „kapitanem wycieczki".

Organizowała skomplikowane podróże, rezerwowała hotele, umawiała spotkania; potrafiła wyobrazić sobie przebieg całej wyprawy, zanim jeszcze wyszli z domu. Na litość boską! Miała przecież wyższe wykształcenie! Kto, jeśli nie *ona* właśnie, powinien umieć o siebie zadbać? Powtórzyła w myślach wszystko, co chciała powiedzieć Gerry'emu. Rozważała różne sformułowania, ton głosu.

Jutro. Kto wie, jak się wszystko ułoży. Być może wreszcie odnajdzie swój azyl.

Większość związków się rozpada, gdy jedna z osób spotyka kogoś innego. W tym przypadku było inaczej. Oboje stracili rodziców, co ułatwiało sprawę. Dowiedzieć musiałby się jedynie ich syn, Michael, który założył już rodzinę w Kanadzie i układał sobie własne życie. Z pewnością by zrozumiał – wiedział, jaki jest jego stary. Geny odpowiadające za stosunek do alkoholu odziedziczył na szczęście po Stelli. A jeśli Gerry zamierzał nadal nie stronić od kieliszka, ona wolała być gdzieś indziej. Mieć „własny pokój". Rozpakowała kostkę mydła i zaczęła myć barki i ramiona. Zmysłowa przyjemność powolnych ruchów urwała się nagle, gdy kostka wyślizgnęła się jej spomiędzy palców. Usiadła prosto i zaczęła szukać jej po omacku, wsunąwszy dłonie pod niknącą pianę.

– Z rozkoszą zalegnę na łożu – oznajmiła, gdy wyszła z łazienki. Chciała, by Gerry znów włączył BBC News.

– Już je oglądaliśmy.

– Mogło się zdarzyć coś nowego. Tak to bywa w świecie wiadomości.

Gerry znalazł pilota i zaczął naciskać guziki. Stella zagotowała wodę i napełniła butelkę.

– Ścisz trochę, Gerry. Nie chcemy, żeby ktoś zaczął walić w ścianę.

Przetrząsnęła walizkę w poszukiwaniu książki.

– Myślałem, że już nigdy nie wyjdziesz – powiedział.

Poszedł do łazienki i nie zamknął za sobą drzwi. W lustrze nad umywalką odbijało się drugie lustro zawieszone w sypialni. Dzięki temu widział teraz, że Stella – już w białej koszuli nocnej – uklękła przy łóżku. Najpierw pomyślał, że coś zgubiła, może jeden z kolczyków, później dostrzegł jednak jej złożone dłonie i zrozumiał, że się modli. Otworzył usta, by coś powiedzieć, zrobić jakiś żart, ale się powstrzymał. Nie był to dla niego częsty widok. W domu chodzili spać o różnych porach. Mówiąc współczesnym językiem, jedno zostawiało drugiemu dużo przestrzeni. Nie wiedział, że Stella nadal modli się przed snem.

Uniosła złożone dłonie do twarzy. Tutejszy balsam do ciała był dobry. Niezbyt słodki. Miała własną mantrę, która pozwalała jej się skupić, zachować klarowność umysłu. Modliła się za tych, których kochała. Jej myśl sunęła w przestrzeni, muskając wszystkich członków rodziny. Jej rodziców i rozrzucone po świecie rodzeństwo. Wymieniała wszystkich po kolei jak pan Ryan, jej nauczyciel z czasów szkolnych. Odmawiała modlitwy dziękczynne za to, że udało jej się przeżyć. Że osłoniła ją boska dłoń. Jej ojciec zmarł, gdy miała dziewięć lat. Jego ciało ułożono wówczas w dużym pokoju, a gdy ją wprowadzono, musiała zmówić modlitwę. Inni stali wokół, towarzyszyli zmarłemu, który ciężko wcześniej chorował, a teraz wreszcie odnalazł spokój. Dłoń owinięto mu różańcem. Później tego samego dnia goście zebrali się w kuchni, gdzie pewien mężczyzna odśpiewał pieśń „Niech dusza ma wróci do starej Irlandii". Stella zamknęła oczy i na chwilę wsparła głowę na hotelowej narzucie. Gdy się modliła, czuła, że odwiedza bliskich. Całkiem jakby zaglądała do pokoju dziecięcego oświetlanego jedynie przez lampę na schodach, by dopełnić ostatniego obowiązku na koniec dnia. Od pewnego czasu modliła się również za wszystkich uchodźców; za wykorzystywanych, przerażonych i uciekających przed wojną. Takie modlitwy były jednak jedynie formą duchowych porządków. Czymś, co należy zrobić rano i wieczorem. Przed snem i po obudzeniu. Rytuałem organizującym świat. Uśmiechnęła się.

Gerry spuścił wodę i stanął nieruchomo, czekając aż Stella podniesie się z kolan. Mył ręce powoli, by dać jej więcej czasu. Raz jeszcze spojrzał w lustro. Zobaczył, jak kończy modlitwę, żegna się i wstaje.

Wrócił do pokoju i usiadł przed telewizorem. Stella przez chwilę stała i patrzyła mu przez ramię, po czym skupiła uwagę na łóżku. Pościel była naciągnięta niczym membrana na bębnie. Zaczęła ją ściągać. Najpierw ciężką narzutę – rzuciła ją w kąt, by nikt się o nią nie potknął. Następnie zajęła się górnym prześcieradłem, którego krańce musiała wyszarpnąć spod materaca. Wiedziała, że Gerry zrobiłby awanturę, gdyby poczuł, że materiał go ogranicza. Wstałby w ciemności, by walczyć z pościelą wśród jęków i przekleństw. Gdy skończyła, wsunęła się pod kołdrę i wsparła na ułożonych poduszkach. Gerry usłyszał chlupot butelki z gorącą wodą, którą ułożyła w nogach łóżka.

– No, teraz jest *fantastycznie* – oceniła.

– Jeszcze chwilę posiedzę.

Nalał sobie jamesona. Pierwsza porcja zabulgotała w szyjce butelki. W domu musiał bardzo na to uważać, jeśli był w zasięgu słuchu Stelli. Napełnił filiżankę do kawy wodą z łazienki i rozcieńczył drinka. Następnie odstawił go na dłuższą chwilę. Chciał, by Stella myślała, że może pić lub nie pić – że wszystko mu jedno, jak niedźwiedziowi z bajki Jamesa Thurbera. Po dłuższej chwili przestała czytać i odwróciła się do ściany.

– Zamknąłeś drzwi na klucz? – zapytała. – Pijani goście hotelowi lubią się szwendać po korytarzach i czasem mylą numerki.

– Nie planowałem wychodzić – odparł.

– Bardzo zabawne.

Jej oddech wkrótce stał się powolny i głęboki. Spała. Był to długi dzień.

Wzmianka o zamykaniu drzwi oraz rebelianckie piosenki z irlandzkiego pubu przypomniały mu Belfast. Potrząsał głową, by uwolnić się od obrazów. Próbował myśleć o drinku. Pierwszy łyk. Jamesona należało pić w skupieniu. Gerry absolutnie uwielbiał tę whiskey. Produkowano ją na południu, była na wskroś katolicka. Za to bushmills pochodził z północy, z krainy protestantów. Black Bush – adekwatna nazwa. Nie miało to jednak znaczenia – w kwestii alkoholu Gerry był ekumenistą. Dopił to, co miał w szklance, i napełnił ją po raz kolejny, jednak newralgiczne wspomnienie nadal nie chciało dać mu spokoju. Co gorsza, im więcej pił, tym słabiej mu się opierał. Coś podrażniło go niczym pyłek kwiatowy, który wywołuje kichnięcie. Właśnie skończył lunch w towarzystwie dwóch innych architektów. Wszyscy wiedzieli, że po południu czeka ich dużo pracy, pili więc jedynie portera. Słabego, z jednym iksem*. Raptem po pincie. Takiego piwa nie uznawali zresztą za alkohol, tak samo jak nie był nim na przykład dżin z tonikiem: pozwalało po prostu łatwiej przełknąć kanapki. Co pewien czas pojawiały się co prawda pogłoski o kolegach, którzy wróciwszy z lunchu zasypiali przy biurkach, a w pionie utrzymywały ich jedynie oparte o blat linijki z pleksiglasu, był to jednak mit. Anegdota dla ludzi z zewnątrz. Nikt z firmy w to nie wierzył.

Ktoś czekał na Gerry'ego w sali konferencyjnej, niedaleko głównego biura. Pozostali architekci wrócili już do pracy, czuł jednak, że coś wisi w powietrzu – wszyscy patrzyli na niego z wyczekiwaniem. Wszedł do pokoju, gdzie czekało dwóch mężczyzn: jeden masywny, w średnim wieku, drugi młodszy. Obaj stali przy mahoniowym stole. Powiedzieli, że są z Królewskiej Policji Ulsteru. Niedobrze. Już samo to wystarczyło, by Gerry'emu ścisnął się żołądek. Powiedzieli, by usiadł, choć przecież to on powinien *im* to zaproponować. Byli na *jego* terenie. Czyżby ktoś umarł? Gerry ani drgnął. Jego ciało odmówiło zmiany pozycji – umysł pracował na najwyższych obrotach. Próbował wydedukować prawdę z dostępnych wskazówek. Starszy mężczyzna miał ciemny wąs i obwisłe policzki. Co niepokojące, nie chciał spojrzeć Gerry'emu w oczy. Przyczyną mogły być wieści, którymi miał się podzielić, albo fakt, że uznał Gerry'ego za katolika. Nosił na szyi kasztanowy szalik w orientalne wzory. Trzymał denko od kapelusza między palcem wskazującym a kciukiem.

---

* Jeden X umieszczony na obwolucie trunku oznacza pojedynczy proces destylacji, a zatem mniejszą zawartość alkoholu (wszystkie przypisy, jeśli nie zaznaczono inaczej, pochodzą od tłumacza).

Był niespokojny; nerwowo przebierał palcami. Młodszy mężczyzna znów wskazał Gerry'emu jedno ze stojących przy stole chromowanych krzeseł o skórzanych oparciach. Czemu uznali, że powinien usiąść? Czemu tak bardzo im zależało? Jedno krzesło uderzyło o drugie z głośnym brzękiem. Gerry usiadł. Zapytali go, czy nazywa się Gerald Gilmore. Skinął głową. Potwierdzili jego adres. Było coraz gorzej. Miał miękkie nogi i lód w żołądku. Starszy mężczyzna miętosił frędzle szalika.

– Doszło do wypadku – powiedział. – Z udziałem pana żony.

Nagle obudził się w fotelu. W pokoju hotelowym. Blask telewizora zmieniał się wraz z wyświetlanymi obrazami. Od strony łóżka słychać było oddech Stelli. Czy długo spał? Czy się zaślinił? Wedle zegarka było już po drugiej. Nie pamiętał, czy przestawił go po lądowaniu z czasu brytyjskiego na lokalny.

– Do boju.

Dopił whiskey ze szklanki.

– Mówiłeś coś? – odezwała się Stella. – Co tam mruczysz?

– Nic. Wszystko dobrze.

Siedział nieruchomo, aż jej oddech znów stał się głośny i rytmiczny. Wyłączył telewizor i poszedł do łazienki. Zamykając drzwi powolutku, podniósł klamkę, by jej nie obudzić. Celował w bok muszli toaletowej, a kiedy skończył, opuścił deskę, chcąc wygłuszyć odgłos spuszczania wody. Brał leki na cholesterol. Tabletki należało łykać w nocy. Były tak wielkie, że wyciskaniu ich z listka towarzyszył głośny trzask. W domu trzymał je poza sypialnią. Tutaj, za zamkniętymi drzwiami w hotelowej łazience, nie stanowiły problemu. Stella nic nie usłyszy – jej sen nie zostanie zakłócony. Nalał sobie wody do szklanki, wyłamał tabletkę, połknął ją i popił, spoglądając przy tej okazji na swe odbicie w lustrze. Alkohol odciskał piętno na jego twarzy stanowiącej zresztą wskaźnik nie gorszy od tego, który mierzył szerokość rysy na ścianie w ich mieszkaniu. Widać było, że powierzchnia się zapada. Konstrukcja słabnie. Każdy mógł się o tym przekonać, a najjaskrawszy dowód stanowił oczywiście nos – czerwono-szary, miejscami naznaczony błękitem. Wkrótce musiał zapewne pokryć się bruzdami i upodobnić do truskawki. „Opalenizna" od whiskey; zniszczona skóra, zgrubiała i szorstka. Proces ciągnął się latami. Trwał dekady. Złe przyzwyczajenia powoli drążyły rzeźbę ludzkiego ciała, choć przecież była już dawno skończona. Kiedy czerwony nos pojawił się po raz pierwszy, Gerry często żartował, że „kto ma trądzik różowaty, rumieni się ze wstydu". Jego odbicie przyglądało mu się równie uważnie. Powoli rosło mu podgardle. Tak jest, nie da się zaprzeczyć. Sięgnął palcami pod brodę i zaczął je z obrzydzeniem ugniatać. Jeśli tak wyglądał od zewnątrz, co działo się w jego wnętrzu? Czy suszył powoli własną wątrobę i marynował Bóg wie ile innych organów? Skończona rzeźba. Uniósł ręcznik i wytarł kąciki ust. Istniało niebezpieczeństwo, że alkohol stanie się przyczyną rozpadu ich związku. Wiedział, że Stella nienawidzi jego uzależnienia. Dlatego ukrywał przed nią to, jak dużo właściwie pije. Choć w połowie przypadków się zapominał.

Hotelowy tumbler miał niewielką objętość, ale Gerry napełnił go po brzegi. Docisnął wyłącznik światła, by nie wydał najmniejszego dźwięku. Podszedł do łóżka od swojej strony i odstawił naczynie. Jego okulary leżały na szafce nocnej szkłami w dół, choć optyczka ostrzegała go, że jeśli będzie je tak zostawiał, to się porysują. Odsunął je, by jego dłoń mogła bez problemu wymacać w ciemności szklankę z wodą. Stella chrapała cichutko w gnieździe z poduszek.

Obudził go pęcherz. Przez chwilę nie wiedział, gdzie jest. Jedynym źródłem światła była czerwona lampka na telewizorze. Pokój hotelowy. Amsterdam. Zasłony doskonale pełniły swoją funkcję: z zewnątrz nie wpadał do środka nawet przyćmiony blask. Stella leżała obok. W całkowitej ciszy, wydało mu się jednak, że chyba już się obudziła. Na wszelki wypadek tego nie sprawdzał. Kiedy wstał, natychmiast pojawiły się żyrandole. Gwiazdy na nocnym niebie, markasytowe ostrza i groty. Nadchodzący udar – raczej nie zdąży dotrzeć do łazienki. Podwyższone ciśnienie i alkohol. *Motyl i skafander*. Skończy w międzygwiezdnej otchłani tych, którzy stracili mowę. Pielęgniarki będą przewijać go trzy razy dziennie. Wyciągnął rękę i wsparł się o ścianę w drodze do ubikacji. Starał się zachowywać jak najciszej, okazało się jednak, że nie ma takiej potrzeby, gdyż Stella włączyła lampkę nocną. Czyli rzeczywiście nie spała. Kiedy wrócił, powiedziała: „fiu, fiu". Takie dwa słowa.

– Co?

– Czarna piżama.

Ukłonił się teatralnie.

– Teraz ja – powiedziała, wstając z łóżka.

– Nie spuściłem wody. Nie chciałem cię budzić.

– Spuszczę za nas oboje.

Zgodnie z niepisanym prawem każde z małżonków starało się w takich sytuacjach nie rozbudzić drugiego. Byli „statkami, które mijają się w nocy". Czasem lubili powtarzać to wyświechtane sformułowanie.

A jednak żadnemu z nich nie udało się już zasnąć.

– Syndrom pierwszej nocy w podróży – powiedziała Stella.

Gerry słyszał, jak wierci się na ogromnym łóżku. Wreszcie włączyła lampkę, wstała i przetrząsnęła bagaże. Od strony nóg łóżka zaczęły dochodzić szelesty i odgłosy chrupania, które nie ustawały przez dłuższą chwilę. Gerry usiadł w końcu i zobaczył, że Stella jest w fotelu. Właśnie unosiła do ust trzymane w obu dłoniach nadgryzione ciastko.

– Wybierasz się na pasterkę?

– Przepraszam – powiedziała. – Nagle zgłodniałam.

– Przez ciebie nie mogę kimnąć.

Znów się położył. Wcisnął głowę w poduszkę.

– A skąd się wzięło „fiu, fiu"?

– Pewnie z komiksu z gazety – odparła. – Storyboard. Kiedy ktoś gwiżdże za dziewczyną, trzeba to jakoś zapisać w dymku. Dźwięk gwizdania... zmienia się w „fiu, fiu".

Wróciła do łóżka.

– Nigdy nie nauczyłam się gwizdać. Zakonnice raczej nas do tego nie zachęcały. Mówiły, że Matka Boska nigdy nie gwizdała.

Zgasiła światło. Chwilę później Gerry poczuł, że cała trzęsie się ze śmiechu.

– Co cię bawi? – zapytał.

– „Kimnąć" – odparła. – Co za cudaczne słowo. Nie słyszałam go od lat. A przecież ojciec wciąż go używał. Gdy matka pytała, czy dobrze mu się spało, odpowiadał, że nie, że nijak nie mógł kimnąć.

Gerry też zaczął się śmiać.

– Ciągle jestem pijany – powiedział. – Bądź cicho, bo nigdy nie kimniemy.

Znów zapanowała wesołość, ale tym razem śmiech nie był już tak długi i intensywny. Zamilkli. Gerry objął Stellę ramieniem i przytulił, póki nie odsunęła się i nie zniknęła w przepastnych odmętach łóżka.

S tella nie chciała włączać światła, by nie ryzykować, że obudzi Gerry'ego. Zamiast tego sięgnęła nad łóżko i uchyliła róg zasłony. Na zewnątrz wciąż panował mrok przedświtu, skądś dochodził jednak żółty blask lampy sodowej. Odkryła się i zsunęła nogi z łóżka. Było wystarczająco jasno, by bez problemu trafić do łazienki. Cieszyła się, że wzięła wczoraj kąpiel.

Potrafiła rozpoznać rozwieszone w szafie ubrania nie tylko po kolorach, które neutralizowało teraz żółte światło, ale również po kształtach i fakturze materiału. Wybrała granatowy kostium oraz jedwabny szal. Nie było to ważne. I tak zamierzała przez cały czas mieć na sobie płaszcz.

Wiedziała, że Gerry będzie spał jeszcze wiele godzin. Przed wyjściem podniosła czerwoną serwetkę, w której znajdowały się ostatnie herbatniki, i włożyła ją do torebki. W windzie unikała wzrokiem swego odbicia w lustrze. Od strony bufetu doleciała ją przyjemna woń, uznała jednak, że nie powinna iść na śniadanie sama, w płaszczu. Być może wróci, zanim Gerry zdąży wstać i się ubrać. Pchnęła ramieniem ruchome drzwi i wyszła na ulicę.

Było zimno i mokro. Wsunęła torebkę na nadgarstek i włożyła dłonie do kieszeni, by się ogrzać. Jeden z paznokci natychmiast zahaczył o podszewkę, a Stella zacisnęła pięści. Nie znosiła tego uczucia; jedwab potrafił momentalnie wskazać i wyolbrzymić każdą zadrę. Spomiędzy kamienic zaczęło na wschodzie prześwitywać blade światło. Stella przystawała w drzwiach budynków, by zaglądać do przewodnika, w którym zaznaczyła wcześniej zakładką właściwą stronę. Trudno jej było zorientować się w sieci kanałów. Wszystkie wyglądały podobnie, a mapa nie trzymała skali. Dotarcie do celu zajęło jej całe wieki; kilkakrotnie przeszła obok właściwego miejsca, nawet go nie zauważając. „Odszukać bramę jest czasem trudno". Wejście zwieńczone łukiem z cegieł prowadziło w głąb mrocznego pasażu między budynkami. Stella szła powoli, a odgłos jej kroków odbijał się od ścian. Korytarz prowadził do miejsca, którego widok zaparł jej dech w piersiach. Cała sytuacja przywodziła na myśl moment narodzin: przejście z mroku w światłość, przybycie na świat. Znalazła się w zupełnie nowym miejscu, więc sama czuła się odnowiona. Niezwykłe wrażenie. Powtórne narodziny. Nikt nie pamięta przecież chwili własnego przyjścia na świat. Może to zresztą i dobrze. Stella urodziła się raz i raz też rodziła. Pierwszego zdarzenia nie pamiętała, o drugim pragnęła zapomnieć. Jej dziecko przyszło na świat w okolicznościach tak traumatycznych, że na samą myśl o nich wzbierała w niej fala paniki, nabrała jednak ogromnej wprawy w duszeniu niechcianych wspomnień w zarodku. Kluczem było skupienie się na otaczającym ją świecie. Trawa, zimowe drzewa, pierścień starożytnych budynków odwróconych plecami do reszty miasta. Wszystkie patrzyły do wewnątrz, niczym ustawione w półksiężyc wagony, tworząc przytulne schronienie. Wewnętrzny dziedziniec rzymskiego atrium. Na środku ogrodu znajdowała się statua przedstawiająca postać podobną do Chrystusa, zwrócona w stronę kościoła z czerwonej cegły. Właśnie to miejsce Stella widziała na ekranie swego komputera. Spokój również był znajomy. Pasaż, którym przeszła, wygłuszył odgłosy Amsterdamu – pociągi, tramwaje i samochody przestały istnieć. Ciszę podkreślało ćwierkanie przemykających wśród domów wróbli.

Deszcz ustał, a Stella wyszła spod dachu, by napawać się pięknem otaczającej ją przestrzeni. Na krótką chwilę słońce przebiło się przez chmury, by prześwitywać pomiędzy mokrymi gałęziami drzew. Uniosła głowę i odruchowo zamknęła oczy. Stanęła w miejscu, obserwując czerwony świat własnych powiek. Nocą robiła to samo, wówczas otaczała ją jednak czerń, koncentrowała się zaś na biciu dociśniętego do poduszki serca. Ciało funkcjonowało bez niczyjego pozwolenia, niezależnie od jej woli. Serce nie przerywało pracy ani na chwilę. Jelita nie kładły się spać. Koniec pracy oznaczałby bowiem koniec wszystkiego, a raz była go już bardzo bliska. Nigdy nie zapomni chwili, gdy otarła się o śmierć. Wiedziała też, że któregoś dnia będzie musiała w tajemniczy sposób porzucić ciało i stać się duszą. Spotykało to wszystkich, którzy kiedykolwiek żyli. Dusza to ona minus ciało. Poród to ona minus dziecko. Świat jej powiek powoli ściemniał, a gdy otworzyła oczy, zobaczyła, że słońce znów skryło się za chmurami. Już niedługo powinna skompletować i wysłać kolejną paczkę do Kanady. Przypomnieć się bliskim po tym, jak obdarowała ich na święta. W Oxfam kupiła już grę dla swego wnuka, Toby'ego. Słomki konstrukcyjne. Okazyjnie, egzemplarz zafoliowany. Może będzie z niego kiedyś architekt – może pójdzie w ślady dziadka. Pieniądze, które zapłaciła za prezent, poszły na cele dobroczynne. Pozostałym – swemu synowi Michaelowi oraz jego żonie – mogłaby znaleźć coś tu, w Amsterdamie. Choćby i dziś, póki jest rano, o ile starczy jej czasu. Bez Gerry'ego, który wciąż potykał się o własne nogi.

Drzwi kościoła ani drgnęły. Szczęk klamki odbił się głuchym echem od ścian. Wedle przewodnika był to Angielski Kościół Reformowany z piętnastego wieku. Stella obeszła budynek, próbując zajrzeć do środka. Na studiach uczyła się między innymi o Julianie z Norwich. Ta ascetka o nietypowym, niemal męskim imieniu napisała książkę po angielsku jako pierwsza kobieta na świecie. Rozsławiły ją słowa „wszystko będzie dobrze". I jeszcze raz: „wszystko będzie dobrze"[*]. Juliana żyła w celi dobudowanej do zewnętrznej ściany kościoła na podobieństwo gniazda os. W środku znajdowały się jedynie prycza oraz krucyfiks. Dostęp do kościoła zapewniało małe, nieprzeszklone okno – tak zwany hagioskop – dzięki któremu Juliana mogła brać udział w mszy i innych ceremoniach; przyjmować słowo Boże i sakramenty. Gerry wskazał Stelli takie właśnie okienko dla trędowatych, gdy oglądali od zewnątrz kościół w Antrim. Stella wyobraziła sobie wówczas wykluczonych ze społeczeństwa chorych, którzy śledzili przebieg mszy świętej, klęcząc skuleni na deszczu. Okienko było małe, więc musieli się przy nim zmieniać. Juliana żyła w tym samym czasie co Chaucer. Stella uwielbiała rzeczowość i wulgarność średniowiecza, jego język pełen spłaszczonych, sprasowanych samogłosek oraz zdolność podejmowania w mgnieniu oka kwestii religii, mistycyzmu i współczucia.

---

[*] Julianna z Norwich, *Objawienia Bożej miłości*, tłum. W. Szymańska, Warszawa 1997.

Podeszła, by z bliska przyjrzeć się budynkom. Szczyt jednego z nich zdobiła data 1660. Cyfry sprawiały wrażenie naprawdę starych. W ścianach otaczających położony dalej dziedziniec wykuto kwadratowe wcięcia, a w każdym z nich widać było sceny ze Starego Testamentu, najwyraźniej odnowione niedawno przy użyciu jaskrawych farb: Abraham unosił miecz nad szyją syna, rozpalony piec pochłaniał trzech mężczyzn, których imion nigdy nie potrafiła wymówić, święta rodzina uciekała do Egiptu. DE VLUGH VA EGIPTEN. Ostatnia scenka podobała jej się najbardziej. Józef prowadził na przód Maryję otulającą dziecko płaszczem barwy lazurytu.

Po lewej stronie znajdowała się brama z zawieszoną obok tablicą ogłoszeń pełną zapisków po holendersku. Drzwi były zamknięte, ale Stella znalazła kartkę z godzinami otwarcia. Na pewno nie każą jej czekać zbyt długo. Gdy znów się rozpadało, cofnęła się i schroniła w pasażu. Może jednak *powinna była* zjeść śniadanie. Wsunęła dłoń do torby. Poczuła miękkość serwetki, teksturę herbatnika. Zaczęła go skubać. Było tak cicho, że słyszała chrupanie głęboko wewnątrz czaszki. Tamten kelner naprawdę umiał ją oczarować. Miał białe zęby i przystojne, azjatyckie rysy. Był profesjonalnie uprzejmy. Rozłożył jej na kolanach tę właśnie serwetkę. Teraz, gdy skończyła jeść, złożyła ją i schowała do kieszeni, by nie śmiecić. Dopiero po chwili zdała sobie sprawę, że całą podszewkę ma teraz upstrzoną okruchami.

Przypomniała sobie czasy, gdy Gerry działał na nią w ten sam sposób. Bardzo dawno temu. Gdy był jeszcze hitem miesiąca. Kiedy pierwszy raz porwał ją swym samochodem. Sam fakt, że w ogóle miał samochód, robił w tamtych czasach wrażenie. Pojechali krętą drogą wzdłuż wschodniego wybrzeża prowadzącą do słynnych łąk hrabstwa Antrim. Była oczarowana pejzażami. Waterfoot, Cushendall, Cushendun, później nadmorskie miasteczko Ballycastle. Na początku onieśmielało ją to, że są razem w samochodzie. Palili papierosy Benson & Hedges. Choć sama rzadko paliła, miło jej było dotrzymać Gerry'emu towarzystwa. Większość dymu wypuszczała nosem. Dzień był na tyle ciepły, że mieli otwarte okna.

Rozmawiali. O polityce i religii. Ostrożnie badali się nawzajem i odkrywali fakty na temat swoich rodzin. Stella miała trzech braci i trzy siostry. Wszyscy mieszkali niegdyś w niewielkim domku w dużej wiosce. Bez bieżącej wody, z osobnym wychodkiem, tak że Stella musiała każdego ranka chodzić do ulicznej pompy, by napełnić wodą emaliowane wiadro. Dla rodzeństwa nie był to problem – mieli przecież dom *niedaleko* pompy, a nie wszyscy sąsiedzi mogli pochwalić się tym samym. Myli się w sypialniach, gąbkami, przy misach z wodą. Gerry powiedział, że jest jedynakiem i zbiera znaczki. Gdy zaczęła się śmiać, wyjaśnił, że można w ten sposób podróżować, nie wychodząc z domu. Upomniała go, że nie skończyła jeszcze swojej opowieści. Gdy rada hrabstwa rozpoczęła w wiosce budowę domów komunalnych pod wynajem, każdy mógł zgłosić swoją kandydaturę. Domy były różnej wielkości i w różnym stylu. Jeden z nich miał cztery sypialnie. Kiedy złożyli wniosek, by w nim zamieszkać, rozpoczął się gorączkowy czas oczekiwania i nadziei. Wspaniała perspektywa. Sypialnie, łazienka i dwie ubikacje na wyłączność. Matka i ojciec modlili się, by przyznano im dom. Zagonili do tego również dzieci. Wszyscy razem uczestniczyli w nowennie mszy świętych; wstawali o świcie i wspinali się do położonej na wzgórzu kaplicy. Później matka poszła nocą na plac budowy i wrzuciła cudowny medalik na teren, który miał się stać przestronnym ogrodem ich wymarzonego domu. Było to kolejne marzenie ojca – miejsce, gdzie mógłby sadzić warzywa: marchewki, cebule, ziemniaki. Może kilka kwiatów. A jednak gdy nadeszła wielka chwila, sprawujący władzę – oczywiście wszystko unioniści – przekazali dom o czterech sypialniach komuś ze swoich. Protestanckiemu policjantowi. Sierżantowi Królewskiej Policji Ulsteru, którego żona zmarła na raka, a który miał jednego nastoletniego syna. Po co im tyle miejsca?

Gerry od razu się nakręcił i zaczął mówić o unionistach. Irlandia Północna została oddana w cudze ręce przez kogoś, kto nie miał do niej żadnych praw. W wyniku tego stała się ekstremalnie protestancką wersją Hiszpanii Franco. Nic nie mogło się już zmienić – rządzący wyznaczyli granice okręgów wyborczych w sposób, który sprawiał, że udział w wyborach nie miał żadnego sensu. Iksy na kartach wyborczych mogłyby równie dobrze być niewidzialne. Nie tylko katolików pozbawiono praw obywatelskich – problem dotyczył całej lewicy. Stella uspokoiła go, ułagodziła, wciąż powtarzała, że dzień jest naprawdę piękny. Kupili lody w Cushendall i zatrzymali się przy polu golfowym, by Gerry mógł zjeść swoją porcję, zanim rozpuściła mu się w dłoni.

Podczas spaceru po bulwarze nadmorskim w Ballycastle zaintrygowała ją trawa na kortach tenisowych. Była malachitowa i pięknie utrzymana. Siatki wyglądały na nowe i napięte. Gerry powiedział, że właściciele kortów przygotowują wszystko na lato, wraz z którym przybyć mieli turyści ze Szkocji. Większość kortów była zajęta przez ubranych na biało zawodników, a Stellę onieśmielał nieco odgłos uderzeń w piłkę i uprzejme jęki po nietrafionych strzałach. Zwyczaje tenisistów stanowiły dla niej tajemnicę.

Zeszli na plażę i ułożyli się na piasku. Słońce co rusz chowało się za chmurami, których cienie wędrowały po cyplu Fair Head. Gerry zapalił, a Stella przesypywała sobie z ręki do ręki mięciutki piasek. Później dalej spacerowali plażą. Trudno było iść po suchym piasku, zbliżyli się więc do morza, gdzie nawilżały go i spajały fale przyboju, zostawiając po sobie koronkowe frędzle piany. Stella wypatrywała kamyków. Schylała się tylko po idealnie białe, które pokazywała potem nieśmiało Gerry'emu. Spójrz tylko na ten. Gdy połyskiwały od wilgoci, wydawały się wyjątkowe, wiedziała jednak, że kiedy wyschną, na ich powierzchni mogą się pojawić niechciane odcienie żółci lub szarości. Kamyki pozbawione skazy lądowały później w szklanej misie na stole, Stella uwielbiała bowiem ich prostotę. Kształt księżyca w pełni. Fakt, że nic nie kosztowały, że nikt nie próbował ich sprzedać.

Gerry wyglądał lepiej w terenie. Światło dnia sprzyjało mu bardziej od pomarańczowego blasku sali tanecznej. Był raczej ładny niż przystojny, zdawał się zamyślony i przejęty – typ faceta, który zrobi dla ciebie wszystko. Najważniejsze jednak, że wydawał się interesujący. Szczególnie gdy mówił o sztuce i architekturze, a zaciekawić kogoś architekturą to przecież nie lada wyczyn. Zanim poznała Gerry'ego, ledwie zdawała sobie sprawę z jej istnienia. Wiedziała, że ludzie potrzebują domów mieszkalnych, sklepów, przystanków i kościołów... nic ponad to jej jednak nie interesowało. Pokazywała mu białe kamienie, a on odwdzięczał się, roztaczając przed nią wizje piramid, drapaczy chmur, zworników i kaplic Matki Boskiej. Gdy o nich opowiadał, przysuwał się, pochylał głowę i wpatrywał w jej oczy. Uwagę zwracały przede wszystkim jego energia i entuzjazm, zgrabne sformułowania i poczucie humoru. Jego wypowiedzi stanowiły dla Stelli powiew świeżości.

Na końcu plaży dotarli do kładki prowadzącej na deptak. Trwał odpływ, kładka zdawała się więc pozbawiona celu, niczym porzucony most prowadzący donikąd. Wspięli się na stopnie i doszli na sam środek drewnianej konstrukcji. Deski, na których stali, były wypolerowane i wybielone przez żywioły. Skąd się tu właściwie wzięły? Gerry najpierw rzucił, że to nieukończony most do Szkocji. Potem wycofał się z żartu i powiedział, że na kładkę często przychodzą wędkarze. Podczas przypływu tylko ona pozwala im dostać się w okolice kamieni, gdzie pływa najwięcej ryb.

Wiatr musiał wiać od strony zabudowań, słyszeli bowiem dochodzące z wesołego miasteczka ciche dźwięki muzyki oraz piski bawiących się ludzi. Stella oparła łokcie na barierce i patrzyła w morze. Błysnęła latarnia morska na wyspie Rathlin, Stella zaczekała więc dłuższą chwilę, aż światełko znów się pojawi. Na horyzoncie widać było jasnobłękitny zarys Szkocji. Odwróciła się, by zadać jakieś pytanie, a wtedy Gerry ją pocałował. Gdy ich usta się rozłączyły, oparła mu czoło na ramieniu. Przysunął się, by powtórzyć pocałunek. Wyciągnęła palec i położyła mu go na ustach, by myślał, że się waha. Uśmiechnął się niepewnie, tak że poczuła pod palcem ruch jego warg. Po chwili wahania cofnęła dłoń i odwzajemniła pocałunek.

Później jeszcze przez długie lata czuła radość, gdy wkładała ten sam płaszcz i znajdywała w kieszeniach ziarenka piasku.

***

Wsparła się ramieniem o ścianę amsterdamskiego pasażu i spojrzała na zegarek. Kroki. Odwróciła się i w półmroku dostrzegła nadchodzącą postać. Była to kobieta w średnim wieku, z okularami na nosie, która przeprosiła ją po holendersku i przeszła obok, stukocząc obcasami. Wyciągnęła pęk kluczy, otworzyła drzwi sąsiedniego budynku i weszła do środka. Stella ruszyła za nią, zawahała się jednak. Nie chciała naprzykrzać się kobiecie, która zapewne właśnie rozpoczynała dzień pracy. Lepiej dać jej czas na zdjęcie płaszcza i starcie z okularów kropli deszczu; na dopełnienie codziennego rytuału, w którym zapewne nie było miejsca na pytania nieznajomych pokroju Stelli. Dlatego zrobiła kolejne kółko po ogrodzie, wzdłuż ścieżki wyłożonej kostką w jodełkę. Nie sposób było się tutaj zgubić. Uniosła głowę, by spojrzeć na otaczające ją budynki. Firanki były pozasłaniane. Na niektórych parapetach dostrzegła aspidistry – zupełnie jak w domu! – a w jednym z górnych okien błyszczała szkarłatem gwiazda betlejemska, jasna jak wieczne światło w synagodze. Układ ogrodu kojarzył jej się z krużgankiem, choć brak zadaszonej kolumnady oznaczał, że każdy, kto chciałby tu przyjść pomedytować, byłby wystawiony na łaskę i niełaskę pogody. A zatem rozkojarzony. Po krużgankach można było chodzić w spokoju. Prowadziły donikąd. Stanowiły duchową siłownię. Ten, który zapamiętała najlepiej, znajdował się w katedrze w Santiago de Compostela. Cienie jego kolumn padały na posadzkę, tworząc pasy światła i mroku: przejście dla pieszych, które każdy mógł przebyć w spokoju. Przestrzeń pokonywana w kółko, która zawsze prowadziła do punktu wyjścia. Teren alfy i omegi, którego wyznaczone granice pozwalały wyzwolić umysł i duszę. Miejsce do ćwiczeń dla tych, którzy nie chcieli opuszczać czterech ścian. Jednocześnie więzienie i osłona przed światem zewnętrznym.

Kilka miesięcy później, jeszcze przed końcem lata, znów była na wyjeździe z Gerrym. Tym razem udali się do Galway i na zachodnie wybrzeże. Kiedy dotarli do małego hotelu, jego właścicielka uniosła wzrok znad książki meldunkowej i zapytała, czy chcą pokój z dwoma czy z jednym łóżkiem. Stella odparła, że zdecydowanie z dwoma.

Do kolacji wypili butelkę wina Blue Nun i wylewnie pochwalili jedzenie. Z jadalni widać było ogród, właścicielka hotelu, która sama roznosiła też dania do stolików, wskazała im więc zioła, dzięki którym ich posiłek był tak bogaty w smaku.

Później wyszli na zewnątrz. Wieczór przechodził właśnie w noc, po nadmorskim niebie wędrował sierp księżyca. Zostawiał na wodzie srebrzystą ścieżkę skierowaną prosto w stronę ogródka z ziołami, w którym stali. Gerry pokazał Stelli sztuczkę, której nauczył się od ojca – miażdżył liście między palcem wskazującym i kciukiem, po czym wdychał aromat, który przylgnął mu do skóry. Nie miał dość śmiałości, by podsunąć jej pod nos swoje palce, poczuł więc ulgę, gdy zaczęła go naśladować. Wąchała własne dłonie, wydając okrzyki zdziwienia i rozkoszy po zbadaniu każdej kolejnej rośliny.

– Zapachy się mieszają – powiedziała. – Brakuje mi już rąk.

Następnego dnia, gdy oboje pochwalili zarówno zielnik, jak i miejscową kuchnię, właścicielka oprowadziła ich po ogrodzie, podając nazwy niektórych roślin. Szałwia, rozmaryn, lawenda, melisa, fenkuł ozdobny i zwykły.

Stella czuła teraz, że znalazła się w miejscu, w którym zwyczajnie nie sposób zabłądzić. Punktem orientacyjnym stać się mogła choćby wypłowiała muszla ślimaka lub roślina o ostrych liściach i żółtych kwiatach – mahonia pośrednia, którą Stella znała pod nazwą Winter Sun. W narożniku rosła srebrna brzoza, a jej gałązki tworzyły misterny wzór, który wyłapywał krople deszczu. Słońce ślizgało się po szklistej powierzchni drewna. Wystarczyło się przesunąć, by woda rozszczepiła promienie światła i rozbłysła wszystkimi kolorami tęczy. Stella przystanęła, by lepiej się przyjrzeć. Zadziwił ją ogrom zmian wywoływanych przez najmniejsze choćby drgnięcie głowy. W rogu za brzozą kwitł w najlepsze kolejny krzew, choć był przecież dopiero styczeń. Stella dojrzała go na długo, zanim się zbliżyła – miał kwiaty o bladych, lekko zaróżowionych płatkach – nie znała jednak jego nazwy. Przysunęła twarz i wzięła głęboki oddech. Pachniał wspaniale. Jakim cudem zakwitł przed końcem zimy? Być może dziedziniec był tak oddzielony od reszty świata, że wytworzył swój własny mikroklimat. Ze wszystkich stron otaczały ją dobre wróżby. Boski majestat.

Uśmiechnęła się i podeszła do drzwi obok tablicy ogłoszeń. W środku widać było teraz światło i sylwetki przemieszczających się ludzi. Nadal się jednak wahała. Musiała precyzyjnie sformułować pytania na wypadek, gdyby problemem okazała się bariera językowa. Z budynku biurowego wyszedł mężczyzna w średnim wieku z plastikową teczką w dłoni. Wyczuł w powietrzu wilgoć i uniósł teczkę nad głowę, by chronić się przed deszczem. Drugą dłonią nadal trzymał drzwi. Stella prześlizgnęła się obok, podziękowała i weszła do środka.

Kobieta w okularach siedziała za biurkiem i rozmawiała po holendersku z dobrze ubranymi Afrykanami. Dwóch miało na sobie garnitury, dwóch kolorowe stroje plemienne. Stelli zdawało się, że czeka w nieskończoność, a z każdą chwilą ubywało jej pewności siebie. Chciała się odezwać, by sprawdzić, czy drżenie głosu nie zdradzi zdenerwowania. W pewnej chwili w kolejce ustawił się za nią mężczyzna w płowym chałacie. Nie mogła być pewna, czy kobieta za biurkiem zna angielski. Wiedziała, że przekona się dopiero po zadaniu pierwszego pytania, nadal jednak nie umiała ostatecznie go sformułować. Mężczyzna w chałacie uśmiechnął się do niej, więc odpowiedziała uśmiechem. Powiedział coś po holendersku. Odparła, że nie rozumie.

– Przyjechała pani na urlop? – zapytał po angielsku.

– Tylko na kilka dni.

– Szkoda, że pogoda nie dopisuje. – Wzruszył ramionami. – Zima.

Przytaknęła z uśmiechem. Afrykanie bardzo uprzejmie pożegnali się z kobietą, po czym ruszyli do drzwi. Stella odchrząknęła i podeszła do biurka.

Znów pokonała mroczny pasaż, aż zalał ją czekający po drugiej stronie harmider miasta. Nie musiała zaglądać do przewodnika – sklepów było wokół aż nadto. Większość z nich nie miała drzwi. Od ulicy oddzielała je jedynie kurtyna gorącego powietrza, tak że wchodząc do środka, Stella czuła żar na czubku głowy. Prezenty, których szukała, musiały być małe – łatwe do zapakowania i wysyłki po powrocie do domu. Zamierzała dołączyć je do rodzinnej paczki, w której znajdowały się już słomki konstrukcyjne dla Toby'ego, nienawidziła bowiem płacić więcej za wysyłkę niż za sam prezent. Kartka z Amsterdamu też byłaby nie od rzeczy. Skąd matka jej wnuka wytrzasnęła w ogóle imię Tobias? Oczywiście, Danielle była przecież Francuzką. A konkretniej – francuskojęzyczną Kanadyjką. Babcia mogła nazywać wnusia „Toby" w ramach zawartego kompromisu, obecnie robiła to jednak tylko podczas rozmów telefonicznych. Na przykład tej, którą przeprowadziła, kiedy jej bliscy wrócili do Kanady po ostatniej wizycie w Glasgow. Toby miał wtedy trzy lata. Chciała skłonić go do wypowiedzenia choćby słowa. Czy podobało ci się u babuni? Cisza. Potem usłyszała w tle łagodny głos Michaela: „Kiwanie głową nie wystarczy, Tobiasie. Rozmawiając przez telefon, musisz *powiedzieć* «tak»".

– Tak.

– Oczywiście, że tak – odparła Stella.

Wyobraziła sobie dziecko po drugiej stronie linii. Chłopca ze słuchawką w dłoni w milczeniu kiwającego głową.

Niemal pękło jej serce.

* * *

Znalazła duży, luksusowy dom towarowy. Amsterdam, jak każde inne miasto, pełen był sklepów z rzeczami, których nikt nie chciał kupić. Albo takimi, które kupowano, choć nikt ich nie potrzebował. Znalazła krawat dla Michaela – przesadnie kolorowy, ale nie chciała, by uznano ją za zbyt zachowawczą – oraz apaszkę w czarno-białe pasy dla Danielle. Teraz brakowało już tylko pocztówki.

Gerry obudził się i poczuł, że jego podniebienie jest tak szorstkie, jakby wykonano je ze sztruksu. Leżał nieruchomo, w otępieniu. Czemu zeszłej nocy przypomnieli mu się faceci z Królewskiej Policji Ulsteru, którzy odwiedzili go w pracy? To przecież wizja z przeszłości. Powinna pozostać zagrzebana głęboko w jego umyśle – tam, gdzie jej miejsce. Niestety, w przypadku Gerry'ego pierwsza myśl po przebudzeniu zawsze była zła, a suchość w ustach pojawiała się za każdym razem, gdy nocował w hotelu. Winił za to klimatyzację. Okna się nie otwierały, nie sposób było więc nawilżyć powietrza. Fakt, że zeszłej nocy wypił mnóstwo alkoholu, nie miał tu nic – lub niemal nic – do rzeczy. W domu zdarzało mu się przecież wypić tyle samo, a nawet więcej, i nigdy nie czuł się równie kiepsko. Nadal miał przed oczyma twarz pierwszego funkcjonariusza policji, rysy jego młodszego towarzysza zdążyły się już jednak zatrzeć. Kiedy siedzieli w ich nieoznakowanym niebieskim fordzie cortinie, starszy mężczyzna obrócił się w fotelu, by popatrzeć na Gerry'ego i powiedzieć mu, że ma szczęście, że akurat jadą w tę samą stronę i mogą go podwieźć. Uważali, że nikt nie zasługuje na szczególne traktowanie. Młodszy funkcjonariusz kierował. Starszy położył czapkę na desce rozdzielczej, nadal widać było jednak ślad, który odcisnęła mu na włosach. Z tylnego siedzenia Gerry zauważył, że mężczyzna ma z tyłu głowy kolistą, mnisią łysinę. Znad kołnierza płaszcza wystawał mu fragment szalika pokrytego skomplikowanym, gęstym wzorem paisley w jaskrawych barwach. Wszyscy milczeli, aż wreszcie kierowca powiedział coś do swego kompana tonem, który ewidentnie wykluczał Gerry'ego z grona odbiorców. Chodziło o ich dalsze plany, kiedy będą już mieli za sobą tę robotę. Gerry wodził wzrokiem między jednym a drugim funkcjonariuszem. Dotarło do niego, że właśnie on jest „robotą", o której mówią – zadaniem wykonywanym z najwyższą niechęcią i bez patrzenia w oczy. Wciąż dokuczały mu skurcze żołądka. Usiadł prosto tak, jakby mógł poczuć się lepiej od patrzenia na inne samochody. Ale nic nie powiedział.

Kiedy dotarli do szpitala, kierowca wysadził ich przy wejściu na oddział ratunkowy, sam został jednak w aucie. Starszy mężczyzna, który nie włożył z powrotem czapki, zaprowadził Gerry'ego do recepcji. Szpital tętnił życiem – krzątanina, trzask plastikowych drzwiczek, przepychane tu i tam wózki (puste lub z pacjentami), widoczne za otwartymi drzwiami pielęgniarki w wygodnych butach, rozsuwające i zasuwające na powrót zasłony przy łóżkach. Z sali na wpół wyszła, na wpół wybiegła pielęgniarka w fartuchu. Policjant po cywilnemu ustawił się w kolejce do recepcji i wskazał Gerry'emu krzesło. Gerry czuł, że ewidentnie jest traktowany jak obywatel drugiej kategorii. Na pewno chodziło o jego nazwisko. Od początku wiedzieli, że jest katolikiem. Gerry Gilmore? Tak mógł się nazywać tylko fenianin*. Do tego dochodził kontakt wzrokowy, a raczej jego brak. Nareszcie Gerry zobaczył, że policjant rozmawia z oddziałową przez specjalny otwór w szklanej szybie, po czym rusza do drzwi, kiwając głową. „Zostawiam pana w rękach tych dobrych ludzi", rzucił jeszcze.

Po pewnym czasie pielęgniarka poprowadziła Gerry'ego korytarzem. Szła krok czy dwa przed nim, a może to on trzymał się krok lub dwa za nią. Jak dziecko. Nie miał pojęcia, dokąd idzie, a wszystkie korytarze wyglądały identycznie. Miętowa zieleń powyżej lamperii, butelkowa na dole. Minęli ich dwaj uzbrojeni

---

* Fenianie – niepodległościowa organizacja republikanów irlandzkich.

żołnierze. W korytarzach zrobiło się puściej, tak że słyszeli odgłos własnych kroków oraz szelest stroju pielęgniarki. Gerry zastanawiał się, czy korytarz prowadzi do kostnicy. Czyżby właśnie w ten sposób przekazywano złe wieści? A może cała sprawa była zwykłym nieporozumieniem? Udział w wypadku brać mogła przecież inna kobieta, którą zwyczajnie pomylono ze Stellą. Wszedłby wówczas do sali, zobaczył nieznajomą, uśmiechnął się miło, poklepał ją po ramieniu i wyszedł, by oznajmić oddziałowej – która pod białym fartuchem nosiłaby szkarłat – że to wcale nie jego żona. Ktoś popełnił błąd. Dokonano błędnej identyfikacji. A jednak pielęgniarka prowadziła go z milczącą determinacją i ewidentnie wiedziała, co robi. Dotarli do kolejnej poczekalni, gdzie połowa miejsc siedzących była zajęta. Pielęgniarka kazała mu czekać i weszła do jednego z pokojów, więc usiadł na samym końcu pustego rzędu krzeseł. Przestrzeń kojarzyła mu się z salą gimnastyczną – drabinkami na ścianach, linami, bieżniami. Słyszał ściszone, poważne głosy siedzących niedaleko ludzi. Nikt się nie śmiał, nikt nie gwizdał. A jednak, choć trudno w to uwierzyć, na stoliku zamontowano na stałe absurdalnie kolorową zabawkę. Grę, w której chodziło o to, by przesuwać obręcz z drutu po metalowym labiryncie, nie dotykając ścianek. Każdy błąd zamykał obwód i sprawiał, że zapalała się żarówka.

Jego głowa poruszyła się na hotelowej poduszce. Dotknął językiem podniebienia, by sprawdzić, czy jest w stanie wyprodukować chociaż odrobinę wilgoci. Bez powodzenia. Wysunął rękę i objął palcami szklankę. Przysunął ją do ust. Woda smakowała wybornie.

Przez chwilę leżał z zamkniętymi oczami. W pokoju panowała cisza, z zewnątrz dobiegały jednak odległe odgłosy wbijania gwoździ oraz pracy wszechobecnych młotów pneumatycznych. Przysłał je tu zapewne jakiś architekt.

Panujące w pokoju milczenie było podejrzane. Odwrócił się na drugi bok i rozejrzał. Stelli nie było, przed wyjściem złożyła jednak schludnie swoją połowę kołdry i odgięła jeden róg. Spojrzał w stronę łazienki, ale drzwi były otwarte – zwykle je przecież zamykała. Pewnie wyszła po gazetę. A może dziś niedziela? Może Stella poszła na mszę? Odnalazł datę na pisemku z krzyżówkami. Wczoraj najwyraźniej nie była sobota, więc dziś zdecydowanie nie jest niedziela.

Podniósł się i przez dłuższą chwilę siedział na krawędzi łóżka. Musiał nalać sobie kolejną szklankę wody – poprzednią osuszył już do dna. Należało zrobić wszystko, by poczuć się lepiej. Ściągnął czarną piżamę, wszedł do łazienki i włączył prysznic. Umył zęby, czekając, aż temperatura wody się ustabilizuje. Widział kiedyś kreskówkę, w której pokrętło można było ustawić jedynie w dwóch pozycjach: „za zimna” lub „za gorąca”. Sama prawda. Nie było maty łazienkowej, wszedł więc do wanny z najwyższą ostrożnością. Trzymał się wystającego z wyłożonej kafelkami ściany chromowanego uchwytu, czując, jak zalewają go fale ciepłej wody. Opróżnił hotelowe buteleczki z szamponem i odżywką. Ręcznik, którym się następnie owinął, był wielki jak toga. Ostrożnie wyszedł z wanny i się ogolił.

Już ubrany zapadł się w fotelu. Minęła dziewiąta. Telewizja śniadaniowa wywoływała u niego mdłości; nienawidził samego faktu jej istnienia. Nie była to też pora na muzykę z iPoda, znosił więc panującą w pokoju ciszę. Z zewnątrz dochodziły co jakiś czas dźwięki rozmów gości hotelowych i obsługi. Trzaskały drzwi przeciwpożarowe. Stella mogła pójść na dół na śniadanie – może powiedziała coś do niego, bo myślała, że się obudził, choć w rzeczywistości spał w najlepsze. Zadzwonił na jej numer komórkowy, ale natychmiast włączyła się skrzynka. Może powinien poszukać w jadalni. Wstał i wyciągnął kartę magnetyczną ze ściany, odcinając dopływ prądu. Na korytarzu krzątały się dziewczyny we wrzosowych fartuchach; kursowały między kolejnymi pokojami a wózkiem do sprzątania. W tle wyły odkurzacze. Wszystkie dziewczęta zdawały się pochodzić z zagranicy – z Tajlandii lub Portoryko. Gdy nawiązywał z nimi kontakt wzrokowy, ich piękne twarze natychmiast rozjaśniał uśmiech.

W pustej windzie było lustro. Zauważył, że siwe włosy sterczą mu na wszystkie strony, jakby chwilę temu wstał z łóżka. Winna musiała być hotelowa odżywka. Tanie badziewie, które kupowali na litry, by napełnić maleńkie, ekskluzywne buteleczki. Usiłował przygładzić włosy dłońmi, życząc przy tym śmierci pracownikowi lotniska, który pozbawił go jego własnej odżywki, ekskluzywnej jak prawdziwy rolls-royce. Idąc przez foyer, zastanawiał się, czy podejść do recepcjonistki. „Widziała pani moją żonę? Może przechodziła tu wcześniej beze mnie?". Zaśmiał się z własnego żartu. Recepcjonistka podniosła głowę i posłała mu uśmiech, od którego poczuł się nieco lepiej.

Jadalnia była duża i bogato zdobiona. Żyrandole ze stiuku i ciętego szkła. W stylu wiktoriańskim, choć termin ten dotyczył przecież Wielkiej Brytanii. Czy w Holandii nazwy poszczególnych okresów też zależały od tego, kto akurat siedział na tronie? Czy styl tutejszych żyrandoli mógł w ogóle być jakiśtamski?

Gerry stał na szczycie wąskich marmurowych schodów i patrzył z góry na całą salę. Stelli nie było. Plan, który sformułowali na wypadek takich sytuacji, nie miał obecnie zastosowania. „Gdybyśmy się rozdzielili, wracamy do miejsca, gdzie ostatnio byliśmy razem". W tym przypadku do łóżka.

Wziął z bufetu płatki kukurydziane i usiadł przy dwuosobowym stoliku pod oknem. Od czasów wydarzeń w Belfaście zawsze siadał przodem do drzwi. Suszone śliwki z płatkami kukurydzianymi – dobre na bebechy. Wyssane z owoców pestki, które przenosił łyżką na brzeg talerza, kolorem i kształtem w niepokojącym stopniu przypominały karaluchy.

Teraz, gdy mieli telefony komórkowe, utrzymywanie kontaktu nie powinno stanowić problemu, w praktyce nic się jednak nie zmieniło. Po pierwsze, trzeba było pamiętać, by w ogóle wziąć ze sobą to cholerne ustrojstwo. Nawet gdy oboje je mieli, jeden z telefonów zawsze był wyłączony lub wyładowany. A gdy Gerry'emu wreszcie udawało się dodzwonić, tajemnicze ustawienia komórki Stelli sprawiały, że automatycznie uruchamiała się skrzynka pocztowa. Więc jej telefon wcale nie dzwonił. Więc go nie odbierała. Należeli do pokolenia, które używało jeszcze niegdyś w Donegal aparatów na korbkę.

Do jego stolika podeszła kelnerka o włosach skręconych jak sprężyny. Związała je na czubku głowy. Młodzież: błysk w oku, energia, entuzjazm i jędrna skóra.

– Kawa czy herbata?

W jaki sposób zdołała tak szybko odgadnąć, w jakim Gerry mówi języku? Czy wyglądał *aż tak* brytyjsko? Przecież był Irlandczykiem. I był z tego dumny, mimo tego, co widział zeszłej nocy w pubie. Mimo ostatnich pięćdziesięciu lat.

– Czarna herbata – poprosił.

Gdy kelnerka wróciła z dzbankiem, podszedł do bufetu. Zwykle stronił od smażonych potraw, uznał jednak, że skoro jest na urlopie, może zrobić sobie przyjemność. W okolicy nie było też Stelli, która zwykle dbała o to, by unikał nasyconych tłuszczów. Czy może nienasyconych? Najgorsze były zdaje się tłuszcze trans, nie wiedział jednak, w jakich konkretnie potrawach się znajdowały, trudno mu więc było całkiem z nich zrezygnować.

Gdzie ona się podziewała? Nigdy wcześniej nie oddaliła się tak bez słowa – to absolutna nowość. Czy poszła na spotkanie z kimś, kogo poznała, gdy była w Amsterdamie z nauczycielami? Czyżby miała romans? W jej wieku? Czy ktokolwiek uskuteczniał schadzki przed śniadaniem?

Niemal zemdlał z rozkoszy, gdy poczuł w ustach bekon i jajka. On też nie dochował wierności. Do śniadania zjadł jajka i ziemniaki, a kiedy skończył, wypił nieśpiesznie kolejną filiżankę herbaty. Wszystkie gazety na stojaku były po holendersku, więc nie miał po co ich otwierać. Siedział i lustrował wzrokiem jadalnię. Stella i on naprawdę rzadko się rozdzielali. Ani się obejrzał, a znów był w szpitalnej poczekalni w Belfaście. Starsza kobieta w różowym stroju medycznym przyniosła mu kubek herbaty z mlekiem. Usiadła obok i przekazała najnowsze wieści, nie wiedziała jednak niemal nic ponad to, że jego żona była na sali operacyjnej. Wyjaśniła, że należy do „różowych dam", wolontariuszek pomagających na oddziale ratunkowym. Miała na imię Mavis. W odpowiedzi mógł tylko potrząsnąć głową. Kiedy zapytał, czy jego żona przeżyje, kobieta powiedziała, że nie sposób orzec. „Chodzi o osobę, którą kocham", dodał, jakby chciał umotywować swą natarczywość. Kobieta położyła mu dłoń na ramieniu. Bardzo przejmowała się tym, czy pije herbatę z cukrem, czy bez. Nie miał serca jej powiedzieć, że bez mleka. A jednak, gdy odeszła, opróżnił cały kubek i wypalił kolejnego papierosa. Wszędzie wokół kręcili się inni ludzie. Skrzypiały ich gumowe podeszwy. Kobieta wróciła po chwili, by powiedzieć, że rozmawiała z pielęgniarkami. Stella przekazała im wiadomość dla niego, gdy była przygotowywana do operacji: wszystko będzie dobrze. Powtórzyła to dwa razy. „Wszystko będzie dobrze" i znów „wszystko będzie dobrze". Gerry miał podobno zrozumieć, o co chodzi. Różowa dama obiecała informować go na bieżąco. Skinął głową. Jedne z drzwi otworzyły się i wyszedł przez nie nastoletni chłopak ze świeżo zagipsowaną ręką na temblaku. Towarzyszyli mu ludzie, którzy wyglądali na jego rodziców. Był bardzo blady.

Musiała minąć ponad godzina. Gerry siedział i palił papierosa za papierosem, słuchając wycia syren ambulansów. Oglądał odległe błyski reflektorów. Trudno było stwierdzić, który pojazd przyjeżdża, a który odjeżdża. Który wiezie ofiary ataku bombowego, a który chorych po ataku serca. Najgroźniejszy był oczywiście całkowity brak syren; brak ostrzeżenia oznaczał wielu zabitych i rannych. Dużo pracy dla dużych nożyczek – sformułowanie to usłyszał na przyjęciu z ust przyjaciółki Stelli, pielęgniarki. Nie pracowała na oddziale ratunkowym, ale miała tam znajome. Rozmawiały o tym, że rannym trzeba czasem rozcinać ubrania. Usiłował przypomnieć sobie, co Stella miała na sobie, gdy wychodziła rano z domu.

W pewnym momencie do poczekalni weszła matka z dziewczynką, która natychmiast pobiegła na drugi koniec pokoju i dopadła kolorowej zabawki. Wciąż popełniała błędy, więc urządzenie raz po raz brzęczało, ale matka nie wykazywała tym zainteresowania. Rzucała tylko co jakiś czas: „już wystarczy". Siedziała bokiem na krześle. Patrzyła w pustkę, gdzieś w kierunku okna.

Poprosił kelnerkę o wykałaczkę. Bekon zawsze wchodził mu między zęby. Dopił herbatę i wrócił na górę do pokoju, którego nikt jeszcze nie wysprzątał. Pościel leżała zmięta na łóżku, tak jak ją zostawił, a ręcznik na podłodze. Gerry zerknął na zegarek. Dochodziła Godzina Przypadłości. Wymyśliła ją Stella, która uznała, że swym najróżniejszym chorobom mogą poświęcać najwyżej sześćdziesiąt minut dziennie. Uznał, że nie ma nic nowego do zameldowania, zauważył jednak, że spod zegarka wystaje mu kępka włosów. Niemalże bujna. Zdjął go, by obejrzeć odciśnięty na skórze ślad, i z uśmiechem pomyślał, że najwyraźniej ma jednak nową przypadłość. Podzegarkowy hirsutyzm. Z towarzyszącym stanem lękowym.

Rozsunął zasłony i wpuścił do środka falę światła. Nie padało. Dostrzegł paczkę po papierosach Gauloises oraz żółte wiaderko. Przedmioty, które być może leżały w tym samym miejscu od lat i które mogą spędzić tam jeszcze drugie tyle. Chyba że hotel zmieni właściciela.

Nie chciał, by okazało się, że jest całkiem bezradny, gdy zostaje sam. Zawiązał na szyi granatowy szalik, włożył kapelusz i płaszcz. Stella zostawiła na biurku mapę z wczoraj, więc wsunął ją do kieszeni i znów zjechał na parter. Nie było jej w lobby ani w kawiarni.

Bryła lodu wciąż leżała na zewnątrz. Uliczna góra lodowa. Znajdowała się kilka metrów od miejsca, gdzie Gerry widział ją ostatnio, domyślił się więc, że ktoś inny też musiał przesunąć ją nogą. Czym była? Skąd się tu wzięła? Oczami wyobraźni widział kwadratowe naczynie, które napełniło się deszczówką. Woda zamarzła, po czym została z niego usunięta. Wycięta. Najwyraźniej się nie rozpuszczała. Delikatnie szturchnął ją stopą, aż przesunęła się z cichym szelestem. Obszedł ją dookoła, po czym przystanął, by przyjrzeć się jej bliżej. Lód miał w sobie nutę błękitu. Może to wyrzucone z samolotu zamarznięte siki. Wiele środków dezynfekujących miało przecież niebieską barwę. Mógł powiedzieć to żartem Stelli – oznajmić, że odkrył prawdę.

Szedł za znakami, kierując się na północ, w stronę stacji, gdy na jego drodze nagle pojawiła się rowerzystka w dżinsach i czerwonej kurtce z kapturem. Miała telefon przy uchu, kierowała jedną ręką. Gdy zadzwoniła dzwonkiem, Gerry cofnął się, spojrzał pod nogi i zobaczył oznakowania ścieżki rowerowej. Był oczarowany dziewczyną. Siedziała wyprostowana na siodełku, a włosy rozwiewał jej wiatr. Wszystkie cyklistki wyglądały wspaniale – jak walkirie czy amazonki. Po co komu dzielnica czerwonych latarni?

Musiał przejść przez dużą, ruchliwą ulicę. Wyciągnął dłoń, by wziąć Stellę za rękę, zanim zorientował się, że przecież jest sam. Wsunął rękę do kieszeni, chcąc ukryć przed światem bezcelowość swego gestu. Światła się zmieniły. Zielony ludek wszędzie wyglądał tak samo. Jak Irlandczyk. Ten miał najwyraźniej na głowie kapelusz z rondem.

Kiedy znalazł się już po drugiej stronie jezdni, zaczął się zastanawiać, kiedy konkretnie wziął Stellę za rękę po raz pierwszy.

Nie mógł sobie przypomnieć. Na pewno nie przeprowadzał jej wtedy przez jezdnię – tę usługę zaczął świadczyć dopiero później. Postanowił dojść do prawdy za pomocą logicznej dedukcji. Po raz pierwszy zobaczył Stellę na potańcówce we Fruithill, w katolickim klubie tenisowym. Przypomniał sobie lub dorobił brakujące szczegóły. Jej jasną sukienkę. Złoty krzyżyk na szyi. Gdy ją zobaczył, wiedział, że musi z nią zatańczyć. A żeby zatańczyć, musiał wziąć ją za rękę. Od razu ustalili, że żadne z nich nie gra w tenisa; śmiali się i żartowali na ten temat. Pochodziła z Dungiven, małego miasteczka w hrabstwie Derry. Uczyła angielskiego w państwowej szkole średniej dla dziewcząt w Belfaście. Wynajmowała mieszkanie przy Antrim Road wraz z kilkorgiem urzędników służby cywilnej. Tak mu się spodobała, że poprosił ją do tańca po raz drugi, co było jak na niego niezwykle śmiałe. On spodobał jej się na tyle, że się zgodziła. Po trzech piosenkach tłum wracał zazwyczaj na zatłoczone obrzeża sali, umówili się jednak, że będą tańczyć ponownie, stali więc na krawędzi parkietu i czekali, aż znów zabrzmi muzyka. Trwało to długo. W międzyczasie musiał coś mówić, trzymając jej lewą dłoń w swojej prawej. Kto wie, o czym rozmawiali? Chodziło o to, by jej nie odstraszyć, nie zażenować, dalej stać z nią twarzą w twarz i nie stracić kontaktu. Musiał ją zabawiać. Kiedy zaczął się następny taniec, zmienili układ dłoni. Kapela miała zagrać jeszcze trzy piosenki przed końcem imprezy. Gerry zapamiętał, że tańczyli coś wolnego – walca czy może fokstrota. Bardzo liczył na wolny taniec, choć rytm nie miał w praktyce żadnego znaczenia: parkiet był tak zatłoczony, że nie dało się wykonać jakiejkolwiek figury. Ludzie przesuwali się o tyle, o ile mogli, a taniec stanowił jedynie pretekst, by zbliżyć się do kogoś nieznajomego. W tamtym czasie bardzo popularny był utwór *Spanish Harlem*. No i hity Everly Brothers. Wszystkie zespoły grały wówczas covery, nikt nie pisał własnego materiału. Nawet po tylu latach Gerry wciąż pamiętał, co czuł, gdy położył rękę na plecach Stelli; materiał jej sukienki pod palcami oraz wypełniającą salę mieszaninę perfum i pachnideł. No i jej włosy – pamiętał, że wąchał je, gdy tańczyli. Po drugim tańcu zaoferował, że kupi jej wodę. Uśmiechnął się na wspomnienie katolickich zabaw, na których nie sprzedawano alkoholu. Poprosiła o sok pomarańczowy. Dla siebie wziął to samo. Duszną salę wypełniał dym papierosowy, wyszli więc z napojami na balkon. W noc – jasną, bo czerwcową – pachnącą bzami, które rosły wokół budynku. Ceglane korty tenisowe były już zamknięte, nadal paliło się jednak kilka reflektorów, a wokół żarówek krążyły chmary owadów. Zapadał zmierzch. Stella spoglądała w dół, w stronę kortów, a Gerry obserwował w gęstniejącym mroku jej bladą szyję. Miała zjawiskową skórę – nieskazitelną, gładką, niemal półprzezroczystą. Cała wydawała się świecić w ciemności własnym światłem. Zaprosił ją na randkę. Uśmiechnęła się oczami i przytaknęła na znak, że pomysł jej się podoba.

– Byłaś kiedyś w Ballycastle? – zapytał.

Krążył po ulicach Amsterdamu, rozkoszując się jego wyjątkową architekturą. Zaciskał zmarznięte dłonie. Podczas odwiedzin w obcych miastach zawsze patrzył w górę. O ile w Glasgow zaskoczyła go liczba iglic, o tyle tutaj królowały ściany szczytowe. Holenderskie i dzwonkowe, zdobione i proste; było ich tyle, że przypominały podniebne blanki. Niektóre – te schodkowe – kojarzyły mu się ze stylem szkockim. Ze wszystkich wystawały zakończone hakami belki dźwignicowe, dzięki którym – przy użyciu wielokrążków – można było wciągać i opuszczać ciężkie meble. Każdy dach wieńczyła czerwona dachówka ceramiczna. Gerry z zachwytem obserwował, jak budynki odbijają się w tafli kanałów.

Powietrze otrzeźwiło go i poczuł się nieco lepiej. Do szczęścia brakowało mu jedynie Stelli. Miał nadzieję, że nic jej się nie stało. Znał wiele filmów, w których bliska głównemu bohaterowi osoba niespodziewanie znika – widziana ostatnio w sklepie, na zakupach, gdy pchała przed siebie wózek... tuż przed porwaniem. Słyszał, że w Holandii dzieją się dziwne rzeczy. Czytał nawet komiksy na ten temat. Pewnego dobrze znanego faceta zamordowano tu podobno na ulicy... był chyba posłem, producentem filmowym czy coś w tym stylu. Gerry spojrzał na mapę, po czym ruszył dalej na północ wzdłuż placu Spui. Od Morza Północnego dął lodowaty wiatr – sunął nad kanałem i muskał powierzchnię wody, aż stawała się zupełnie czarna. Ciało Gerry'ego było napięte jak struna. Walczył z pogodą. Gdyby się odprężył, zapewne poczułby się lepiej, przy tak niskiej temperaturze nie było to jednak łatwe. Stella zawsze powtarzała, że aby szybciej ogrzać nogi, należało zebrać się na odwagę i wysunąć je jak najdalej w stronę krawędzi łóżka, zamiast „składać się jak scyzoryk". Pochylił głowę, by chronić się przed wiatrem i spojrzał na swe dreptające po chodniku buty. Ostatnimi czasy wiatr potrafił wycisnąć mu z oczu łzy. Mrugnął, a jedna z nich rozlała się po skórze, tak że musiał ją wytrzeć, by odzyskać ostrość widzenia. Stella odwrotnie – nie miała już własnych łez. Musiała nosić je w buteleczce.

Dotarł do dużego placu pełnego sklepów i kafejek. Przed każdym lokalem stały na kamiennych płytach chodnikowych różnokolorowe stoliki. Na rogu znajdowała się księgarnia

Waterstones. Gerry lubił znajomą literę „W" oraz czerń ścian frontowych, które w każdym mieście wyglądały tak samo. Identyczne niczym msze, zanim zrezygnowano z łaciny. Przeszedł przez plac i dotarł do księgarni.

Działy „Sztuka" i „Architektura" znajdowały się na drugim piętrze. Wspiął się po schodach i zaczął przeglądać ofertę, póki nie uspokoił oddechu. Potem podszedł do okna i spojrzał na miasto poniżej. Widok był imponujący. Jego spojrzenie krążyło po placu, aż kątem oka dostrzegł coś znajomego. Postać Stelli.

Poczuł potężny wstrząs. Przedziwne przeżycie. Zupełnie jak wtedy, gdy obserwował ją na lotnisku w Glasgow, kiedy wchodziła do strefy wolnocłowej. Z tak dużej odległości wydawała się maleńka. Wyglądała jak ktoś nieznajomy; niczym kobieta oglądana przez zwrócony w złą stronę teleskop. Przypomniał sobie chwilę, gdy przez przypadek wpadł na nią w Glasgow. Wyszedł z biura kreślarskiego, by coś załatwić – może chciał kupić ciastka – i spotkał ją na ulicy Saint Vincent. Wyszła właśnie z nieistniejącej już księgarni John Smith's, choć Gerry był pewien, że spędzała dzień w domu. Zapamiętał, że miała na sobie śliwkowy płaszcz i dopasowaną kolorystycznie chustę. Przez dłuższą chwilę go nie zauważyła – patrzyła przez ramię na książki na wystawie. Byli już pięć kroków od siebie, gdy wreszcie się odwróciła i ich spojrzenia się spotkały. Uniosła brwi z zachwytem i posłała mu swój absolutnie wyjątkowy, powitalny uśmiech. Gerry był przeszczęśliwy. Stał w bezruchu, czerwieniąc się, przeżywając radość. Zupełnie jakby spotkali się po raz pierwszy, a przecież byli małżeństwem od jakichś dwudziestu lat. Stella podeszła do niego, wyciągając ramiona.

– Co tu robisz? – spytała.

– Podziwiam cię. – Chwycił jej dłonie i przyciągnął ją do siebie, tak że zetknęli się policzkami. – Mógłbym zadać ci to samo pytanie.

Próbował przypomnieć sobie, co było dalej. Poszli na kawę? Na lunch? Niestety, obraz zniknął, zostawiając po sobie jedynie nieśmiałość i zachwyt, które nadal odczuwali mimo tylu przeżytych wspólnie lat.

Teraz – gdy stała na rynku w Amsterdamie – dostrzegł, że patrzy pod nogi. Potem zaczęła kiwać głową. Najwyraźniej rozmawiała ze stojącym obok mężczyzną w płowym płaszczu gabardynowym. Gerry położył książkę na parapecie i patrzył dalej. Czy był to ktoś znajomy? Może poznała go podczas ostatniej wyprawy do Amsterdamu? Stella miała pamięć do ludzi. A co, jeśli chodziło o coś więcej? Jeśli mężczyzna nie był tylko znajomym? Gerry odrzucił tę myśl i zszedł po schodach. Opuściwszy księgarnię, wciąż widział Stellę. Mężczyzna zostawił ją już i zniknął. Ruszyła przez plac, a Gerry szedł za nią. Wokół kotłowali się ludzie, musiał więc uważać, by nie stracić jej z oczu. Nauczyciel wychowania fizycznego nauczył go swego czasu doskonale gwizdać na palcach – wystarczająco głośno, by sędziować na meczach siatkówki. *Fiuuu!* Stella dobrze znała ten dźwięk. Odwróciła się. Na placu w Amsterdamie. Jak ptak na zatłoczonej plaży, który bezbłędnie rozpoznaje okrzyk swego pisklęcia.

– Masz ochotę na filiżankę kawy? – zapytał.

– O ile będzie mała.

Gerry zajął wolne miejsce przy oknie, a Stella podeszła do lady. W kawiarniach zawsze panuje hałas, tym razem natężenie dźwięku przywodziło jednak na myśl nie napełnianie filiżanek, lecz proces konstrukcji „Titanica". Młynek ryczał na cały regulator, jakby chciał zaopatrzyć w mielone ziarna wszystkie kraje Europy, a jeden z pracowników knajpki z wyciem spieniał mleko parą wodną. Jego współpracownica wypakowywała zmywarkę i z trzaskiem ustawiała stosy naczyń, podczas gdy trzeci barista opróżniał metalową kolbę do ekspresu, tłukąc nią o krawędź blatu z nierdzewnej stali. Robił to tak zajadle i głośno, że Gerry podskakiwał po każdym uderzeniu. Nie dało się rozmawiać. Nie było nawet słychać, czy w tle gra w ogóle muzyka. Młynek pracował dalej, zmieniając wypełniające pojemnik ciemnobrązowe ziarna w pył. Stella musiała wykrzyczeć swoje zamówienie.

Gerry wyjrzał na zewnątrz, na plac. Gołębie dziobały chodnik, szukając okruchów między zielonymi stolikami i krzesłami kafejki. Stella wróciła po dłuższej chwili.

– W kawiarniach w niebie nie będą mielić ziaren – powiedziała. – Ale kawa i tak będzie dostępna.

Zamówiła dla siebie croissanta z masłem i dżemem truskawkowym. Niemal natychmiast zaczęła jeść. Kawa była dobra, ale croissant lepszy. Między kęsami powiedziała:

– Zakładam, że zjadłeś śniadanie.

Gerry przytaknął.

– Rozmiar filiżanki ci odpowiada? – krzyknął.

Stella wzięła łyk latte i przytaknęła. Młynek nareszcie umilkł.

– Bogu niech będą dzięki – powiedział Gerry. W nagłej ciszy usłyszał, że dzwoni mu w uszach. – Dokąd poszłaś?

– Na spacer.

Wyjaśnienie zdawało się nieco zbyt lakoniczne.

– Obudziłam się wcześniej, kiedy jeszcze spałeś... chrapiąc jak lokomotywa – powiedziała. – Uznałam, że nie będę ci przeszkadzać. Najbardziej nie znoszę w życiu dwóch odgłosów: mielenia ziaren i chrapania.

– Przegapiłem Godzinę Przypadłości.

– Możemy przedłużyć jutrzejszą do dwóch godzin. O ile będziesz się czuł na siłach.

– Pod zegarkiem rosną mi dziwne włosy…

– Tylko żartowałam.

– Ja też. Nie jadłaś śniadania w hotelu?

Pokręciła głową.

– Dokąd poszłaś?

– Na spacer. Było wspaniale. Widziałam, jak miasto budzi się do życia i trafiłam w fantastyczne miejsce. O, tam – wskazała na drugą stronę placu. – Pasaż między budynkami prowadzi na kwadratowy dziedziniec. Są tam drzewa; cały ogród otoczony przez budynki zwrócone tyłem do reszty świata. Pamiętasz domki rybaków z Cromarty? Były odwrócone tyłem do morza, ponieważ bezpieczeństwo okazało się istotniejsze niż piękny widok. Tu było podobnie. Widziałam też stary kościół, ale był zamknięty. Przyszłam za wcześnie.

– Bóg ma wyznaczone godziny pracy?

– Na pewno jest na dyżurze.

– A ten facet?

– Który?

– Ten, z którym rozmawiałaś. Na placu. W kremowym płaszczu.

– Stał za mną w kolejce. Był bardzo cierpliwy.

– W jakiej kolejce?

– No, tam. W środku… mają własne biuro.

Gerry spojrzał na nią, przekrzywiając głowę. Stella uśmiechnęła się i powiedziała:

– Nie. Po prostu był uprzejmy. Bardzo dobrze mówił po angielsku.

– Co to za biuro?

– Zajmuje się sprawami całej organizacji. Nie proś, żebym próbowała wymówić jej nazwę. Chodzi o beginki. To była ich siedziba. – Stella czuła, że mówi coraz ostrzejszym tonem.

– A dziś po południu?

– Dziś po południu zniosę wizytę w galerii. – Uśmiechnęła się. – Ale tylko, jeśli pozwolisz mi pokazać ci tamto miejsce.

– Które?

– To, w którym byłam.

Zebrali się i zostawili kilka drobniaków napiwku, nie wiedząc, czy są obraźliwie skąpi, czy też niezwykle hojni. Gdy szli przez plac, na drodze Stelli stanęło stado dziobiących ziemię gołębi.

– Hej, maleńki – powiedziała do ptaka, który oddalił się od centrum kotłowaniny.

Wszystkie gołębie poderwały się do lotu w eksplozji piór i pierza.

– Czemu to robią?

– Co?

– Działają jednocześnie. Jeśli jeden odlatuje, odlatują wszystkie.

– Pewnie są katolikami.

Słońce wyszło i zrobiło się jaśniej, Stella wprowadziła jednak Gerry'ego w ciemność pasażu. Ich głosy brzmiały tu obco i bardzo dźwięcznie, podobnie jak stukot ich kroków. Gdy wyszli na słońce po drugiej stronie, Stella zrobiła ruch ręką. Spójrz, zobacz, podziwiaj. A przede wszystkim słuchaj.

Gerry gapił się z zadartą głową i rozchylonymi ustami. Przestrzeń wydawała mu się znajoma. Przypominała misę, ustronne miejsce pełne światła, otoczone przez budynki w starym, holenderskim stylu. Misternie zdobione szczyty – z lambrekinami w oknach i rollwerkami na ścianach. Każdy budynek pochodził z innych czasów i utrzymany był w innym stylu.

– Wspaniała przestrzeń – ocenił. – Podoba mi się, że domy wyglądają, jakby zaraz miały upaść. Podpierają się nawzajem niczym banda pijaków. A belki z hakami przypominają rogi jednorożców.

– Właśnie tam poszłam zadać kilka pytań. Wewnątrz budynku. – Stella wskazała na drzwi po przeciwnej stronie pasażu.

– O co pytałaś?

– O sprawy życia i śmierci.

– I inne błahostki.

– Nie było osoby, z którą chciałam rozmawiać. Ale przyjdzie w poniedziałek.

– Zostajemy do poniedziałku?

– Owszem. Ile razy mam ci to powtarzać?

Na środku trawnika znajdowała się rzeźba Chrystusa. Dłonie miała skierowane do środka, ku kamiennemu sercu. Gerry uświadomił sobie, gdzie widział ją wcześniej: na zdjęciu, które Stella zostawiła na ekranie komputera w dniu wyjazdu.

Pokazała mu teraz kolorowe sceny z Biblii i starodawny kościół. Znaleźli kolejną statuę: rzeźbę kobiety z welonem na głowie, której Stella nie zauważyła, gdy była tu po raz pierwszy. Podeszła bliżej. Zorientowała się, że rzeźba przedstawia jedną z pierwszych beginek. Kobieta – zrobiona z kamienia czy brązu? – wyrzeźbiona była w ruchu. Szła naprzód, lewą ręką unosząc rąbek sukni.

– Wedle przewodnika w dawnych czasach cały ten rejon znajdował się poniżej poziomu morza. Ciągle był pod wodą – powiedziała Stella. – Oto kobieta, która ewidentnie daje sobie radę. Czyż nie jest wspaniała?

Szli dalej ścieżką. Gerry się skrzywił.

– Przypomina mi się spacerniak Van Gogha.

– Bzdura.

– Spójrz na ścieżkę. Chodzimy w kółko. Albert Speer byłby zadowolony.

– Kto?

– Architekt Hitlera. Pamiętasz, czym się zajmował w areszcie?

Stella pokręciła głową, więc Gerry opowiedział jej historię o pobycie Speera w więzieniu Spandau, do którego trafił po wojnie. Każdego dnia w ramach ćwiczeń chodził w kółko po tamtejszym ogrodzie, zastanawiając się, jaki pokonuje dystans. Zmierzył długość swojego kroku oraz całej ścieżki, po czym wykorzystał te dane, by wyruszyć w zmyśloną podróż po świecie, wyobrażając sobie miejsca, do których docierał. Czytał wszystkie dostępne w bibliotece książki podróżnicze, by poznać geografię, kuchnię i kulturę kolejnych krajów. Dzięki temu wiedział, jaki obraz konstruować po dotarciu na miejsce.

Odbywając karę, zawędrował aż do Meksyku – oddalonego o ponad trzydzieści dwa tysiące kilometrów.

Rozległo się trzaśnięcie drzwi. W ich stronę ruszyła młoda kobieta. Uśmiechnęła się do Stelli.

– Czy kościół już otwarty? – spytała Stella.

– Ka-tóry kościół? – odparła kobieta z silnym akcentem.

– Jest więcej niż jeden?

– Są dwa. – Wskazała na ceglaną budowlę. – Ten przynależy do Kościoła Szkocji. – Następnie skierowała dłoń w stronę niepozornych drzwi jednego z budynków. – A ten jest rzymskokatolicki.

– To naprawdę kościół?

Młoda kobieta kiwnęła głową i zaprosiła ich do środka gestem ręki.

– Musi nas pani lubić – powiedziała z uśmiechem, który nie opuszczał jej twarzy.

– Czemu tak uważa? – spytał Gerry.

– Wcześniej spotkała mnie w biurze – odparła Stella. – A teraz widzi, że wróciłam.

– Zadomowiłaś się.

– Rozmawiałyśmy tylko przez chwilę. Była bardzo miła.

– Zechcesz mi zdradzić, czego konkretnie próbowałaś się od niej dowiedzieć?

– To nie do niej przyszłam. Po prostu była uprzejma. Miałam pytania natury duchowej, które na pewno nie są dla ciebie interesujące.

Stella podeszła do rzędu budynków. Wyciągnęła rękę w stronę drzwi wskazanych przez dziewczynę i pchnęła je do wewnątrz. Skrzypnęły cicho. Gerry również wszedł do kruchty i podążył za Stellą głębiej w mrok kościoła. Ołtarz został umiejscowiony nietypowo, pod dłuższą ze ścian pomieszczenia. Zakrystię oświetlała czerwona lampa, co jednoznacznie wskazywało, że kościół jest katolicki.

Stella przeżegnała się i uklękła na chwilę, by zmówić modlitwę. Poza nimi w środku nie było nikogo. Krążyli po świątyni, a deski skrzypiały i trzeszczały im pod nogami. Stella znalazła stojak pełen broszurek w różnych językach. Przejrzała angielską.

– Pamiętam, że słyszałam coś o tym podczas poprzedniej wizyty w Amsterdamie – powiedziała. Nie musiała szeptać, jako że byli w kościele sami. Zaczęła czytać na głos. Najwyraźniej w siedemnastym wieku protestanckie władze miasta zabroniły katolikom praktykowania wiary. Publiczne msze stały się nielegalne, ludzie zbierali się więc w prywatnych domach.

– Coś jak kamienie, na których odprawiano msze w Irlandii?

– Właśnie dlatego budynek nie wygląda z zewnątrz jak kościół – powiedziała Stella. – To kamuflaż. Pamiętam, że poprzednim razem odwiedziłam kościół położony w dzielnicy czerwonych latarni. Nazywał się „Kościół Naszego Pana na Strychu".

Gerry uniósł brwi.

– Wieczne światło w burdelu?

Patrzył w górę na szereg wiszących na ścianie tablic. Namalowane na nich sceny układały się w jedną opowieść, a największy obraz przedstawiał kobietę siedzącą przy ogniu na drewnianym krześle. Pochylała się naprzód, by wyciągnąć coś z płomieni pod okiem dwóch aniołów. Przedmiot przypominał białego jeżowca o igłach zrobionych z blasku. Na kolejnej tablicy uwieczniono leżącego w łóżku mężczyznę, któremu ksiądz udzielał komunii. Dalej był jeszcze jeden – a może ten sam? Co on właściwie robił? Wymiotował? Gerry przywołał Stellę skinieniem ręki.

– Co to jest?

– Nie mam pojęcia. – Powoli obracała głowę, śledząc przebieg historii.

– Ksiądz robi to co ty – rzekł Gerry. – Udziela komunii. Czy rozumiesz, co dzieje się dalej? Bo ja tam widzę hafcik.

– Co?

– Koleś wymiotuje. – Gerry wskazał tablicę. – To powieść graficzna... historia w obrazkach.

Stella włożyła okulary i zaczęła czytać na głos broszurkę.

– *W roku 1345 w mieście Amsterdam, w domu przy ulicy Kalverstraat leżał umierający mężczyzna.*

– Dobre pierwsze zdanie – powiedział Gerry.

– *Zjawił się ksiądz, który udzielił mężczyźnie komunii. Gdy odszedł, chory znów poczuł się źle, więc pokojówka przyniosła mu miskę, do której zwymiotował świętą hostię.*

– Cudnie – powiedział Gerry.

– *Służąca nie wiedziała, co zrobić: święty przedmiot pływał w ohydnej cieczy – boskość znalazła się wśród ludzkich nieczystości – powierzyła zatem zawartość miski płomieniom.*

– To na pewno przekład – powiedział Gerry. – „Powierzanie zawartości" brzmi dziwnie.

Stella zerknęła na niego znad okularów. Przeczytała resztę po cichu, po czym streściła mu opowieść.

– Wyglądało na to, że mężczyzna zmarł tej samej nocy. Ale rano, gdy służąca sprzątała palenisko, zobaczyła, że hostia nadal tam jest. Płomienie jej nie naruszyły.

– Opłatek odporny na ogień i wymiociny. Każdy chciałby go mieć...

– Przestań, Gerry.

– Co było dalej...?

– Ksiądz zlecił budowę kościoła, by upamiętnić cud.

– Jaki cud?

– Niezniszczalną hostię.

– Słabo. Druga liga.

– Cuda bywają duże i małe. Coś o tym wiem.

– Nic, co cię spotkało, nie przekroczyło granic prawdopodobieństwa – powiedział Gerry. – W średniowieczu chyba łatwiej było wierzyć w cuda. Ale cieszę się, że powstał tu kościół. Właśnie dzięki takim sytuacjom my, architekci, mamy z czego żyć.

Zawędrował na pogrążone w mroku tyły świątyni. Drewno było tu stare i sczerniałe, a dwóch identycznych desek czy belek dachowych próżno by szukać. Na jednej z półek stała książka.

Buch der Gebete
Księga na wasze modlitwy
Liver por vows prières

Obok niej leżał długopis. Gerry spojrzał na otwartą stronę. Pokrywało ją pismo wielu rąk; zdania w różnych językach zapisane za pomocą różnokolorowych długopisów oraz – w przypadku niektórych – ołówka. Z łatwością rozpoznał słowa po francusku i niemiecku, nie znał jednak ich znaczenia. Przewracał kolejne strony, podróżując coraz dalej w przeszłość. Większość zapisów była krótka – miały jedną lub dwie linijki. Parsknął śmiechem, a Stella go uciszyła. Wskazał palcem i odczytał zdanie z księgi: „Niech Arsenal wygra w tym sezonie chociaż jedno trofeum".

Stella się uśmiechnęła. Gerry przewracał strony, aż jego wzrok padł na dłuższy wpis długopisem. Słowa były po angielsku, ale charakter pisma – zdecydowanie amerykański. Cechowały go charakterystyczne skośne pętle i kreski. Gerry od razu wiedział, że autorką jest dziewczyna – zaznaczyła bowiem, że jest w ciąży. Prosiła Boga o pomoc. Dalej na stronie widać było kolejne wpisy dokonane tą samą ręką. Dziewczyna przychodziła i modliła się trzy dni z rzędu. W drugim wpisie dała wyraz rozczarowaniu – *Wczoraj się modliłam i nic. Też mi cuda Amsterdamu!!!* Trzy wykrzykniki. Przeżywała najwyraźniej ciężkie chwile, skoro nie wystarczyły jej dwa. Sednem problemu nie było dziecko, lecz fakt, że kochanek ją porzucił. Trzeci wpis wyrażał już oburzenie: jaki Bóg nie skorzystałby z szansy zjednoczenia trojga tak pięknych ludzi – jej, jej kochanka i ich nienarodzonego dziecka. Była bliska rozpaczy – ojciec nie zamierzał wziąć na siebie żadnej odpowiedzialności. Uciekał, choć ona przecież wcale go nie goniła. Jaki Bóg pozwoliłby mu tak zareagować? Czy Bóg w ogóle istniał? *Nie zrobiliśmy Ci nic złego.* W tym wpisie autorka zdawała się jednocześnie agresywna i smutna. Pisała: *Spraw, by wszystko było dobrze, a w Ciebie uwierzę.*

Gerry zawołał Stellę i wskazał jej sekwencję wpisów.

– Biedactwo – powiedziała po przeczytaniu całości.

Poklepała kartkę tak, jakby była dłonią dziewczyny, po czym zostawiła książkę otwartą na ostatniej zapisanej stronie.

Szli wzdłuż kanału w kierunku hotelu, aż dotarli do mostu, obok którego zaparkowano lub porzucono setki rowerów. Sprawiały wrażenie, jakby wyrzuciła je na brzeg fala powodzi – jak gdyby próbowały w pośpiechu przecisnąć się pod kamiennym łukiem, nie dały rady i zwyczajnie utknęły. Niektóre wyglądały, jakby stały tam od lat. Miały sflaczałe opony, zardzewiałe ramy i powykrzywiane przednie koła, a niektórym całkiem ich zresztą brakowało – Stella mówiła, że to biedne, nagie, rosochate zwierzęta[*]. Gerry podał jej dłoń. Przyjęła ją.

– Zmarzłaś na kość – powiedział. Wsunął ich splecione dłonie do kieszeni. – Pozostałe dwie będą musiały same sobie radzić.

------

* W. Szekspir, *Król Lear*, tłum. L. Ulrich, Fundacja Nowoczesna Polska [na podst. wyd.:] G. Gebethner i Spółka, Kraków 1895.

Obok nich przejechała rowerzystka, terkocząc kołami po kostce brukowej. Następnie wykazała się niezwykłą brawurą: puściła kierownicę, sięgnęła rękoma za głowę i poprawiła kucyk.

– Łał – rzuciła Stella. – Wedle tutejszego prawa, jeśli samochód zderzy się z rowerem, winny *zawsze* jest kierowca samochodu.

– Żartujesz.

– Zawsze.

– Patrząc na to, w jakim stanie są niektóre rowery...

– Raczej wózki piekarnicze – powiedziała Stella. – Rowery do przewożenia chleba. Pozostałości ostatniej wojny.

– Albo i przedostatniej.

Dotarli do jezdni i przystanęli, czekając, aż będą mogli przejść. Gerry wyciągnął dłoń Stelli z kieszeni, ale jej nie puścił.

– Jesteś już znacznie cieplejsza – ocenił.

Między nadjeżdżającymi autami pojawiła się wyrwa, Gerry ruszył więc na środek jezdni. Zbliżał się do nich czarny samochód terenowy, mieli jednak czas, by przejść na drugą stronę. Gerry parł dalej, ale Stella przestraszyła się i zwolniła. Złapał ją mocniej za rękę, ale zamarła w bezruchu na środku jezdni.

– Chodźmy!

Wyszarpnęła dłoń z jego uścisku. Ani drgnęła. Gerry przeszedł na drogą stronę i czekał na chodniku, podczas gdy Stella rozglądała się w obie strony, stojąc centralnie na środku ulicy. Gdy czarny wóz wreszcie ją minął, niemal pobiegła do Gerry'ego.

– Któregoś razu zabijesz nas oboje – powiedział.

– Umiem podejmować własne decyzje – odparła. – A ty nie możesz podejmować ich za mnie.

Przystawali, by czytać wystawione w oknach oferty lunchowe – niektóre były nawet po angielsku. Jedna z knajpek wyglądała obiecująco, ale gdy tylko usiedli, zaczęła grać muzyka. Wariacka, dudniąca. Amerykański rap upstrzony kurwami. Obrócili się na pięcie i wyszli na ulicę.

– Wszystkie te piosenki są *absolutnie identyczne*. Chuj mnie obchodzą przekleństwa. Problemem jest głośność.

– Nie ma tego złego. Filiżanki i tak były tam wielkie jak nocniki.

– Rozmiar napoju to koncept na wskroś amerykański. Sprzedają ci dwa razy więcej, niż chcesz wypić. I każą płacić jeszcze drugie tyle. Płacisz za coś, co i tak wyrzucisz.

– Moja mama zawsze powtarzała historię pana Colmana. Został milionerem dzięki musztardzie, którą zostawiamy na talerzu.

– Do tego dochodzi popcorn. W wiadrach. Wystarczająco wielkich, by można było irytować sąsiadów przez *cały* film. – Gerry udawał, że wpycha sobie do ust garście kukurydzy. – Kolejny amerykański wymysł: jedzenie w trakcie oglądania. Siedząc na sali, nie odrywasz stóp od podłogi. *Siedzieć i oglądać film? Strata czasu! Równocześnie możemy się przecież tuczyć. Idź po kolejne wiadro. Po silos popcornu! I czterdziestolitrową colę.* Nic dziwnego, że Amerykanie mają największe tyłki na świecie. *W jakim rozmiarze levisy, szanowna pani? A macie tu dwa centymetry krawieckie, złotko? Bo jeden mnie nie obejmie.*

Znaleźli w końcu miejsce, które im się spodobało. Nad brzegiem kanału Amstel.

– Perrrfekcyjnie maleńkie kubeczki – rzekł Gerry.

Knajpka stanowiła połączenie klubu i hostelu. Na stolikach brakowało obrusów, obsługa była za to bardzo przyjazna.

– Miło wreszcie usiąść – powiedziała Stella. – Od rana jestem na nogach.

Kelnerka przyniosła karty dań. Oboje wyciągnęli okulary do czytania.

– Wina? – spytał Gerry.

– Do lunchu?

– Jesteśmy na wakacjach.

– Nie mają małych butelek?

– Wygląda na to, że nie. I co mam począć? – spytał. – Będę musiał wychylić pełnowymiarową. Nawet księża podczas mszy piją więcej od ciebie. Tylko moczysz usta.

– Możemy wziąć małą karafkę.

Gerry zamówił domowe czerwone wino. Gdy je przyniesiono, pociągnął łyk i wydał pomruk rozkoszy. Stella również napiła się z napełnionego do połowy kieliszka. Stuknęli się.

– Wszystko z umiarem – rzekł Gerry. – Szczególnie umiar.

W tle leciała cicho muzyka. Coś znajomego.

– Lepsze to niż rzucanie kurwami.

– Zwróciłeś uwagę na dobór utworów? Poza ostatnią knajpą wszędzie puszczają tylko szlagiery z lat pięćdziesiątych i sześćdziesiątych. *A White Sport Coat and a Pink Carnation*, *Bye Bye Love*, *Just A Walking in the Rain*.

– Bill Haley i Elvis.

– I Buddy Holly.

– Numery rodem z *Parady hitów*.

Zaśmiali się na dźwięk słów z zamierzchłej przeszłości. *Parada hitów*[*].

---

[*] *Your Hit Parade* – program muzyczny emitowany w radiu (1935–1955) i telewizji (1950–1959).

– Słuchałyśmy takich rzeczy, leżąc w ciemności – powiedziała Stella. – Ściskałyśmy w dłoniach poduszki, a kiedy poleciało *The Great Pretender*, po raz pierwszy dostałam ciarek od muzyki z radia.

Uśmiechnęła się.

– Myślałem, że nie było was stać na odbiornik.

– Tatuś kupił od kogoś stary egzemplarz. Pamiętam dzień, gdy przyniósł go do domu. No i zespół The Platters.

– To byli prawdziwi chłopcy.

– Słów uczyłyśmy się na pamięć.

Na wpół wyrecytowała, na wpół zanuciła początek *The Great Pretender*.

Zamilkli, gdy kelner przyniósł im posiłek. Jedli szybko, by zaspokoić pierwszy głód.

– Dziecko miałoby teraz dwa lata – powiedziała Stella.

– Słucham?

– Dziecko dziewczyny z kościelnej księgi.

– Nadal o niej myślisz?

– Liczę od daty wpisu.

– Minus dziewięć miesięcy.

Stella zignorowała uwagę.

– W życiu niektórych ludzi jest wiele smutku – powiedziała.

– Nie możemy być odpowiedzialni za wszystkich.

– Inaczej nic nie zmieni się na lepsze.

– Stello... nie bądź niemądra.

– Nie mówię, że musimy być za nich odpowiedzialni. Ale powinniśmy brać pod uwagę ich sytuację. Próbować jakoś pomóc. Lubię Johna Wesleya...

– Kto to?

a Kościoła metodystycznego. *Czyń tyle dobra, ile zdo-*
orzystując wszelkie dostępne ci środki, wszędzie, gdzie tyl-
esz... i tak dalej.

Mogę się z tym zgodzić. Tyle że termin „dobro" należałoby
zdefiniować – rzekł Gerry. – Twój kumpel, papież...

– Papież Franciszek? Robi, co może.

– ...uznaje zapewne, że zakaz stosowania prezerwatyw jest *do-*
bry. Ale inni mogliby uznać, że oznacza on więcej gęb do wykar-
mienia. Więcej cierpień. Więcej AIDS. Więcej śmierci.

Gerry otarł usta papierową chusteczką.

– Jesteśmy jednak na wakacjach. Koniec z ponuractwem.

– Zanim się rozchmurzymy, powiedz mi, gdzie chciałbyś zostać pogrzebany po śmierci.

Gerry przewrócił oczami i wzruszył ramionami.

– A ty? – zapytał. – W domu czy w Szkocji?

– Szkocja to już teraz mój dom – odparła.

– A czy ja lub moje prochy mogą zostać pogrzebane razem
z tobą?

– Jeśli nadal będziesz pił, masz się trzymać z daleka.

– Po śmierci na pewno przestanę.

– W takim razie... – uśmiechnęła się. – Zrobię ci miejsce.

– Dzięki.

Gerry rozlał do kieliszków pozostałe w karafce wino, a Stella
usiłowała zgarnąć z talerza resztki sałatki za pomocą kawałka
pieczywa.

– W jaki sposób trafiłaś... tam?

– O czym mówisz?

– O miejscu, w którym byliśmy przed chwilą.

– Masz na myśli Begijnhof?

– Skąd wiesz, jak to wymówić?

– Od starszej kobiety, która odpowiadała na moje pytania.

– Stella przestała jeść.

– Jakie pytania?

– Dotyczące początków Begijnhofu. Powstał w średniowieczu. Był beginażem – schronieniem beginek.

– Specjalnie próbujesz mnie zdezorientować.

– Chodzi o wspólnotę religijną kobiet. Żyły w osamotnieniu jak zakonnice, ale nie składały ślubów. Jeśli chciały, miały prawo wrócić do świata i wyjść za mąż. Myślę, że Begijnhof roztacza wspaniałą aurę spokoju. Stanowi bezpieczną przystań.

Stella była na nogach od samego rana, musiała więc odpocząć i zdrzemnąć się przed wieczorem. Wrócili do hotelu, gdzie zaciągnęła zasłony, by w pokoju zrobiło się ciemno, owinęła się narzutą i niemal natychmiast zasnęła. Gerry do niej nie dołączył. Siedział w półmroku, wpatrując się w obrazy migające na wyciszonym telewizorze. Kolejne wieści ze świata niezwiązane z tekstem sunącym z prawa na lewo przez całą szerokość ekranu. Słowa na czerwonym ruchomym chodniku. Rosyjski arcybiskup, ozdobiony jak choinka, wymachujący pastorałem. Ekscytacja, tłumy, zamieszki z bliżej nieznanych przyczyn. Strzały z broni palnej. Reporter z mikrofonem w dłoni schyla się i ucieka przed kulami.

Gerry wyciągnął swego starożytnego iPoda – jedno z pierwszych tego typu urządzeń, wielkie i białe jak emaliowana pralka. Nadal nie w pełni opanował sztukę wybierania na nim muzyki: nie potrafił odpowiednio kręcić palcem, by wskazać właściwy utwór, więc słuchał tego, co akurat zabrzmiało w słuchawkach.

Nie czuł się jednak całkiem zdany na łaskę losu. Sam zdecydował przecież, jakie utwory znajdą się w pamięci urządzenia. Wsunął je do kieszeni i – z wielką ostrożnością – nalał sobie whiskey. Nic nadzwyczajnego; małą porcję, by nie stracić sił. Pociągnął łyk. Ze słuchawek popłynęła muzyka Bacha.

Pewnego razu, po szczególnie długaśnej libacji, przyjaciel ostrzegł Gerry'ego przed piciem w samotności. Powiedział: inni ludzie stanowią istotny hamulec, podczas gdy my dwaj narzucamy tempo. Dlatego właśnie jesteśmy niebezpieczni. Znajomy wiedział, o czym mówi, bo próbował skończyć z piciem – i to nieraz. Powiedział, że ludzie, którzy piją tak jak *oni,* robią to z nienawiści do samych siebie. Pijaństwo stanowi dla nich formę tymczasowego samobójstwa, a najlepsze, że każdego kolejnego dnia można zacząć od nowa. W jaki sposób miał jednak unikać picia w samotności, skoro Stella nie piła w ogóle? Przepił do niej gestem pełnym kpiny. Twoje zdrowie. „Pamiętasz, co się stało w Niemczech?" – nie wiedział, czy zadał pytanie na głos, czy tylko je pomyślał. Trwała wówczas jakaś konferencja. Albo konkurs architektoniczny, w którym był sędzią. Może pojechał bez Stelli. Wszystko działo się chyba w Weimarze. Zorganizowano wycieczkę do obozu koncentracyjnego w Buchenwaldzie, a gdy wysiedli z pociągu, okazało się, że czeka na nich autokar. Panował upał. Pojazd był pełen. Wszyscy siedzieli w milczeniu, bojąc się tego, co za chwilę mieli zobaczyć. Oddychali ciężko, a wśród odgłosów sapania Gerry usłyszał osę. Wleciała pomiędzy ludzi, którzy odsuwali się lub wykręcali głowy, by przed nią uciec. Przesuwała się w górę i w dół po szybie, odbijała od szkła, a nikt nie miał odwagi jej zatłuc, bo wszyscy wiedzieli, dokąd jadą i co się tam stało. Utwór Bacha dobiegł końca. Gerry wyłączył ustrojstwo. Trudno lać whiskey z butelki. Trzeba ją przekrzywić, tak samo zresztą jak szklankę. Albo Hiszpania. Byli na ślubie, a kiedy wyszli już z katedry, suknia panny młodej zainteresowała Stellę bardziej niż średniowieczna architektura. Nagle rozległ się ogłuszający huk karabinu maszynowego. Błysnęło. Dym zasnuł cały plac del Obradoiro. Kto chciałby zabić taką parę? Niewesoła sytuacja dla osób pochodzących z Belfastu. Pora zmienić bieliznę. Dym snuł się po ziemi. To przecież fajerwerki, nie karabin; rakiety, kapiszony i sypiące iskrami fontanny. Całkiem jak w domu, w Irlandii, gdzie podczas wiejskich ślubów strzelano ze śrutówek, by odstraszyć złe duchy.

Na ekranie telewizora znów migały wiadomości. Przemoc. Z budynków wyrastały języki ognia, unosił się czarny dym. Widać było czołgi. Skąd te ujęcia? Z Bejrutu? Z Syrii czy Iraku? Religie będą walczyć aż do zagłady świata. Gerry nie chciał włączyć dźwięku, by nie obudzić Stelli. Naoglądał się już podobnych scen. Gdy pracował w Derry, do jego biura położonego przy placu Diamond ktoś wrzucił bomby zapalające. Winnych nigdy nie odnaleziono. Może było to po prostu kilku czternastoletnich niedoszłych Savonarolich*, którzy podpuszczali się nawzajem do działania. Przechylił szklankę, aż zęby brzęknęły o krawędź, i dopił whiskey. Oparł się pokusie i nie nalał kolejnej. Zamiast tego zaczął wyobrażać sobie, jak wyglądałby atak przy użyciu koktajli Mołotowa. Członkowie Prowizorycznej Armii Republikańskiej lubili takie bzdury. Raz próbowali nawet spalić belfaską bibliotekę Linen Hall Library. Nie zauważył, kiedy

---

* Girolamo Savonarola – florencki reformator religijno-polityczny z XV wieku.

nalał sobie następnego drinka. To przypadkiem. Wybaczcie. Niby czemu walka o wolność dla Irlandii miała polegać na paleniu książek? Na niszczeniu budynków? IRA zrzeszała w swych szeregach antyarchitektów. Niszczycieli. *Pokażcie mi budynek, a zmienię go w parking.* Brzęk tłuczonej szyby, a potem syk, gdy ogniem zajmuje się zawartość butelki. *Ile budynków palisz na sto litrów benzyny?* Wyobrażał to sobie niczym scenę z filmu, gdy z dymem puszczana jest cała rozległa makieta. Jakiej użyć rozpałki, jakiego paliwa? Szafki katalogowe. Rulony kalki technicznej, przykładnice, ekierki i kątomierze, szablony i wzorniki. Samochody wielkości resoraków, drzewa maleńkie jak szczotki do czyszczenia szpar między zębami. Ogień byłby prawdziwy. Co więcej, odbijałby się w celofanowych oknach. Maleńkie drzewa znikałyby z sykiem, zostawiając po sobie jedynie sczerniałe druty. Płoną tak, jak płonęła ulica Bombay Street: w całości. Zebrani tłumnie lojaliści wypalają katolików. Topią się figurki kobiet i mężczyzn. Jak czekolada na ciastkach ułożonych w pudełku, wokół którego pracownicy zbierali się podczas przerw na kawę. Pudełko pęcznieje, potem pęka; ciastka lecą na wszystkie strony. Sucha balsa natychmiast zajmuje się ogniem. Kościoły, szkoły i akademiki ryczą i skwierczą, gdyż nawet zasłony zmieniły się już w girlandy ognia, a żaluzje podrygują, jakby żyły własnym życiem. Modele architektoniczne. Pożoga ogarnia pokryty miedzianym dachem kościół Burt Chapel. Roztańczone płomienie, zielone niczym jabłka, osmalają drewniane gzymsy, by następnie całkiem je pochłonąć. Iglice upadają, dzwonnice obracają się w pył. Żar wkrada się do szuflad, rozgrzewa rączki do czerwoności. Szkice skręcają się i brunatnieją, stają się kruche jak płatki ciasta do millefeuille. Ułożone na sobie kolejne warstwy pracy. Efekty wielu godzin, wielu dni wysiłku architektów – zarówno tych ze Skandynawii, jak i miejscowych. Ich inspiracje i pomysły, plany kreślone odręcznie i przy linijce. Wszystko obraca się w pył. Całe szafki pełne kartek pokrytych listami materiałów, notatkami, wielkościami i wymiarami. Ogień je unicestwił. W imię walki, w imię religii. Tworzenie pustki. Figurki ludzi są nieistotne – topią się i znikają tak jak i sami podpalacze. Gdy Stella dowiedziała się o tym, co zaszło, powiedziała tylko: „Dzięki Bogu, że nikt nie zginął". Następnego ranka Gerry szedł ostrożnie przez spustoszone tereny, szukając czegoś, co mógłby uratować. Sczerniałe drewno przypominało skórę aligatora. Abażury rozlały się na biurkach niczym zegary z obrazów Dalego. Żaluzje – te, które się nie stopiły – były odkształcone i krzywe. Obok jego buta leżało kilka apetycznie wyglądających ciasteczek. Unicestwiono miejsce kreacji. No i zapach. Niedający się z niczym pomylić zapach zmarnowanego wysiłku przylgnął do ubrań Gerry'ego na wiele tygodni. A może i na dłużej.

– Nadal jesteś gotów pójść do muzeum?

Ściągnął z uszu słuchawki. Najwyraźniej musiał przysnąć. Stella wyszła właśnie z łazienki i wygładziła narzutę gestem, jakim wyrównuje się zagiętą stronę w książce. Rozsunęła zasłony.

– Tak – odparł. – Tak, oczywiście. Czemu nie?

Rijksmuseum było położone na tyle daleko, że postanowili pojechać tramwajem.

– Jak wymówić tę nazwę? – spytał Gerry.

– Przypomnij sobie *Casablancę*. Rick's Café – Rick's museum.

Stella kupiła *strippen* biletów z automatu na przystanku – tak by wystarczyło im na kilka dni.

– Może ich nie kasujmy; będziemy je trzymać na wypadek, gdyby pojawił się kontroler. Przecież zobaczy, że jesteśmy z zagranicy.

Gerry chodził w kółko, by nie zmarznąć. Spoglądał przy tym raz na tory, raz na wiszące nad nimi druty.

– Przypomnij mi, żeby kupić „Guardiana" – powiedziała Stella. – Chcę rozwiązać krzyżówkę.

– Czy to nie zbytek?

– Owszem. Ale muszę ćwiczyć mózg.

Szaro-niebieski tramwaj zadudnił na szynach i podjechał bliżej, a wypełniający go ludzie podnieśli wzrok, gdy Stella i Gerry wsiedli do środka. Jechali na stojąco, bo brakowało wolnych foteli. Stella rozejrzała się teatralnie, szukając kasownika, nie znalazła go, spojrzała więc na Gerry'ego i wzruszyła ramionami. Odpowiedział tym samym.

– Wysoce niefortunnie się składa – obwieścił.

– Spójrz tylko – Stella skinęła głową w stronę przedniej szyby tramwaju. Dwoje rowerzystów – chłopak i dziewczyna – sunęło po torach przed pojazdem. Jechali slalomem, odbijali na boki i znów wracali na miejsce.

– Jak para delfinów przed dziobem statku – powiedziała. – Przed chwilą trzymali się za ręce.

– „Chcieliśmy zrobić coś romantycznego, wysoki sądzie".

– To naprawdę romantyczne.

Tramwaj na przemian szarpał naprzód i hamował, a Gerry trzymał się mocno, by zachować równowagę. Trzeba było nie pić tej whiskey.

Wsiedli do windy i pojechali na najwyższe piętro Rijksmuseum. Gerry miał opracowaną technikę zwiedzania

– szedł od góry, przeglądając kolejne galerie i zawsze skręcając w lewo, póki nie odhaczył wszystkich pomieszczeń po kolei. Początkowo Stella szła razem z nim, czasem jednak decydował się zignorować całą ścianę obrazów, ledwie rzuciwszy na nie okiem. Nie rozumiała dlaczego.

– Zadufani w sobie mieszczanie – narzekał. – Holenderskie martwe natury. Rośliny ułożone w kształt twarzy...

Gerry przemykał obok zwiedzających, z których wielu miało na uszach słuchawki, a w dłoniach urządzenia do odtwarzania audioprzewodnika. Zdarzało się też, że niespodziewanie zwalniał. Przystawał przed obrazem, który wpadł mu w oko, pochylał się i przyglądał szczegółom czy wręcz konkretnym pociągnięciom pędzla, podczas gdy Stella przenosiła ciężar ciała z jednej stopy na drugą. Od czasu do czasu jego dłoń wędrowała do kieszeni, by wyciągnąć futerał na okulary. Wkładał je na nos i odczytywał opis danego obrazu. Za którymś razem przysunął się bliżej Stelli.

– Ostatnimi czasy, gdy sięgam do etui i naprawdę znajduję w nim okulary, jestem przyjemnie zaskoczony – powiedział.

Niekiedy nalegał, by cofnęli się po własnych śladach, bo chciał pokazać jej jakiś interesujący szczegół.

– Nie mamy na to czasu – odpowiadała.

– Przecież jesteśmy na wakacjach.

– Inaczej: nie mamy na to ochoty.

Zdołał przekonać ją, by raz jeszcze spojrzeli na *Żydowską narzeczoną*.

Wokół zebrał się tłum. Obraz był wielki jak billboard, utrzymany w tonacji brązu, żółci i czerwieni. Przedstawiał dwie postaci: kobietę i mężczyznę. Byli na granicy intymności

– bezpośrednio przed lub zaraz po – i zamierzali zatopić się w sobie nawzajem. Dłonie. Wszędzie dłonie. Obraz przedstawiający dotyk. Stella dołączyła do tłumu i przecisnęła się na sam front, a Gerry obserwował, jak przygryza wargę, wpatrując się w płótno. Gdy poczuła na sobie jego spojrzenie, przeprosił zebranych, wepchnął się i stanął obok.

– I jak?

– Jest niezwykle czuły – powiedziała. – Widać, że ją wielbi.

– Spójrz na jego dłonie – odparł Gerry. – I na rękaw. Wygląda jak wielki croissant. Chodzi o sposób nakładania farby.

– No i twarze – powiedziała. – Ona jest niezdecydowana. Nieśmiała i niezdecydowana. Mają bogate stroje. – Wskazała na rękę, którą pan młody obejmował kobietę. I na drugą, którą trzymał na jej piersi, a której palce panna młoda muskała swoimi.

– Pozwala mu na dotyk – szepnęła. – A drugą dłonią chroni brzuch.

– Tak – przyznał Gerry.

– Mam wrażenie, że dłonie są nieco zbyt duże.

– Nonsens.

– Tematem obrazu jest kobiece przyzwolenie, a ono kryje się właśnie w dłoniach – powiedziała. – Potrafi zrobić z nimi wszystko, co zechce. On, czyli Rembrandt.

Przy najbliższej okazji rzuciła się, by zająć wolne miejsce, które dostrzegła na jednej z centralnie ustawionych kanap. Wsunęła się w przestrzeń między parą nieznajomych. Mebel pokrywała pikowana skóra; był twardy, ale wygodny. Stellę bolały stopy.

Dała Gerry'emu znak, że zamierza odpocząć. Wykonał gest oznaczający, że wróci po nią później. Skinęła głową. Następnie odchyliła ją w tył, przymknęła oczy i wsłuchała się w dźwięk skrzypiących wokół desek podłogowych.

Zauważyła, że kobieta z obrazu *Żydowska narzeczona* nosiła perły. Miała też w uszach kolczyki. Stella przekłuła sobie uszy dopiero na szesnaste urodziny. Bała się, ale uznała, że warto wytrzymać ból w imię pewności siebie, którą zyska dzięki zmianie wizerunku. Miała (nareszcie!) stać się kobietą, która sama decyduje o tym, co jej dotyczy. Panią swego losu. Poczuła, że odpływa. Wstyd dać się przyłapać na drzemce w takim miejscu. Szczególnie że spała już przecież po lunchu. Otworzyła oczy i zobaczyła wiszący naprzeciwko obraz starej, czytającej kobiety. Zbadała go wzrokiem z bezpiecznej odległości. Nie znała autora. Twarz kobiety pozostawała w cieniu, a książka była tak duża, że zdawała się oklapła i niepraktyczna; jedna z jej dłoni wędrowała po kartce, by ją ustabilizować lub przytrzymać. Stella nie zauważyła, kiedy znów zamknęła oczy. Czytanie było ważne – ubogacało człowieka.

Kiedy była dzieckiem, rodzice zachęcali ją do czytania, choć sami niemal tego nie robili. Pamiętała oczekiwanie na otwarcie czytelni – przestępowanie z jednej zmarzniętej nogi na drugą. W wiosce brakowało biblioteki z prawdziwego zdarzenia, jednak pewna wolontariuszka, pani Brownlee, w każdy wtorek i czwartek wieczorem przychodziła, by na kilka godzin – od osiemnastej do dwudziestej – otworzyć drzwi ratusza. Było to miejsce, gdzie przeprowadzano głosowania, gdzie organizowano spotkania mężczyzn w garniturach, gdzie dzieci zdawały egzaminy do szkół średnich. Po wojnie Stella przychodziła tam przede wszystkim po darmowy sok pomarańczowy. W zimowe wieczory stała w drzwiach, by chronić się przed deszczem, trzymając pod płaszczem stertę książek. Pani Brownlee była protestantką. Podjeżdżała samochodem, po czym wysiadała i ruszała szybkim krokiem, podzwaniając kluczami. Budynek był pusty i zimny, odbijał echem każdy dźwięk. Zmieniał się jednak nie do poznania, gdy pani Brownlee zapalała światła i wyciągała na środek pudła z książkami. Nie było to łatwe. Pudła zaczepiały się czasem o wystające z drewnianych desek podłogowych sęki, a pani Brownlee stękała, cmokała z niezadowoleniem i prosiła Stellę o pomoc. Jedno pudło było dla mężczyzn – zawierało dzieła Zane'a Graya i powieści o kowbojach. Drugie wypełniały romanse dla kobiet. Obok stało też pudełko dla chłopców i pudełko dla dziewcząt, a Stella lubiła przetrząsać oba. Czytała książki z serii *Just William* ze względu na postać Violet Elizabeth Bott. To właśnie ona, a nie sam William, potrafiła ją rozbawić. Uwielbiała też Enid Blyton – szczególnie jej powieści z serii *The Adventure Series* i *The Famous Five*. Od czasu do czasu przybywały nowe dostawy książek. W takie wieczory Stella padała na kolana oniemiała z zachwytu i przeglądała kolejne nowe tytuły. Często otwierała książkę i czytała linijkę lub dwie, by smakować na języku początek opowieści. Między pierwszymi stronami każdej pozycji znajdowała się karta biblioteczna – pusta, więc Stella czuła dreszczyk emocji na myśl, że czyta ją jako pierwsza. Jak gdyby zostawiała ślady na dziewiczym śniegu. W starych bibliotekach takie karty – oklejone zbrązowiałą taśmą – były pokryte niechlujnie odbitymi pieczątkami z datownika. Terminy zwrotów książki umieszczano gdzie bądź. Czasem nawet do góry nogami.

Jedyną książką w ich domu, która nie dotyczyła religii, był *Uproszczony słownik* wydawnictwa Virtue. Nikt nie potrafił

---

* W polskim tłumaczeniu ukazała się jedna z nich – *Sweet William* przełożona jako *Wacek: wesołe przygody małego urwisa*.

wytłumaczyć, w jaki sposób trafił do nich ten opasły, amerykański tom, który miał na krawędzi kart dwadzieścia sześć wcięć – po jednym na każdą literę alfabetu. Ubrudził się przez lata użytkowania. Wewnątrz znajdowały się ilustracje: maleńkie ryciny i większe, kolorowe obrazki. Jeden z nich przedstawiał flagi świata. Drugi – kwiaty Ameryki Północnej. Była to księga godna zaufania. Księga, którą Stella kochała, choć zrozumiała to dopiero później. Wielu ludzi mówi, że w trudnych chwilach szuka pomocy w Biblii, jednak dla Stelli funkcję tę zawsze pełnił słownik. Zamykała oczy, wsuwała palec między kartki, wybierała losowo jedno z widniejących na stronie słów. Niektórych terminów nie rozumiała, definiowane były bowiem przy użyciu innych słów, które również były jej obce – musiała zacząć od znalezienia ich samych w słowniku, śledziła ich występowanie i porównywała ze sobą kolejne hasła. Tak właśnie się stało, gdy – we czesnym okresie dojrzewania – poznała słowo „plemnik". Bóg jeden raczy wiedzieć, gdzie je znalazła, szła jednak po nitce do kłębka, aż odkryła, jaki jest mniej więcej sens życia, choć słownik nie udzielał żadnych wskazówek w zakresie praktyki. Unosiła się zatem bezradnie w mentalnym jeziorku, które – zdaniem jej spowiednika – wypełniać mogły złe myśli. Czy słownik tak cnotliwego wydawnictwa* naprawdę mógł podsunąć sposobność do grzechu? Kiedy wyszukała słowo „sposobność", okazało się, że jest nią „sprzyjająca okoliczność lub okazja", co brzmiało wysoce niestosownie.

Słownik był amerykański, niektóre słowa występowały w nim więc niestety w amerykańskiej pisowni. W pracach domowych Stelli ten czy inny wyraz był od czasu do czasu przekreślany

---

* Ang. *virtue* – cnota.

czerwoną linią, ponad którą pan Ryan umieszczał swym zamaszystym, czytelnym charakterem pisma jego prawidłowy zapis.

Stella otworzyła oczy i zobaczyła, że Gerry sunie w jej stronę po parkiecie.

– Czy już pora na kawę? – zapytała. – Zrobiliśmy dość, by na nią zasłużyć?

Kiwnął głową. Próbował schować okulary.

– Cholerne etui jest za małe. Można powiedzieć, że stopy wystają mi poza łóżko!

* * *

Po wizycie w muzealnym sklepie z pamiątkami wypili dobrą kawę z filiżanek rozsądnej wielkości – na szczęście w niczym nie przypominały ogrzewanych parą kubłów, których nie sposób unieść i które parzą w usta. Stella wzięła naleśniki po holendersku, a Gerry *biscotti*.

– Kiedy byłam tu ostatnio – powiedziała – trwała właśnie wystawa relikwii. Zatytułowano ją *Schody do nieba*. Mnóstwo pięknego złota i srebra. Widziałam jednak, że wielu ludzi – w większości starszych – fascynowały nie dzieła sztuki, lecz przedmioty, które w nich przechowywano. Fragmenty kości, strzępy materiału, pukle włosów. Widziałam w ich oczach nadzieję na uzdrowienie. Czekali na swój własny cud.

– Ciemnota i zabobon – powiedział Gerry. – Jestem pewien, że po świecie krąży dość fragmentów Prawdziwego Krzyża, by zbudować z nich drugi Forth Bridge*.

---

* Most kolejowy nad zatoką Firth of Forth, łączący Edynburg z hrabstwem Fife.

Stella patrzyła na niego w milczeniu. Nie chciała brnąć dalej. Zamiast tego przeszukała torebkę, by wyciągnąć z niej pocztówkę, którą kupiła w sklepiku. Stara kobieta czytająca książkę. Nie był to obraz, który widziała, tylko inny. Sprzedawczyni, z którą rozmawiała, wzruszyła ramionami i powiedziała, że tamte pocztówki już się skończyły. Dodała jednak, że „mamy wiele czytających staruszek".

– Miło to słyszeć – odparła Stella.

Ekspedientka zaproponowała jej inną, jeszcze ładniejszą pocztówkę. Przedstawiała starszą kobietę owiniętą ciemnym materiałem, mającą wzrok wbity w książkę. Wyglądała wspaniale. W jej oczach widać było skupienie, a z pomarszczonej twarzy bił blask, który odbijał się od stronicy. Światło rozniecone przez odczytywane słowa.

Odkręciła skuwkę pióra i napisała krótkie pozdrowienia, po czym przekazała pocztówkę Gerry'emu do podpisu. Dodał słowa „Całusy, Dziadek", zamknął pióro i oddał je Stelli.

– Okropnie bolą mnie stopy – oznajmiła.

– Nie mów, że tchórzysz. Najlepsze jeszcze przed nami.

– Co?

– Trzy Vermeery.

– Trzech Vermeerów? – Głowa Stelli opadła jej na piersi. – Cała rodzina?

– Nie! Trzy *obrazy*.

– Dzięki Bogu. Bałam się, że każdy będzie miał własną salę.

– Chcę zobaczyć, jak wyglądają z bliska Vermeerowskie nasiona sezamu.

– Byłoby lepiej, gdybyś nie pił podczas lunchu.

– Nawet tego nie poczułem.

– W tym właśnie problem. Rośnie ci tolerancja.

– Wolałabyś, żebym był nietolerancyjny?

– A sądzisz, że nie jesteś?

Gerry uśmiechnął się i umoczył *biscotti* w kawie. Pochylił się i odgryzł zmiękczoną końcówkę.

– Pamiętasz miejsce, gdzie poszłaś rano – tam za pasażem? O co chodzi? Czemu chcesz się spotkać z jakąś kobietą?

Stella spojrzała na niego. Wzięła łyk kawy.

– Jestem zmęczona. Naszym życiem.

– To znaczy?

– Musimy odpowiedzieć sobie na ważne pytania. W jaki sposób najlepiej przeżyć życie? Jak żyć, by nasze życie było dobre?

Gerry powoli wzruszył ramionami.

– Ktoś w tamtym miejscu zna odpowiedzi?

– Nie. Każdy musi odnaleźć je na własną rękę.

– „Nie rób drugiemu"?

– Jest takie słowo, którego się już w dzisiejszych czasach nie słyszy. Słowo, które znam z dzieciństwa: *pobożność*. Chcę wieść bardziej pobożne życie.

– W jaki konkretnie sposób?

– Sądzę, że nie możesz tego zrozumieć. Jesteś niewierzący. Chodzi o dobroczynność, o modlitwę. Badam różne możliwości.

– A jeśli znajdziesz to, czego szukasz?

– Będę szczęśliwa. – Wzruszyła ramionami. – Ale wiem, że zmusi mnie to do zadania sobie innych, trudniejszych pytań.

– A co się wtedy stanie ze mną? Z nami?

– Coś innego.

Kiedy wrócili do hotelu, Gerry padł na łóżko, a Stella rzuciła „Guardiana" na kredens. Pismo zsunęło się, nie miała jednak siły, by się po nie schylić. Zatonęła w fotelu, wyciągnęła przed siebie nogi i odchyliła głowę w tył. Oboje wydali ciche jęki zmęczenia.

– Przestrzeliliśmy – powiedziała.

– Jeszcze jak. O całą milę.

– Raczej o kilometr. Pomnóż przez pięć i podziel przez osiem.

Na dłuższy czas zapanowała cisza. Gerry, nadal leżąc na plecach, rozsznurował buty, po czym ściągnął je, używając samych palców u nóg. Zastukotały o podłogę.

– Spójrz, co zrobiły mi skarpetki.

Poza czarną piżamą Stella kupiła mu na wyjazd paczkę trzech par skarpet dopasowanych do jego rozmiaru buta. Nie zauważyła jednak, że mają wszyte ściągacze. Zwykle Gerry nosił tylko skarpety bezuciskowe.

– Staram się znaleźć odpowiednie określenie – rzucił, krzywiąc twarz. – „Stan obrzękowy".

Macał bladą skórę pod nogawką spodni.

– Wszystko przez cholerne skarpetki. Nogi pęcznieją od płynów i puchną po ciężkim dniu spędzonym wśród dzieł sztuki. A skarpety zostawiają na nich ślad przypominający kręgi pianki, która zostaje na szklance guinnessa. – Masował dłonią nierówności. – Chcesz dotknąć?

– W tej chwili chyba podziękuję. Może później.

Spojrzał na nią, po czym powiedział:

– Później mogą zniknąć.

– Więc będę zawiedziona.

– Moje kostki mają na sobie podziałkę. Zupełnie jak okrągłe minutniki w kształcie jajek! Spójrz, jak pokrzywdziły mnie skarpetki!

Zerknęła i zobaczyła, o co mu chodzi.

– Nie wiń skarpetek. To ty! Cierpisz na gąbczastość skóry. Biedactwo... – Cmoknęła z przesadnym przejęciem. – Dokąd dziś pójdziemy?

– I jeszcze swędzą...

– Nie drap. Pogorszysz sytuację.

– Hmmm? – Miał przymknięte oczy. Orał skórę na kostkach opuszkami palców, wydając ciche jęki rozkoszy. – Jest tylko jedno uczucie przyjemniejsze od tego... gdy wiadomo, że nie wolno, ale w końcu się ulega... Och, wspaniale jest ulec.

Uniósł dłonie znad punktu zakazanej rozkoszy i zacisnął pięści. Trwał tak przez chwilę, po czym powiedział:

– Jedna z knajpek brzmiała super. Ta, w której podają rzekomo pożywną potrawkę. Można ją popić pożywną butelką wina. Albo dwiema.

– Przestań, bo pójdzie ci krew.

– Nie używam paznokci.

Uniósł dłonie tak, jakby nie wiedział, co z nimi zrobić. Sięgnął i dotknął Stelli. Niczym mąż z *Żydowskiej narzeczonej*.

Kochali się. Później, gdy zaczęło się ściemniać, Stella włączyła lampkę nocną. W pokoju było ciepło. Gerry objął ją ramieniem.

– Spójrz – powiedziała. – Skoro o elastyczności skóry mowa, spójrz na wgłębienie, które zostawia twój zegarek.

– Nawet gdybym przestał go nosić, zniknęłoby dopiero po tygodniu. Wygląda jak krater księżycowy.

Sięgnął dłonią na swoją część łóżka i ponownie włożył zegarek, idealnie wpasowując go w odcisk.

– Nie mogłaś nie dostrzec objawów mojego podzegarkowego hirsutyzmu.

– Czemu właściwie go zdejmujesz?

– Z przyzwyczajenia – odparł. – Żeby nie zrobić ci krzywdy. Nie zadrapać cię. Z tej samej przyczyny, dla której piłkarzom nie wolno nosić biżuterii.

– Nie wiedziałam, że tak się przejmujesz.

– „Nie mogę ścierpieć nawet, aby lada przyostry powiew dotknął się twej twarzy"*. Lub coś w ten deseń.

– Wiesz, co jest w tym wszystkim najlepsze? – Miała wzrok wbity w sufit. – Nie trzeba myśleć o robieniu kolacji.

– Zbytnio mi pochlebiasz, pani.

Uśmiechnęli się.

– Wiesz, co ja lubię w wyjazdach? – spytał Gerry.

– Co?

– Nie trzeba zapamiętywać niczyich imion.

– Grunt, żebyś pamiętał moje.

Milczeli przez dłuższą chwilę.

– Robię, co mogę.

Zdzieliła go w gołe ramię.

Splótł dłonie za głową i ułożył się wyżej na poduszce.

– Uwielbiam gości, którzy bez pytania wciskają rozmówcom swoje imiona. Czynią się bohaterami własnych opowieści. „A wtedy on mówi do mnie – mówi tak – Ronnie, nie bądź durniem, bierz, póki dają". Zwykle odpowiadam wtedy: „Doskonale rozumiem, o czym mówisz, Ronnie". Jakbym znał jego imię od samego początku.

– Chytrze – oceniła Stella.

– Co będzie, gdy... to się skończy?

---

* W. Szekspir, *Hamlet*, tłum. J. Paszkowski, Brody 1909.

– Co?

– To.

– Będzie skończone. – Uśmiechnęła się.

– Nieprzyjemna wizja – powiedział. – Po co wtedy żyć?

– A jaki był sens życia, zanim pojawił się seks?

– Już nie pamiętam.

– Nie uważałeś, że życie jest wspaniałe, kiedy miałeś osiem czy dziewięć lat?

– Nawet wtedy seks był dla mnie ważny. Obserwowałem kobiety rozbierające się na plażach. Ręcznikowe wygibasy irlandzkich katoliczek.

– To nie seks. To ciekawość chłopca, który dorastał bez sióstr.

– Mów, co chcesz. Byłem zainteresowany. Mam uznać, że moją największą życiową przyjemnością stanie się kiedyś kichnięcie?

– Chwila – powiedziała Stella. – Załóżmy, że nagle pojawia się wielka moc, która daje ci wybór: możesz przeżyć życie od początku, ale tym razem jako eunuch. Zdecydowałbyś się?

– Niechętnie.

– Więc seks jest podstawą naszej egzystencji? Wiesz, że są w życiu inne rzeczy.

Stella poszła do łazienki.

– Mam nawet ochotę zostać dziś w pokoju. Rozwiązać krzyżówkę. – Uniosła głos, by Gerry ją słyszał. – Choć pożywna potrawka brzmi kusząco. A na deser sernik cytrynowy. Masz jakieś przemyślenia na ten temat?

Wytarła ręce i wyszła. Gerry zaczął już tymczasem pochrapywać na łóżku.

– Cały ty. Gdy jesteś przyparty do muru, zamieniasz mur na materac.

Obudził się. Panowała ciemność, choć zasłony były rozsunięte. Na łóżko padał jedynie pomarańczowy promień światła stojącej na zewnątrz sodowej lampy ulicznej. Stella miała na sobie szlafrok. Spała smacznie w fotelu. Książka, którą czytała, zsunęła się na podłogę i stała teraz wyprężona jak krewetka. Gerry przerzucił nogi przez krawędź łóżka i postawił stopy na podłodze. Podreptał do kredensu, sięgnął w głąb plastikowej torby, wyciągnął butelkę whiskey i uniósł ją do pomarańczowego światła. Uzupełnienia stały się sprawą priorytetową. Przesadził. Zostało dość na dziś wieczór, ale musiał jakoś przygotować się na jutro. Gdyby tylko przemyślał wszystko z wyprzedzeniem! Rano, kiedy Stella wyszła sama do beginek, Gerry mógł znaleźć sklep, kupić małą butelkę dowolnej whiskey – nawet szkockiej! – wnieść ją do hotelu, przelać zawartość do większej butelki, a maleństwo raz dwa wyrzucić do kosza. Szybka piłka. Między dwiema windami był nawet pojemnik z nierdzewnej stali na śmieci. Ale nie – jasne, że na to nie wpadł. Nigdy nie planował niczego z wyprzedzeniem. Umiejętność rozrysowywania kadrów: zerowa. Za bardzo przejął się tym, dokąd i z kim konkretnie uciekła Stella.

Odkręcił butelkę, nie wyciągając jej z torby, po czym nalał solidną porcję płynu do jednej z dwóch czystych szklanek, które stały na tacy. Następnie zakręcił ją najciszej jak potrafił, po czym przekradł się na palcach do łazienki. Zamknął drzwi i włączył światło. Dopełniając szklankę wodą bezpośrednio z kranu zobaczył w lustrze swoje odbicie. Niezbyt przyjemny widok. Przebiegły drań. Woda utworzyła na powierzchni drinka cienką, srebrną błonę – nie byłoby tego problemu, gdyby pozwolił jej chwilę odstać. Odgazować się. Uniósł szklankę i opróżnił ją do połowy, po czym włożył biały szlafrok i poczuł na skórze dotyk miękkiego materiału. Starał się unikać swego odbicia. Prysznic byłby teraz nie od rzeczy. Zaniósł drinka do szafki nocnej i odstawił go na złożoną wcześniej chusteczkę, gdyż odgłos stuknięcia mógł obudzić Stellę. Włączył też lampkę nocną. Wszędzie walały się ubrania. Zignorował je i usiadł. Gdyby się obudziła, mógłby powiedzieć, że to ożywczy drink. Sposób, by wzmocnić słabnącego ducha. Zupełne maleństwo. Bo jesteśmy na wakacjach. Stella nadal była jednak nieprzytomna, jej głowa unosiła się raptownie, po czym opadała z powrotem. Whiskey go odprężyła. Osuszył szklankę do końca. O tej porze więcej nie było mu potrzebne. Wstał z fotela, poszedł do łazienki, umył szklankę i osuszył ją chusteczką. Następnie umył zęby miętową pastą Sensodyne. Obrócił szklankę denkiem do góry i odstawił na ozdobną chusteczkę, na której zostawiła ją wcześniej pokojówka.

Obudziła się raptownie i spojrzała na niego, jakby widziała go po raz pierwszy w życiu.

– No i? – spytała. Wybałuszyła oczy, po czym przetarła twarz dłońmi. – Nie zasnę w nocy. Zbyt długo drzemałam w ciągu dnia. To pewnie przez zmianę powietrza.

– Co mamy w storyboardzie?

– Na dzisiejszy wieczór?

– Tak.

– A która godzina?

– Myślę, że wybiła godzina pożywnej potrawki – powiedział Gerry. – Ale najpierw prysznic.

– Daj mi chwilę.

Stella wstała i poszła do łazienki.

Gdy Gerry usłyszał szum spuszczanej wody, zawołał:

– Chyba wypiję drineczka. Czas na odrobinę luksusu!

Otworzyła drzwi i wyszła, wycierając dłonie.

– Co mówiłeś? Zagłuszyła cię spłuczka.

– Napiję się. – Uniósł szklankę w jej stronę, jakby wznosił toast. – Żeby poczuć się jak Frank Sinatra.

Przefrunął obok niej, wszedł do łazienki i rozcieńczył whiskey zimną wodą z kranu. Znów pojawiła się srebrzysta, mleczna błona. Wyszedł, usiadł na fotelu i zaczął sączyć drinka.

– To dziś mój pierwszy – oznajmił.

Stella sprzątała pokój. Zbierała leżące na podłodze ubrania, buty, gazety i magazyny.

– Poza winem do lunchu.

– Wino się nie liczy. Jak dżin z tonikiem. Napoje bezalkoholowe.

– Włącz wiadomości – powiedziała. – Najchętniej po angielsku.

Rzuciła mu pilota. Znalazł kanał BBC.

– Nienawidzę tego, że ulegli trendom i wyświetlają pasek informacyjny. Same prowokacje. – Stella rozsiadła się na łóżku.

Rzucił jej pilota.

– Kolejna rzecz bezwstydnie przejęta od Amerykanów. Przycisk wyciszenia jest drugi od góry.

Poszedł do łazienki z drinkiem w dłoni.

– „Zabierz mnie na księżyc" – rzucił przez ramię, cytując Sinatrę.

– Tylko nie śpiewaj.

Zamknął drzwi i usiadł na sedesie, który okazał się odrobinę niższy niż w domu. Opadając o kilka dodatkowych milimetrów,

Gerry zdążył na ułamek sekundy wpaść w panikę. Czuł, że traci kontrolę. Że ma za bardzo wygięte kolana. Że znalazł się zbyt blisko podłogi. Dopił whiskey, zrobił półobrót i odstawił pustą szklankę na zbiorniku spłuczki. Kiedy skończył, wstał i spuścił wodę, po czym odsunął zasłonę prysznicową. Z kranu poleciała zimna woda, Gerry dodał więc ciepłej, a kiedy uzyskał idealną temperaturę, wcisnął wajchę, by uruchomić natrysk.

Zdjął szlafrok i odwiesił go z powrotem na haczyk na drzwiach. Ostrożnie wszedł do wanny, trzymając się metalowych uchwytów. Przez dłuższy czas stał nieruchomo, pozwalając, by strumień wody rozbijał się o czubek jego głowy, po czym spienił we włosach szampon wyciśnięty z kolejnej hotelowej buteleczki. Jego zbyt intensywny zapach trudno było znieść. Stanowił odpowiednik sekcji smyczkowej Mantovaniego w świecie perfum, a w dodatku w najmniejszym stopniu nie pomagał na łupież. Gerry otworzył nową buteleczkę odżywki i postawił ją na krawędzi wanny. Na później. Partnerzy. Solniczka i pieprzniczka. Oliwa i ocet. Szampon i odżywka. Gerry i Stella. Obrócił się delikatnie, schylił, by podnieść pojemniczek... i trafił w pustkę. Zaczęło się *właśnie dlatego*, że trafił w pustkę. Podczas gdy *coś* powinno ją wypełniać. Jakiś punkt oparcia. Było jednak tylko powietrze. Lot na księżyc. Kiedy trafiają na siebie dwa silne magnesy, odbijają się nawzajem, ślizgają po powierzchni. Zero kontaktu. Brak punktu oparcia. Właśnie na tej zasadzie działa kolej magnetyczna. Jedno odskakuje od drugiego. Całkiem jak jego pięta od emaliowanej wanny. Całkiem jak on i jego żona. Trwają w wiecznym poślizgu. TY CHOLERNY DRANIU. Nie oparł się wystarczająco mocno. W dół. W ogóle nie miał oparcia – niczego nie dotykał. JA PIERDOLĘ. Upadam. Jak wiele różnych wypustek, zakończeń kostnych i chrząstek ulegnie złamaniu, zniszczeniu i obiciu o twardą emalię? Co Sinatra śpiewał o Marsie i Jowiszu? Całe mnóstwo kilogramów runie w dół w tej samej chwili. W mgnieniu oka. Obraz jaskrawy jak wypadek drogowy. Jak utrata dziewictwa. Nastąpiło zetknięcie z gruntem. Rozbrzmiał dźwięk gongu. A więc to prysznic, który obmywa dźwiękiem. Gerry wiedział, że takie rzeczy istnieją. Kość trafiła w coś twardego, a kiedy w pełni pojął, co zaszło, ryknął z bólu. Może podczas upadku, może po uderzeniu w emalię – sam nie był już pewien. Teraz leżał na plecach, a strumienie wody z sykiem rozbijały się o jego stopy. Żuchwę wypełniał ból, kolana i uda czerwieniały. Jego kutas wskazywał dziesięć po drugiej.

– STELLO! – zawołał, przekrzykując prysznic.

Z daleka doszła odpowiedź:

– Co jest?

– Upadłem.

Otworzyła drzwi na oścież i skoczyła do środka. Podbiegła do wanny z wrzaskiem, który szybko przeszedł w śmiech. Gerry leżał nieruchomo, w szoku, a serce łomotało mu w piersi. Waliło jak młot.

– Jesteś cały?

Wyciągnął dłoń i pomacał wszystkie członki. Wyczuł kość ogonową. Zdawało się, że jest nienaruszona. Woda sklejała włosy na jego nogach, przeczesywała je, układała w proste linie. Stella zakręciła kurek i nagle zrobiło się ciszej.

– To nic śmiesznego. Mogłem już nie żyć.

– Ale żyjesz – odparła. – Wszystko dobrze?

Podciągnął się do pozycji siedzącej, poruszył, nie poczuł bólu. Żadnych złamań.

– Tak.

Znów się śmiała.

– Ale nie dzięki tobie. Zamierzam pozwać hotel. Gdzie jest gumowy dywanik? Powinien być w każdej wannie. Z uwagi na osoby w podeszłym wieku.

– Ale twierdzisz przecież, że *nie jesteś* w podeszłym wieku. – Zdjęła z półki złożony, biały ręcznik, rozwinęła go i podała Gerry'emu. Chwycił ją za rękę przez suchy materiał i pozwolił, by pomogła mu wstać. Następnie ujął stalowe uchwyty i powoli, z jękiem wygramolił się z wanny.

– Ostrożnie. Uważaj na siebie – powiedziała Stella.

Stanął na macie łazienkowej. Owinęła go ręcznikiem.

– Cały drżysz. – Zaprowadziła go do sypialni. – Proszę, połóż się.

– Taka akcja mogłaby nam zepsuć urlop – powiedział Gerry.

– Wszystko w porządku? Nic nie boli?

– Na szczęście. Żadnych złamań. Czysty przypadek.

– Może zostańmy dziś w pokoju.

– Nic mi nie jest. Pożywna potrawka na pewno postawi mnie na nogi. Z pożywną butelką wina do tego.

Zaczął wycierać włosy.

– Przepraszam, nie chciałam się śmiać. To z nerwów.

Gerry owinął się w pasie ręcznikiem tak, że wyglądał, jakby miał na sobie spódniczkę, i krok po kroku dotarł do łóżka. Ułożył się na poduszce.

– To przełomowa chwila.

– Która?

– Pierwszy upadek pod prysznicem.

– Tylko bez ponuractwa, Gerry.

– Kolejny skok na główkę będzie prosto do grobu.

iedy zamknęły się drzwi windy, zostali sami. Pocałowali się. Cmoknęli. W usta. Gerry miał na sobie płaszcz przeciwdeszczowy i granatowy szalik. Stella – żółtobrązową kurtkę z kołnierzem ze sztucznego futra. Gerry zmarszczył brwi i uważnie przyjrzał się swemu odbiciu.

– Włosy mi odstają. – Próbował wyrównać je palcami zakrzywionymi niczym szpony. – Wpadłem w panikę i zapomniałem.

– O czym?

– O odżywce.

– Paparazzi od razu się zorientują. Rano będziesz we wszystkich gazetach.

– Ja i moja obita szczęka.

– Pogadamy o tym podczas Godziny Przypadłości. Ach, zapomniałam ci powiedzieć: dzień przed wyjazdem spotkałam w banku kobietę, której opowiedziałam o Godzinie Przypadłości. Odparła, że ona i jej mąż mają ten sam rytuał. Tyle że nazywają go Grą na Organach.

– Dobre – zaśmiał się Gerry. – Gra na Organach mi się podoba.

Było ciemno. Gdy schodził po schodach, poczuł, że krok ma nadal lekko chwiejny. Wsparł się na poręczy i od razu zauważył, że jest lepka.

– Ooo cholera!

Poręcz pomalowano na czarno. Oderwał dłoń i przyjrzał się jej uważnie. Miał poczerniałe palce i wielką ciemną plamę na wnętrzu dłoni. Farba uwydatniła wszystkie wzory, kręgi i linie na jego skórze, zupełnie jakby stanowiła narzędzie używane w ramach jakiejś policyjnej procedury. Wyciągnął rękę w stronę Stelli. Dopiero wtedy zobaczył wypisane kredą na stopniach ostrzeżenie. PAS GEVERFD. Najprawdopodobniej „Świeżo malowane". Plastikowa taśma ostrzegawcza zwisała do samej ziemi, nawet w najmniejszym stopniu nie spełniając swojego zadania.

Dziewczyna w recepcji była bardzo zaskoczona, gdy wyciągnął w jej stronę sczerniałą dłoń, jakby zamierzał złożyć przysięgę. A może chciał, by przybiła mu piątkę?

– Macie rozpuszczalnik? Albo margarynę?

Skąd recepcjonistka miała wiedzieć, czym jest margaryna? A tym bardziej, że pozwala ona usunąć farbę emaliową? Zadzwoniła po kogoś z personelu technicznego, podczas gdy Gerry mył ręce w łazience po przeciwnej stronie hallu. Raz za razem mydlił dłonie i wycierał je ręcznikiem papierowym, po czym wąchał plamy, by sprawdzić, czy jego działania odnoszą skutek. Nie miał szans. Farba trzymała się skóry i nadal była lepka.

Stella przeszła przez drzwi obrotowe, by uciec przed zimnem i stanęła pod jedną ze ścian, jednoznacznie odcinając się od całej sytuacji. Gerry czekał tymczasem oparty o marmurowy blat recepcji.

Musiało minąć niemal pięć minut, zanim pojawił się pracownik hotelu. Niósł ze sobą szmatę i plastikową butelkę pełną benzyny lakierniczej, pokrytą od zewnątrz różnokolorowymi plamami farby. Gerry spojrzał na nią i poczuł zapach jej zawartości, choć nie ruszył się z miejsca ani o krok. Na myśl, że miałby pójść na kolację, cuchnąc benzyną, zrzedła mu mina. Nie chciał jednak urazić mężczyzny, wziął więc od niego butelkę i poszedł do łazienki. Spojrzał na swe odbicie w lustrze i odkręcił zakrętkę. Wiedział, że jeśli użyje benzyny, nie pozbędzie się jej zapachu przez resztę wieczoru. Tak jak nie da się pozbyć smrodu wędzonej ryby. Albo i gorzej. Nie, dziękuję. Zakręcił butelkę i umył dłonie, by pozbyć się nawet tej odrobiny płynu, która mogła być na plastiku. Owinął butelkę chustką i odniósł ją pracownikowi hotelu. Następnie dołączył do Stelli, a gdy wyszli na ulicę, przeprosił, że nie bierze jej za rękę.

– Nadal się kleję – powiedział.

– Do mnie? Jak zawsze.

Ujęła jego ramię. Szli powoli, przytuleni, by nie zmarznąć. Płyty chodnikowe obrastały w szare, migoczące płaty szronu, a ciepło buchało jedynie ze sklepów; przy każdych drzwiach unosił się niewielki tuman mgły.

– To nie jest moja noc – rzekł Gerry. – Czarne plamy od farby. Ręce śmierdzą rozpuszczalnikiem. Siwe włosy w nieładzie, guz na brodzie, lekko utykam…

– Niech cię Bóg ma w opiece!

Dotarli do królestwa pożywnych potrawek. Zanim weszli do środka, Gerry zauważył jeszcze po drugiej stronie ulicy supermarket. Obsługa restauracji zabrała im płaszcze i skierowała do ciepłego stolika z dala od chłodu, który bił od strony drzwi. Kelner przyniósł karty dań, po czym ustawił na stole koszyk chleba i masło w plastikowych pojemniczkach. Gerry uniósł jeden z nich i wskazał palcem swoje serce. Zatrzepotał delikatnie drugą ręką.

– Margaryna? – spytał kelner.

Gerry przytaknął.

– Zwykle nie jesteś wybredny – powiedziała Stella.

– Poczekaj, a zrozumiesz.

Kelner przyniósł im kilka pojemniczków z margaryną, której marki nie rozpoznali. Na obwolutach widniały zielone pagórki, żółte pola i błękitne niebo.

– O to chodziło – rzekł Gerry i uniósł jedno z opakowań.

Stella spojrzała na niego wyczekująco. Powiedział, co zamierza, po czym przeprosił, wstał i ruszył na poszukiwanie toalety. Znalazł ją w korytarzu za recepcją, nie wszedł jednak od razu do środka. Najpierw przekroczył ulicę i dotarł do niewielkiego supermarketu, gdzie kupił małą butelkę whiskey jakiejś okropnej marki, której nigdy wcześniej nie widział. Nazywała się Tyrone Ekstra i zapewne pędzono ją w Bułgarii czy innym podobnym miejscu. Wziąłby każdą whiskey – Dunphys, Crested Ten, Redbreast, nawet szkocką. Grunt, żeby była w małej, płaskiej butelce, którą mógł schować do kieszeni. Nie było kolejki ani problemów z barierą językową. Kasjerka uniosła brew jedynie, gdy Gerry wyciągnął z portfela banknot o wysokim nominale. Szło mu tak łatwo, że aż przystanął. Uniósł poczerniałą rękę, by kasjerka dała mu chwilę, po czym cofnął się po drugą buteleczkę. Lepiej dmuchać na zimne. Dziewczyna spojrzała na niego z nieufnością, więc posłał jej uspokajający uśmiech. Patrzyła na jego obitą brodę czy pomalowaną farbą dłoń? A może zastanawiała się, czy brał udział w pijackiej burdzie? Czemu właściwie włóczył się po oblodzonych ulicach bez płaszcza, za to z portfelem pełnym grubych banknotów? Czy powinna wezwać policję? Nabiła drugi zakup i wydała Gerry'emu resztę za całą transakcję. Wsunął pierwszą butelkę do prawej kieszeni marynarki, drugą do lewej. Nie dało się ukryć, że był teraz doskonale zrównoważonym członkiem społeczeństwa. Wygładził klapy kieszeni. Kiedy kupował marynarkę, uważał je za niemodne, Stella była jednak pewna, że wkrótce wrócą do łask. Teraz cieszył się, że je ma. Wyprostował się i przeszedł przez ulicę, by dotrzeć do toalety restauracyjnej.

Knajpka była bardziej wyrafinowana, niż wynikało z przechwałek o pożywnej potrawce. Szerokie lustro otaczały okrągłe, perłowe żarówki rodem z aktorskiej garderoby, a poniżej znajdował się rząd eleganckich umywalek. Gerry przystanął, by spojrzeć na swe odbicie. Dotknął rozczochranych włosów. Na brodzie dostrzegł siniaka, więc sięgnął dłonią, by sprawdzić, czy skóra jest obolała. Była.

Podniósł wzrok, by spojrzeć sobie w oczy. Kupno dwóch butelek to już zły znak. Jego odbicie wzruszyło ramionami, dając mu do zrozumienia, że co się stało, to się przecież nie odstanie.

Wyciągnął z kieszeni pudełko z margaryną. Nie chciało się otworzyć, musiał więc wygiąć róg i oderwać plastikowe wieczko. Gdy już się z tym uporał, zobaczył, że żółtawej masie nadano przyjemny kształt czterolistnej koniczyny. Wyciągnął ją palcem i nałożył na sczerniałą skórę. Pocierał o siebie dłońmi, jakby je mył, obserwując, jak lśnią i wiją się w świetle lampek – Poncjusz Piłat ze słabością do tłuszczów wielonienasyconych. Pozostałości czarnego połysku zdawały się powoli rozpuszczać. Odkręcił łokciem gorącą wodę i opłukał dłonie. Szarożółta maź zawirowała i zniknęła w odpływie, a Gerry namydlił ręce i powtórzył procedurę. Poczuł przypływ dumy. Felerna dłoń była czysta jak łza i pachniała jedynie mydłem, a do tego miał ze sobą dwie „przyjaciółki podróżnych". Czuł w kieszeniach ich uspokajający ciężar. Cała akcja zajęła mu raptem cztery minuty.

Ruszył z powrotem do stolika, przystanął jednak, gdy zobaczył Stellę przez przezroczyste drzwi prowadzące na salę restauracyjną. Miała łokcie na stole i spuszczoną głowę. Wyglądała na przybitą. Było to tak nietypowe, że się zawahał i zatrzymał. Skąd ta samotność? Stella w naturalny sposób łapała przecież kontakt z innymi ludźmi. Gdy wchodziła do pokoju na przyjęciu, natychmiast zaczynała rozmowę z pierwszą napotkaną osobą. W tym samym czasie Gerry dołączał do kolejnych grup, rzucał żarty na wszystkie strony i starał się dosłyszeć odpowiedzi, bez przykładania sobie dłoni do ucha. Jakąś godzinę później, gdy ruszał na poszukiwania Stelli, okazywało się, że nadal rozmawia z tą samą osobą. Wszyscy ludzie byli dla niej równie istotni, nie potrafiła nikogo odtrącić. Gerry zarzucił jej, że „przyciąga nudziarzy".

– Po prostu umiem słuchać – odpowiedziała.

– Zawsze wychodzi z tego nieplanowana Godzina Przypadłości.

– Nic dziwnego, skoro mam wokół hipochondryków twojego pokroju – odparła.

A teraz siedziała całkiem sama w restauracji w Amsterdamie, wbijała wzrok w leżący przed nią komplet sztućców i zdawała się balansować na granicy łez. Może wiedziała, co zrobił.

Podszedł do stolika. Złożyli zamówienie, a gdy kelner zostawił ich samych, Gerry spróbował opowiedzieć Stelli o sukcesie, który odniósł przy użyciu margaryny. Pokazał jej czystą dłoń, ale nic jej to nie obeszło. Nie zaimponowało jej również ekspresowe tempo rozwiązania problemu. Między małżonkami pęczniało milczenie.

– Gerry. Chcę o czymś z tobą porozmawiać.

– Wal śmiało. Zamówiłaś już wino?

– Tak. Wybrałam Tempranillo.

Kelner przyniósł je, a gdy Gerry zrezygnował z degustacji, napełnił oba kieliszki. Zostawił butelkę na stole.

– *Dank ya* – powiedziała Stella.

– Zuch – dodał Gerry.

Kelner uśmiechnął się i wycofał.

– Kiedy upadłem pod prysznicem, mogłem myśleć tylko o obmywaniu dźwiękiem.

– O czym?

– Uderzyłem w emalię, która zawibrowała jak gong. Nie byłaś ze mną na obmywaniu dźwiękiem?

– Z tego co kojarzę, nie.

Gerry wzniósł toast, a Stella uniosła kieliszek, by się z nim stuknąć.

– Działo się to w spa w Leamington. Trwał festyn na świeżym powietrzu. Była niedziela rano.

– Pewnie poszłam na mszę.

– Chodziło o alternatywne metody uzyskiwania wewnętrznego spokoju. Z udziałem Stowarzyszenia Ochrony Borsuków z Warwickshire. Indiańskie masaże głowy, tatuaże. No i gongi do obmywania dźwiękiem. Na pewno ci o tym opowiadałem.

Stella pokręciła głową. Nie.

– Chyba że zapomniałam.

– Pamiętam brodatego hipisa, którego partnerka uklękła przed wejściem do namiotu i zaganiała ludzi do środka. Widziałem wielki, mosiężny gong – zupełnie jak ten, w który uderza przed rozpoczęciem filmu półnagi facet. Kto miał takie logo? Twentieth Century Fox? Gaumont?

– Rank – odpowiedziała.

– No jasne, grupa J. Arthura Ranka. No więc posadzili klientkę na krześle przed gongiem, a hipis zaczął uderzać, by wprowadzić go w wibracje. – Gerry zademonstrował, używając obu rąk. – Gong ryczał jak odrzutowiec. Ciągnęło się to w nieskończoność. Gdy dźwięk nareszcie ucichł, bo facetowi pewnie zabrakło pary w łapach, kobieta wyszła z namiotu. Była obmyta dźwiękiem. I jeszcze im za to zapłaciła!

Gerry przemówił z amerykańskim akcentem:

– *Martha twierdziła potem, że czuła, jak negatywna energia opuszcza jej ciało.*

– Biżuterię czyści się właśnie za pomocą ultradźwięków. Drgania strząsają z niej mikroskopijne zabrudzenia, a pierścionki są potem czyste jak łza.

– Z tamtą babką na pewno było tak samo. Myślę jednak, że musiała jeszcze odmówić jedno *Ojcze nasz*, jedno *Chwała ojcu* i trzy zdrowaśki, by dokończyć rytuał.

Stella wydawała się zirytowana. Odwróciła wzrok. Gdy Gerry uniósł butelkę i ponownie napełnił swój kieliszek, wytarła usta serwetką i nachyliła się bliżej.

– Chcę porozmawiać z tobą o miejscu, które dziś widzieliśmy – powiedziała i znów spuściła oczy. – Jesteśmy coraz starsi, a ja nie wiem, co mam ze sobą zrobić. Brakuje mi celu. Roli, którą mogłabym odgrywać. Nasz jedyny wnuk mieszka w Kanadzie i nic nie wskazuje na to, by miały pojawić się kolejne.

– Cóż, nigdy nie wiadomo...

– Nie o tym mówię. Posłuchaj. – Zamilkła i obróciła leżący przed nią nóż ostrzem do wewnątrz. – Pragnę żyć lepiej. Wykorzystać czas, który mi pozostał.

– Nie mów, że coś ci jest.

– Z tego co wiem, nie.

– Przez chwilę pomyślałem, że zaplanowałaś całą wyprawę, by przekazać mi złe wieści.

– Nie.

Nie mogła powstrzymać uśmiechu na widok jego przejętej miny. Potem mówiła dalej.

– Dowiedziałam się o tym miejscu, kiedy ostatnio byłam w Amsterdamie. Wiele lat temu.

– O którym miejscu?

– Tym, w którym byliśmy rano. O schronieniu beginek, jakkolwiek wymawia się jego nazwę. *Be-gijn-hof.* Stanowiło podobno dobre miejsce dla kobiet, które chciały poświęcić życie religii. Zamierzałam z nimi o tym porozmawiać. Zastanawiałam się też, czy istnieją inne, podobne placówki... gdzieś bliżej domu.

– Aha.

– Słuchasz mnie? – spytała. – Bo to ważne.

– Oczywiście.

– To wspólnota religijna, nie klasztor. Nie chodzi też o odcięcie się od świata. Kobiety mają tam własne miejsce, ale nie muszą składać ślubów ubóstwa ani nic podobnego. Tak słyszałam.

– O czym mówisz? Nie rozumiem, co się dzieje.

– W poniedziałek mam umówione spotkanie z Duchową Kierowniczką – czy jak ją tam nazywają...

Do restauracji wszedł młody Azjata, sprzedawca kwiatów. Sunął między stolikami. Podszedł do Gerry'ego i zaprezentował swój towar: drobne róże zawinięte w celofan. Gerry potrząsnął głową. Stella podniosła wzrok i się uśmiechnęła.

– Nie, dziękujemy.

Chłopiec odpowiedział uśmiechem i ruszył między kolejne stoliki.

– Nie podchodzi do starszych facetów, którzy jedzą sami – rzekł Gerry.

– Bo i komu mieliby dać różę? – spytała Stella. – Zakładając, że w ogóle by ją kupili.

Podczas rozmowy unikała spojrzenia Gerry'ego, co było zupełnie nie w jej stylu.

– Od dawna czuję, że gram na zwłokę – kontynuowała. – Potomstwo odchowane, ten wysiłek mamy już za sobą. Ale to przecież nie może być koniec. Zostało mi jeszcze dziesięć czy dwadzieścia lat. Źle skroiliśmy tkaninę naszego życia, więc teraz kiepsko leży. Na mnie na pewno. Co do ciebie nie jestem pewna.

Gerry wzruszył ramionami. Potem zdał sobie sprawę, że Stella ironizuje.

Przez dłuższą chwilę milczała.

– Nie rozumiem – rzucił. Próbował skłonić ją, by spojrzała mu w oczy. – Co chcesz mi powiedzieć?

– Każde z nas wierzy w co innego. – Wzrok nadal wbijała w obrus.

– To żadna nowość.

– Ale teraz wszystko się zmieniło. Dryfuję bez celu. Chcę wykorzystać czas, który jeszcze mi został. Zrobić coś więcej, niż tylko patrzeć, jak pijesz.

– Czy w twoim storyboardzie jest miejsce dla mnie?

– Nie bardzo.

Widać było, że Stella już śpi, bo trzymała książkę o wiele za blisko twarzy. Gerry wstał, zabrał ją i odłożył na szafkę nocną. W drodze powrotnej sięgnął do kieszeni marynarki wiszącej w garderobie. Wyciągnął małą butelkę i poszedł do łazienki, po czym zamknął drzwi. O co jej chodziło? Kaszlnął, by zamaskować dźwięk odkręcania zakrętki, i nalał sobie drinka. W lustrze dostrzegł, że guz na brodzie zaczął już ciemnieć. Wrócił do sypialni i usiadł ze szklanką w dłoni.

Od strony poduszek dochodził długi, miarowy oddech. Zwykle nie była tak bezpośrednia. Gerry zajrzał do szklanki i zauważył, że jest pusta. Szybko poszło. Napełnił ją ponownie i dolał wody.

Podczas jazdy windą o mały włos nie został przyłapany na gorącym uczynku. Gdy stanęła na trzecim piętrze, z jego kieszeni dobiegł specyficzny dźwięk – bulgot czy może chlupotanie – częściowo zdławiony przez płaszcz. Gerry zastanawiał się, czy Stella zwróciła na to uwagę. Jeśli tak, nie miał w zanadrzu żadnego wytłumaczenia. Co to było, Gerry?

Wzruszyć ramionami. Skąd mam wiedzieć?

Teraz, gdy siedział już zrelaksowany w hotelu, spokojnie formułował kolejne wykręty. Mógł powiedzieć, że za dźwięk odpowiedzialny jest płyn hamulcowy w mechanizmie windy. Stella nie miała pojęcia, jak funkcjonują takie urządzenia. Może to

rury odpływowe? Mógł powiedzieć, że odpowiedzialne są bor-
borygmi – nawracające napady burczenia w brzuchu. Liczba pojedyncza: borborygmus, w tym wypadku dźwięk dochodził jednak z dwóch źródeł, należało więc użyć mnogiej. Tyle że Stella
nie skomentowała dźwięku w żaden sposób. Powiedziała jedynie, że nie może się doczekać, aż pójdzie do łóżka. Czy naprawdę nie widziała dla Gerry'ego miejsca w swym storyboardzie?
Jak to możliwe? Co mógł zrobić? Wypił kolejny łyk i zamierzał
odstawić szklankę na stolik, ale zmienił zdanie. Sięgnął po leżący obok telefonu notes i wykorzystał go w charakterze amorty-
zatora. Odstawił szklankę w absolutnej ciszy, wiedział jednak,
że gdy znów ją podniesie, na papierze zostanie krąg wilgoci.
Błyszczące zero.

Dźwięki dochodzące od strony łóżka zmieniły się nieco; Stella
wchodziła w fazę głębokiego snu. Dziś wieczorem, w restauracji,
wydawała się odmieniona. Odległa. Obca. Nie wiedział, czy to
z jego winy. Po prostu zdawało mu się, że widzi ją z bardzo daleka. Jak kogoś, kogo się do końca nie zna.

Ostatnio czuł coś podobnego w Wigilię, gdy poszedł ze Stellą
na pasterkę. Nie chciał, by krążyła w pojedynkę po mrocznych
zaułkach miasta o pierwszej w nocy. Zwykle w dzień Bożego
Narodzenia wstawała wcześniej i sama szła do kościoła.

Pamiętał jeszcze przebieg mszy z dzieciństwa, wiedział jednak, że czasy się zmieniły. Był zadowolony, że może siedzieć
na ławce obok Stelli, absolutnie się nie angażując. Kościół był
utrzymany w udawanym stylu gotyckim, tak jak wiele innych
rozsianych po całym kraju budowli z epoki wiktoriańskiej.
Wzniósł go jeden z wielu naśladowców Pugina. Po obu stronach

nawy głównej piętrzyły się ostrołuki, a ołtarz wyglądał jak lodowy tort weselny. Gdy Gerry był dzieckiem, kazano mu zawsze patrzeć w kierunku ołtarza, a matka beształa go, jeśli kierował wzrok w inną stronę. Wpatrywał się więc w plecy i tyły głów dorosłych, którzy akurat stali przed nim. W odciśnięty na włosach mężczyzny ślad po kapeluszu. We wzory i kolory kobiecej chusty.

Nalał sobie kolejną whiskey.

– Maleńką. Szklaneczka przed snem – wyszeptał. – Drobiazg.

Mnóstwo wody, by unieszkodliwić drinka. Po co wspominać dawne czasy? Ewidentnie miał w tym jakiś cel, stracił go jednak z oczu. Czemu ponownie przeżywał Boże Narodzenie? Miało chyba związek z tym, że inaczej postrzegał Stellę. Jak osobę nie całkiem znajomą. Oczywiście! Przypomniał sobie wzmocniony przez mikrofon głos księdza mówiącego: „Przekażcie sobie znak pokoju".

Gdy już pocałował Stellę i uścisnął dłonie zebranych wokół nieznajomych, Stella szepnęła mu do ucha: „Siostra Francis i ja będziemy dziś szafarkami Komunii Świętej".

Zostawiła go i ruszyła naprzód boczną nawą. Przy głównym ołtarzu dołączyła do niej zakonnica i obie przyjęły komunię od księdza. Następnie nadeszła kolej zgromadzonych. Co pewien czas Gerry dostrzegał Stellę pomiędzy wiernymi. Była przy ołtarzu i rozdawała hostie ze złotego kielicha. Stojąca obok niej siostra Francis robiła to samo. Stella górowała nad ludźmi, którzy do niej podchodzili, tak że udzielając im komunii, musiała się schylać. Za każdym razem, gdy jej ramiona wyginały się w łuk, Gerry stwierdzał, że wygląda staro. Patrzył na nią i widział kogoś, kto wydawał mu się niezupełnie znajomy.

Gdy wszyscy przyjęli już sakrament, Stella wróciła na miejsce, uklękła i ukryła twarz w dłoniach. Chór zaczął śpiewać kolędę *Wśród mrocznej zimy*. Niespodziewanie rozległ się dźwięk, który całkiem zaskoczył Gerry'ego – głośne, drżące westchnienie. Stella najwyraźniej była czymś przejęta. Zapewne tym, że nie mogła spędzać tak ważnej chwili w towarzystwie syna i wnuka. Jeśli tak było, Gerry nie chciał się wtrącać. Stella oderwała od twarzy jedną z dłoni, wyciągnęła chusteczkę i wydmuchała nos. Czyżby nie mogła płakać przez chorobę oczu? Czy jej łzy zwyczajnie nie chciały płynąć?

– Wszystko dobrze?

Odwróciła się do niego plecami, jakby nie miał prawa widzieć jej cierpienia.

Whiskey Tyrone Ekstra nie smakowała adekwatnie do nazwy. Robiła jednak swoje.

Tamtej nocy, wracając z pasterki, szli szybko, by się ogrzać. Gdy dotarli do wzniesienia, Stella powoli wsunęła mu rękę pod ramię i pociągnęła delikatnie.

– Po co ten pośpiech? – spytała. – W gnieździe nie czekają już na nas pisklęta.

Gerry zwolnił.

– Chciałem ukryć się przed chłodem – odparł. – Skorzystać z centralnego ogrzewania. Czujesz się lepiej?

Uniosła kąciki ściśniętych warg.

– Wyjaśnij mi jeszcze raz, co jest nie tak z twoimi oczami.

– Bóg wie, że łez mi nie brakuje. Po prostu są kiepskiej jakości. Tak powiedział lekarz.

– Łzy kiepskiej jakości...? – nie dowierzał Gerry.

Czekał, aż Stella zdradzi mu przyczynę swego żalu, ale się nie doczekał.

Musieli uważać, bo chodnik był w niektórych miejscach bardzo śliski, a w powietrzu unosiła się mgła. Pod każdą z lamp ulicznych wisiał stożek światła. Oddychając, wypuszczali z ust obłoki pary.

– Nie wiedziałem, że jesteś... – Gerry zamilkł, próbując przypomnieć sobie słowo. – Że rozdajesz komunię.

– Już od kilku lat. Chodzi ci o *szafarkę* Komunii Świętej.

Zapadła cisza. Gerry wzruszył ramionami.

– Mam cię informować o takich sprawach? – spytała Stella.

– Po prostu nie wiedziałem.

– Poprosili mnie i się zgodziłam. Chciałam pomóc, jak mogłam.

– Sądzę, że jest to pewne wyróżnienie. – Gerry ścisnął łokciem jej dłoń. – Jestem z ciebie dumny, choć w nic z tego nie wierzę.

– Skończ już, Gerry. Jest Boże Narodzenie i mam dobry nastrój.

Ulice upstrzone były zaparkowanymi samochodami, których dachy i przednie szyby pokrywał lód. Wycieraczki niektórych zabezpieczono gazetami. Gdy dotarli na ulicę, przy której mieszkali, weszli na środek jezdni, gdzie koła samochodów roztopiły szron.

– Szadź to ciekawa sprawa – stwierdził Gerry. – Zamarza w powietrzu i pada pionowo w dół, jak deszcz. Stanowi przeciwieństwo cienia: jest biała, a on czarny.

– Nie zamierzam się sprzeczać.

W mieszkaniu było ciepło i pachniało świętami. Pudding ugotowali już wcześniej. Sos pieczeniowy z podrobami też był gotowy. W przedpokoju roznosił się słodki zapach rosnącego w doniczce hiacynta.

– Napijesz się? – spytał Gerry.

Stella wyjęła zawinięte w folię spożywczą kanapki z szynką, które zrobiła po południu. Gerry nalał jej sherry, a sobie słodowej whiskey z wyspy Islay. Stella uniosła szklankę. Wznieśli toast.

– Wesołych świąt.

– Zobacz, co przyszło dziś pocztą – powiedziała, przekazując mu kopertę. – To nie jest twój prawdziwy prezent. Dostaniesz go rano. Tymczasem mam coś dla nas obojga.

Rozerwał kopertę kciukiem.

– Bilety do Amsterdamu – powiedziała, zanim zdołał wyciągnąć je ze środka.

– Mogłaś zabukować je przez internet – powiedział. – Wyszłoby kilka funtów taniej.

– Chciałam mieć pewność. Dlatego zdałam się na biuro podróży.

– Wysłali ci bilety na Boże Narodzenie?

Uśmiechnęła się i wzruszyła ramionami.

– Zaczekaj moment – powiedział. Po chwili wrócił z małą, nieoznaczoną paczuszką. Połyskiwała od taśmy klejącej.

– Prawdziwy prezent dostaniesz jutro. – Pocałował ją.

– Zapakowałeś to dosłownie przed chwilą – powiedziała ze śmiechem.

Pod warstwą papieru znajdowało się czarne, wypukłe pudełeczko. Otworzyła je.

– Kolczyki – wyjaśnił.

Pocałowała go.

– Dzięki.

– Powiedziałaś, że nie podoba ci się koncept pierścionka symbolizującego wieczną miłość. Dlatego wybrałem kolczyki. Kolczyki wiecznej miłości.

Leżały na bawełnianym waciku. Uniosła jeden z nich i dokładnie mu się przyjrzała.

– Byłaś bardzo zadowolona, że przekłułaś uszy...

Zdjęła kolczyki, które miała na sobie podczas mszy, i zaczęła przymierzać nowe.

A teraz byli właśnie na półmetku wyjazdu, w Amsterdamie, w pokoju hotelowym, Gerry zaś miał przed sobą na stole pustą szklankę. Jak to ujęła Stella? „Z rozkoszą zalegnę na łożu". Dźwignął się na nogi. Nie opróżnił buteleczki, a jednak w dużym stopniu ją naruszył. Otworzył butelkę ze sklepu wolnocłowego, która nadal była w foliowej torebce, i przelał do niej resztę whiskey. Pustą wsunął do lewej kieszeni spodni. Skoro już zaczął, powinien zająć się też drugą flaszeczką – póki jej nie wyciągnął, dociążała jedną stronę marynarki, która dlatego wisiała krzywo na wieszaku. Dokończył dzieła w łazience, za zamkniętymi drzwiami.

Należało udać się na przechadzkę dla zdrowia, oczywiście w obrębie budynku. Pozostałą pustą butelkę wsunął do prawej kieszeni spodni i potwierdził położenie Stelli na łóżku – nie przesunęła się ani o centymetr. Z wielką ostrożnością odszukał drugą kartę magnetyczną, drzwi do pokoju mogły się bowiem zatrzasnąć. Gdyby wyjął pierwszą ze szczeliny w ścianie, pokój zatonąłby w ciemności, a Stella umarłaby ze strachu. Tak, zabierając zapasową kartę, zachował się bardzo dojrzale i miał prawo być z siebie dumny. Zostawił drzwi odrobinę uchylone, by uniknąć późniejszych szczęknięć, które mogłyby obudzić Stellę. Dopiero w połowie korytarza zdał sobie sprawę, że ma na stopach same skarpetki, a koszula wystaje mu ze spodni. Zdołał dotrzeć do windy, nie obijając się zbyt często o ściany. Kosz na śmieci miał srebrną pokrywę, a otwór wrzutowy znajdował się na jednej z jego ścianek. Gerry wsunął do środka buteleczkę. Brzęknęła głośno, uderzając o metal.

– O, przepraszam.

Pomyślał, że pora na żal za grzechy. I na mocne postanowienie poprawy. Nigdy więcej. Dlatego opadł na jedno kolano – nieodżałowane *mauvais genou** – tak, by mógł wsunąć do pojemnika całe ramię i umieścić drugą butelkę na samym dnie. W absolutnej ciszy. Następnie wyprostował się, zatoczył nieco naprzód, odwrócił na pięcie i wrócił po własnych śladach – a przynajmniej tak mu się wydawało. Dotarł do miejsca, gdzie korytarz się rozwidlał. Na ścianach znajdowały się strzałki wskazujące położenie poszczególnych pokojów... ale który właściwie mieli numer? Gerry spojrzał na kartę magnetyczną. Nie było na niej informacji na ten temat. Numer znajdował się na tekturowej kieszonce na kartę – tej samej, którą Gerry odłożył przed wyjściem. Był pewien, że jego pokój znajduje się po lewej stronie, korytarz ciągał się jednak w nieskończoność, a kremowe drzwi różniły się od siebie jedynie cyferkami. Było późno. Ciszę przerywały dochodzące z niektórych pomieszczeń odgłosy telewizora oraz jego

---

* Fr. chore kolano.

własne miękkie, miarowe kroki; skarpetki niepewnie ugniatały wykładzinę. Korytarze pojawiły się w świecie architektów stosunkowo niedawno: gdzieś pod koniec dziewiętnastego wieku. Wcześniej ludzie przechodzili bezpośrednio z pokoju do pokoju. Teraz byłby straszny wstyd. Gerry zaczął zapamiętywać punkty orientacyjne: ustawioną we wnęce maszynę do lodu i ułożone przed niektórymi drzwiami tace, na których leżały resztki niedokończonych posiłków, szklanki, butelki i zmięte chusteczki. Na jednej z nich dostrzegł niedojedzony, trójkątny kawałek pizzy pokryty zielonoszarymi karczochami. Był pewien, że mija go już po raz drugi – wcześniej zdążył pomyśleć, że jest wystarczająco głodny, by go dojeść. Nikt by się nigdy nie dowiedział. Ale nie, górę wzięła ostatecznie dojrzalsza strona jego natury – złożył silne postanowienie poprawy. Był to wymyślny, katolicki termin mający oznaczać „nigdy więcej tego nie zrobię". Nadal pamiętał, jak klęczał na nastoletnich kolanach w ciemności, w której rozbrzmiewał dochodzący zza kratki głośny oddech księdza. Może pójdę na badanie wzroku, ojcze? Nikt nie mówił, że mogę od tego oślepnąć! Co zabawne, *naprawdę* postanowił wtedy, że nigdy więcej tego nie zrobi. W jednej chwili dołączył do grona aniołów. Był zachwycony. Trwał w uniesieniu. Z alkoholem mogło przecież pójść równie łatwo... gdyby uzyskał pomoc. Albo gdyby *naprawdę* się zawziął i jadł jabłka, zamiast pić. A może jabłka pomagały tylko w rzucaniu papierosów?

Koncept grzechu był mu już całkiem obcy. Najbliższy odpowiednik: krzywdzenie innych ludzi. Takich jak Stella. Nie należy ślubować abstynencji po pijanemu – to fatalny moment. Żadne z drzwi nie były uchylone. Odwrócił się na pięcie i znów ruszył po własnych śladach. Minął maszynę do lodu i pizzę

z karczochami. Zaczął się śmiać – niezły sposób na porzucenie żony. W środku nocy w hotelu w Amsterdamie. Znajdą go
w porze śniadania nadal krążącego po korytarzach, ze stopami
zakrwawionymi od tarcia o dywan. Albo może wcale go nie
znajdą. Zniknie na zawsze. Mógł umrzeć w rogu za maszyną
do lodu, uschnąć i rozsypać się, tak że zostałby po nim jedynie
kurz, który następnie odkurzyłaby jedna z pięknych, ubranych
na beżowo Tajek lub Portorykanek. Brzmiało to nieco perwer-
syjnie. Znów dotarł do rozwidlenia i spróbował zorientować
się w przestrzeni. Może zbadać drugą odnogę. Plan B. Ruszył
w prawo. Ciepło – cieplej – coraz cieplej. Rozpoznał wiszące
na ścianie zdjęcie; przedstawiało zrujnowaną grecką świątynię.
Gorąco. Zabawna sprawa: budynków nigdy nie zapominał!
Wędrując po korytarzach, czuł się jak bohater greckiej mitologii.
Jak Tezeusz lub król Krety. Albo Dedal: architekt, twórca labi-
ryntów. Pasowało jak ulał. Skoro go zbudował, na pewno zna
drogę. Gdy – absolutnym przypadkiem – zbliżył się do kremo-
wych drzwi z numerem 396, zobaczył, że są uchylone. Gorąco,
parzy! Na futrynę padał blady promyk światła. Gerry pchnął
drzwi, aż się otworzyły. Znajoma walizka. Jego płaszcz na krześle. Znajoma głowa złożona na poduszce na łóżku. Odyseusz
nareszcie wrócił do domu po dziesięciu burzliwych latach. Pora
wyciągnąć zmęczone kości. Ale najpierw kieliszek przed snem.
Dla uczczenia faktu, że udało mu się pozbyć pustych butelek.
Nalał sobie drinka.

Ledwie zdążył się położyć i przymknąć oczy, gdy coś wy-
rwało go ze snu. Skurcz. W ciemności zrzuca z siebie kołdrę
i wyskakuje z łóżka. Usta wykrzywia mu niemy wrzask. Prawa

stopa i podudzie próbują się wygiąć, ale nie mogą. Noga rzuca się na wszystkie strony jak wyciągnięta z wody makrela. A on próbuje ją uspokoić. Patrz pod nogi, twoje życie nie jest w niebezpieczeństwie – wbrew pozorom. Będę się na tobie opierał, łajdaczko. Odegnę cię. Będę łaził w tę i z powrotem, starając się nie obudzić skonanej żony. To nie dogrywka na Wembley, gdzie koledzy z drużyny rozmasowywaliby mu stopę i mógłby wrzeszczeć do woli. Nie, to zatopiony w ciemności pokój hotelowy w Amsterdamie. Trzecia czy czwarta nad ranem. Nie ma szans na okrycie się chwałą. Nawet „auć" byłoby niemile widziane – odpada. Jak zresztą wymówić „auć"? Nikt przecież nigdy nie mówił „auć". „Oooooo kurwa" owszem, ale nie „auć". „Auć" to słowo rodem z komiksów i storyboardów. Jeśli dotrzesz do sedesu, wszystko będzie dobrze. Ulga jest już na wyciągnięcie ręki – ulga zarówno dla nogi, jak i dla pęcherza. Gerry zna drogę w ciemności. Zmierza do łazienki. Trzeba pociągnąć za sznurek, by włączyć światło. Stopa nie chce przylegać do ziemi, a noga nadal przypomina kij hokejowy. Gerry stara się z całej siły przełamać jej łuk. Pcha ją w dół, ból trzyma jednak niczym cuma okrętowa. Gerry dociska kolano – stare, dobre *genou*. Raz czy dwa razy podskakuje na drugiej stopie. Tył jego bolącej nogi jest twardy i blady jak kość słoniowa. Uderza pięścią w mięsień, zaciska zęby, jęczy z bólu najciszej jak potrafi, z nadzieją dociska stopę do podłogi. Jego palce wykrzywiają się w górę i rozczapierzają. Ja jebię. Odegnij się, kurwo. Odegnij. Przylegaj płasko do ziemi. Kąt dziewięćdziesiąt stopni. W końcu mu się udaje. Nacisk i pierwszy krok. Odepchnięcie dobrą stopą. Stawia kolejny płaski krok i dociera do sedesu, gdzie rozstawia się, jakby zamierzał kucnąć. Nadchodzi fala ulgi. Dzięki niech będą Bogu i jego świętej matce. Ból ustępuje, Gerry'ego przeraża jednak myśl, że mógłby powrócić. Kosmyki tego uczucia łaskoczą go, gdy wdrapuje się do łóżka. Największy stres wiąże się z ponownym ułożeniem nóg w pozycji, w której były, kiedy wszystko się zaczęło. Ostrożnie. Obróć się na drugi bok. Gerry wie, że w walce ze skurczem kluczowa może być temperatura ciała. Dlatego wyciąga spomiędzy ud Stelli butelkę z gorącą wodą.

Kiedy poszli na śniadanie, Stella podała recepcjonistce numer pokoju – oczywiście z pamięci. Kelner zaprowadził ich do stolika.

– Pokazać ci, co i jak? – spytał Gerry.

– Nie, dziękuję. Czemu?

– Jeszcze tu nie jadłaś. Wczoraj ulotniłaś się przed śniadaniem.

– Jestem dorosła. Śniadanie w formie bufetu nie powinno mnie przerosnąć. – Podeszła do stolika z płatkami. – A ulatniać się nie mam w zwyczaju.

Gerry poszedł za nią.

– Pasza – powtórzył kilkakrotnie.

Na stoliku stało mleko tłuste i odtłuszczone, do wyboru. Gerry poczuł falę samozadowolenia, gdy udało mu się zidentyfikować je po etykietkach. *Volle melk – halfvolle melk*. Było jeszcze podejrzane *magere melk*, na którego widok poczuł się nieswojo. Postanowił go unikać. Czyżby „mleko matki"? Niemożliwe. Chociaż, z drugiej strony, byli przecież w Amsterdamie.

Każde z nich wróciło do stolika z miską w dłoni. Naczynie Gerry'ego było pełne po brzegi, a u Stelli płatki ledwie przesłaniały dno. Gdy podniosła wzrok, w jej spojrzeniu krył się niepokój.

– Jak się czujesz?

– Dobrze.

– Naprawdę mocno się wczoraj uderzyłeś.

Sięgnęła, by dotknąć guza na jego brodzie, ale Gerry uciekł przed jej dłonią. Zastanawiał się, na ile za upadek odpowiadały przyswojone wcześniej drinki. *Na pewno nie pomogły.* Czemu właściwie myślał wtedy o Franku Sinatrze? Sinatra mógł pić drinki w wannie, gdy chciał się poczuć jak sybaryta. Ale drinki pod prysznicem? Stella patrzyła na niego, gdy wybierał z dna miski resztkę płatków.

– W nocy złapał mnie okropny skurcz – powiedział.
– Smacznie wtedy spałaś.

– Szkoda, że tyle przegapiłam.

Wymienili uśmiechy.

– Wychodziłeś z pokoju?

– Nic mi o tym nie wiadomo. – Gerry starał się udzielać jak najogólniejszych odpowiedzi. W jego pamięci majaczyły korytarze. Srebrne kosze na śmieci.

– Obudziłam się i cię nie było.

Kelner sprzątnął ich talerze i przyniósł herbatę.

– Staram się przypomnieć sobie słowa, które wczoraj padły – rzekł Gerry.

– Kiedy piłeś?

– Nie, przy kolacji.

Stella nalała im herbaty.

– Powiedz mi wszystko jeszcze raz – poprosił Gerry. – Bez ogródek.

– Co?

– Opisz, jak widzisz przyszłość.

Potrząsnęła głową, żeby pokazać, że to nie czas i miejsce. Położyła łokcie na stole.

– Dziś pójdziemy do domu Anne Frank.

– Jezu. Już widzę te wycieczki szkolne – rzekł Gerry.

– Pamiętasz, jak opowiadałem ci o osie w autobusie do Buchenwaldu?

– Tak.

– Najgorsze były właśnie szkolne wycieczki. Dzieci biegały po całym obozie z podkładkami i notesami w dłoniach i stawiały krzyżyki przy prawidłowych odpowiedziach na zadane pytania. Trzeba przyznać, że były jednak cicho. Nauczyciele ostrzegli je z wyprzedzeniem. Jak w bibliotece. Albo na zwykłej lekcji. Całe pokoje ludzkich włosów, buty ułożone pod sufit, skrzynie pełne pierścionków. Możesz sobie wyobrazić, ile zajęłoby wypełnienie obrączkami ślubnymi całego ogromnego kontenera?

Stella wybrała trasę wymagającą przekroczenia trzech kanałów. Gerry zgodził się, nie spojrzawszy nawet na mapę. Poranek był przyjemniejszy niż poprzedniego dnia. Słońce świeciło zbyt słabo, by ogrzać mroźne powietrze, poprawiało jednak nastrój. Wisiało nisko nad horyzontem, rzucając długie cienie.

– Mam nadzieję, że przynajmniej jeden dzień będzie ładny – powiedziała Stella.

Panował zgiełk. Wzdłuż kanałów tłukły się samochody i ciężarówki. Nadjeżdżający rowerzyści ostrzegali ich dźwiękiem dzwonków lub – jeśli ich nie mieli – okrzykami, które Stelli wydały się przerażające i nieprzyjazne.

Gdy dotarli do domu Anne Frank, Gerry cofnął się, by obejrzeć wyremontowane wejście. Nowo powstała, nowoczesna ściana frontowa sprawiała, że dom w niczym nie przypominał kryjówki. Nawet o tej porze roku przed drzwiami ciągnęła się kolejka. Minęły ich wycieczki szkolne, które zarezerwowały wizytę z wyprzedzeniem.

Gdy nareszcie dotarli do przedpokoju, czekały tam na nich powiększone, czarno-białe fotografie. Anne na szkolnym placu zabaw przed wybuchem wojny. Uśmiechnięta Anne na ulicy z przyjaciółmi. Anne pisząca przy biurku.

– Skąd wiedzieli, żeby przygotować dokumentację? Przewidzieli tragedię? – spytał Gerry.

– Na pewno masz zdjęcia z dzieciństwa – odparła. Przytaknął.

– Widzisz, to nic niezwykłego.

– Ale nie takie, na których siedziałbym przy biurku i coś notował.

– Musieli być nieźle sytuowani – stwierdziła Stella. – Gdy byliśmy w tym wieku, tylko bogacze mieli aparaty fotograficzne.

Wspaniale było ukryć się przed chłodem. Wycieczki oddaliły się już i rozeszły po budynku. Zapadła niezwykła, pełna szacunku cisza, która przywodziła na myśl atmosferę panującą w kościele. Odwiedzający szeptem prosili o bilety. Gdy nadeszła ich kolej, Stella wyciągnęła torebkę i przeprowadziła całą transakcję sama. Zrezygnowała z płatnych, czarnych audioprzewodników.

Poszli do szatni i przez moment rozważali pozostawienie w niej płaszczy, ostatecznie uznali jednak, że nie ma potrzeby. Ich wizyta nie będzie przecież trwała aż tak długo. Dostrzegli starszego mężczyznę, który wkładał na głowę myckę. Miał ziemistą cerę i ciemne, świdrujące oczy. Był niedogolony; wokół ust sterczały mu kępki szarych włosów. Mocował jarmułkę na głowie za pomocą wsuwki, nie patrząc w lustro. Golił się zapewne w ten sam sposób – na ślepo.

– Wygląda na wiolonczelistę – szepnął Gerry.

– Ma na głowie kipę – odpowiedziała Stella. – Dobre słowo do krzyżówki. Idzie się modlić albo odwiedzić synagogę.

Zaprowadzono ich do drzwi, a kiedy przez nie przeszli, znaleźli się we właściwym domu, z dala od części odrestaurowanej. Łatwo było stracić orientację. Przeszli tajemnym przejściem za szafką z półkami pełnymi segregatorów, po czym z wielką ostrożnością wspięli się po stromych schodach. Stella szła przodem i jako pierwsza weszła do pokoju. Niektóre okna pokrywała warstwa półprzezroczystego, wzorzystego papieru. Z innych rozciągał się widok na najbliższy kanał.

Gerry raz jeszcze zdał sobie sprawę z panującej wokół ciszy, którą przerywało jedynie skrzypienie desek podłogowych. Porozumiewali się bez słów: kiwali głowami i unosili brwi, a jeśli stali wystarczająco blisko siebie, w grę wchodził ewentualnie delikatny kuksaniec. Ciężar rozpaczy rósł z każdym odwiedzanym pomieszczeniem. Wszystko, co miało poprawiać nastrój mieszkańcom oficyny, sprawiało teraz, że finał ich historii wydawał się jeszcze bardziej druzgoczący. Muszla klozetowa była ozdobiona niebieskim wzorem. W jednej z sypialni wisiały plakaty ówczesnych gwiazd – Deanny Durbin i Raya Millanda, o których Gerry wiele słyszał od rodziców. Zatrzymał się przed niewinnie wyglądającą tapetą w białe i żółtobrązowe płatki kwiatów, a Stella podeszła, by zobaczyć, co go zaciekawiło. Nie musiał pokazywać jej nakreślonych ołówkiem linii, którymi państwo Frank wyznaczali wzrost swoich dzieci. Od razu je dostrzegła i przygryzła wargę. Były znajome, bo sama uwieczniała w ten sposób postępy własnego dziecka. „Musisz zdjąć buty. Nie oszukuj. Pięty do siebie, tak blisko jak dasz radę". „Czy grubość skarpet się liczy, mamo?". „Nie bądź niemądry, stój spokojnie". Wołała, by Gerry podał jej książkę – jakąkolwiek – by przyłożyć ją na wysokości głowy dziecka i odrysować linię. Porównywała nową z poprzednimi. Zobacz – przez trzy miesiące rosłeś jak na drożdżach! Zawsze używała tego sformułowania. Zastanawiała się, jaki mógłby być jego holenderski odpowiednik – jakimi słowami opisywano rozwój Anne i jej siostry, Margot.

Przechodzili z pokoju do pokoju, patrząc na cytaty – czarne litery na białych ścianach – czytając przekłady, chłonąc fotografie. W pewnym momencie się rozdzielili – Gerry spędzał więcej czasu przy każdym eksponacie, więc jak zawsze został z tyłu.

Stella znalazła się sama w kolejnym pokoju. Zaczęła czytać: „5 kwietnia 1944. Pisząc, wyrzucam z siebie wszystko, moje zmartwienie znika, moja odwaga odżywa!"*. Odwróciła się w stronę przedwojennej fotografii przedstawiającej rządek dziewcząt świętujących dziesiąte urodziny Anne. Obejmowały się za ramiona i mrużyły oczy przed słońcem. Miały wspaniałe sukienki. Guziki, ramiączka, obrębki, białe skarpety do kostek, buty i sandały. No i włosy. Dziewczynki przyszły na świat dziesięć lat przed Stellą, wyglądały jednak całkowicie znajomo. W tamtych czasach moda nie zmieniała się zbyt często. Stella przeniosła się w czasie do lat dzieciństwa, które spędziła w wiosce na północy Irlandii. Jej rodzina nigdy nie miała dużo ubrań. Modne było to, co się akurat nosiło, a raczej to, co wcześniej

---

* A. Frank, *Dziennik*, tłum. A. Dehue-Oczko, wyd. Znak, Kraków 2003.

nosił już ktoś inny – rzeczy używane i przekazane dalej. Braciom Stelli powodziło się lepiej dzięki pomocy mieszkających niedaleko protestantów, którzy mieli w rodzinie samych synów. Sukienki ze sklepu były dla dziewczynek rzadkością. Musiały starczyć im „przeróbki" – tweedowe spódnice i letnie sukienki od ciotek, które dopasowywała pani Johnston. Stella stawała na małym, drewnianym stołku, a pani Johnston okrążała ją na kolanach z ustami pełnymi szpilek, zaginając materiał i robiąc zaszewki na wysokości talii.

– Och, pamiętam, kiedy sama miałam taką kibić.

Słowa pani Johnston były zniekształcone przez obecność szpilek, wypluwane gdzieś na bok, cedzone kącikiem ust.

– W dniu ślubu miałam w talii czterdzieści pięć centymetrów. Uwierzysz? – Składała palce wskazujące i kciuki, by pokazać jak maleńka w swym mniemaniu była. – A ty wyglądasz kropka w kropkę jak twoja mama, gdy zobaczyłam ją po raz pierwszy dwadzieścia lat temu. Jesteś piękną dziewczyną. Na pewno ugania się za tobą połowa mężczyzn z całego kraju.

Wszędzie było pełno szpilek. Kiedy pani Johnston dopasowywała strój jednej z sióstr, pozostałe bawiły się magnesem w kształcie podkowy. Stella uwielbiała to, że przyciągał szpilki i spinacze, które zwisały z niego jak metalowe pnącza. Pani Johnston używała go, by wyszukiwać zagubione agrafki. Mówiła, że nie chce, by ktokolwiek zranił się, biegając na bosaka.

Później zaczęły przychodzić paczki z Kanady. Stella pamiętała spódniczkę *dirndl** – tak rozłożystą, że wystarczyło się okręcić, by materiał wystrzelił na boki. Oraz paski zrobione z paciorków

---

* Tradycyjny strój kobiecy noszony w Austrii, Bawarii i Tyrolu Południowym.

ułożonych w indiańskie wzory: zygzaki, totemy, trójkąty. Ich kolory były tak jaskrawe, że nikt nie śmiał nosić ich poza domem. Do tego halki – hektary tiulu, który sprawiał, że sukienki lepiej się prezentowały i utrzymywały kształt. Nieznane wcześniej słodycze, takie jak draże Life Savers. Tajemnicze przyprawy z sarsaparillą na czele.

Gerry dołączył do Stelli, a ona pokazała mu zdjęcie urodzinowe Anne i opowiedziała o pani Johnston, jej poprawkach krawieckich i magnesie.

– Nigdy wcześniej o tym nie wspominałaś.

Spędzili długą chwilę przed stojącą w ostatnim pokoju gablotą. Nie mogli oczywiście zrozumieć ręcznie zapisanych słów w obcym języku – wystarczył im jednak widok ostrożnie nakreślonych liter, które wiły się na pożółkłych stronach. Podobne wrażenie zrobił na nich ręczny wpis Amerykanki, który znaleźli w kościelnej księdze pamiątkowej.

Stellę zainteresowało coś w rogu pokoju. Podeszła bliżej i zobaczyła, że na wąskim gzymsie nad kominkiem leży szereg drobnych przedmiotów. W pierwszej chwili nie zrozumiała, na co patrzy. W większości były to zwykłe kamienie, dostrzegła jednak pomiędzy nimi również szklaną kulkę z żółtą spiralą w środku, zdobioną spinkę do krawata, kilka eurocentów oraz pokrytą brokatem, tanią wsuwkę do włosów – taką, jaką mogłoby nosić dziecko. Albo, mówiąc konkretniej, jaką starszy mężczyzna mocował sobie do włosów jarmułkę. Stella uniosła pytająco brwi. Gerry powoli wzruszył ramionami.

– Nie mam pojęcia.

– Pamiętasz *Listę Schindlera*? – spytała Stella. – Mówię o zakończeniu, kiedy kładli kamyki na nagrobkach. Symboliczny gest.

Gerry zapamiętał raczej skrzypce ze ścieżki dźwiękowej niż poszczególne obrazy. Skinął głową i ruszył do wyjścia.

– Idziemy na kawę? – rzucił przez ramię. Ale gdy się odwrócił, zobaczył, że jest sam.

Stella miała cały pokój dla siebie i nadal przyglądała się zebranym przedmiotom. Wyglądały zupełnie nieformalnie – jakby leżały tu od niedawna. Jakby któreś z dzieciaków odwiedzających muzeum w ramach wycieczki położyło pierwszy obiekt, a reszta postanowiła iść w jego ślady. Symboliczny gest. Hołd złożony tym, którzy cierpieli, przez tych, którzy się z nimi solidaryzują. Stella chciała mieć w nim swój udział. Przekazać coś ofiarom wojny. Martwym i rannym. Monety zbytnio kojarzyły jej się z napiwkiem dla przyjaznego kelnera. Tu ważna była Anne Frank i jej religia. Żydowskie pochodzenie nie miało chyba zbyt wielkiego wpływu na jej życie, stało się jednak przyczyną jej śmierci w obozie koncentracyjnym. Anne wypełniały pragnienia, które były Stelli bardzo bliskie. Cierpienia, których doznała przed śmiercią – a których nigdzie nie opisano – musiały być niewyobrażalne. Stella sięgnęła do płatka ucha. Poruszyła palcami i po chwili kolczyk wraz z barankiem wylądował na jej złożonej w miseczkę prawej dłoni. Maleńki, lśniący, złoty krążek, na którego powierzchni odbijały się pokój i okna. Pierścień wieczności. Gdy miała dziesięć lat, idea wieczności była dla niej przerażająca. Często leżała w łóżku, usiłując sięgnąć myślą końca czasów. Wiedziała, że nie warto nawet próbować doliczyć do miliona. W katechizmie pełno było tego słowa. Wieczne życie. Na całą wieczność. Nałożyła baranek na sztyft i umieściła kolczyk na gzymsie w szeregu przedmiotów. Był okrągły, więc przez chwilę huśtał się raz w jedną, raz w drugą stronę. Potem znieruchomiał. Stella rozejrzała się i zobaczyła, że pokój nadal jest pusty. Pochyliła głowę i zmówiła modlitwę. Łatwo było życzyć komuś dobrze; wyrazić wdzięczność i uznanie dla życia, które zostało przedwcześnie przerwane. Nie była to do końca modlitwa, ale raczej wyraz solidarności. Ty i ja, Anne. Różni nas wyznanie, ale łączy człowieczeństwo. To, że cierpiałyśmy. Bliźniacze dusze na przeciwnych krańcach życia – ty jesteś dziewczynką, ja starą kobietą. Młoda ofiara i staruszka, która ocalała. Oto mój dar dla ciebie. Modlitwa stała się dla Stelli źródłem siły, wypełniła jej umysł i serce. Była czymś dobrym. Najprawdziwszym duchowym przeżyciem. Wyartykułowaną w ciszy prośbą, której intensywność sprawiała ból. Potem chwila dobiegła końca, a Stella odeszła od kominka i odwróciła się do drzwi.

Gerry stał w korytarzu i rozglądał się ciekawie. Po jednej stronie widział stopnie prowadzące w dół. Wytarły je stopy rodziny Franków oraz wcześniejszych mieszkańców domu, ale nie turystów, wnęka była bowiem oddzielona od reszty domu i zabezpieczona płytą z pleksiglasu. Dla odwiedzających zbudowano nową, osobną klatkę schodową.

– Teraz jestem gotowa – powiedziała Stella. Sięgnęła po swój płaszcz i przewiesiła go przez ramię. Wydawała się przebywać w zupełnie innym świecie.

– Wszystko w porządku?

Skinęła głową.

Wstąpili do kafejki w Domu Anne Frank. Stella usiadła przy pustym stoliku nad kanałem. Było jej za gorąco i pożałowała, że jednak nie zostawiła płaszcza w szatni. Rozwiązała szal, by zwisał luźno po obu stronach szyi. Gerry podszedł i stanął obok.

– Mam pójść po kawę?

Kiwnęła głową i przeczesała palcami włosy.

– Na pewno wszystko dobrze?

– Tak.

Kwakanie pływających po kanale kaczek mieszało się z okrzykami dzieci, które bawiły się gdzieś niedaleko. Rodzina Franków musiała słyszeć swego czasu podobne odgłosy.

Gerry podszedł do lady. Zamówił dwie kawy i kawałek szarlotki z cynamonem. Czekając, nie spuszczał oka ze Stelli. Położyła łokcie na stole, a twarz skryła w dłoniach. Przyjście tu mogło być błędem. Muzeum każdego potrafi rozłożyć na łopatki.

Kiedy wrócił z tacą do stolika, Stella właśnie zakraplała sobie oczy – głowa odchylona do tyłu, łokcie wysoko, biała buteleczka z kroplomierzem wycelowana w dół, palce trzymają powiekę, by płyn na pewno trafił do celu. Postawił przed nią obie filiżanki. Miała wilgotne policzki. Pamiętał, żeby przynieść nóż, którym zamierzał przeciąć ciasto, oraz dwa widelce. Usiadł i odłożył tacę na sąsiedni stolik, podczas gdy Stella wytarła oczy chusteczką. Uniosła filiżankę i dmuchnęła na jej zawartość, potem jednak odstawiła ją z powrotem.

– Teraz już w porządku – powiedziała. – Przerabiałam ten dziennik wielokrotnie. Z kolejnymi rocznikami.

– Nadal cię porusza?

Przytaknęła.

– Zauważyłam szereg przedmiotów nad kominkiem. Byłam taka... zdruzgotana tym, co zobaczyliśmy. Dom, zdjęcia Anne, tyle wspomnień i... uznałam, że też powinnam coś zostawić.

Gerry czekał.

– Więc zostawiłam kolczyk.

– Nad kominkiem?

– Tak.

Gerry uważnie przyjrzał się uszom Stelli: najpierw jednemu, a potem drugiemu.

– Złote kolczyki wieczności?

– Tak.

– Te, które kupiłem ci na święta?

– Obawiam się, że tak.

– Co w tym złego?

– Popełniłam błąd. – Zacisnęła pięści.

– Czemu?

– Nie miałam prawa. Wykazałam się arogancją. Przecież wiem, co przeszła ta rodzina. Nie jestem Żydówką. Nie spotkało mnie nic, co można porównać z ich cierpieniem.

– Daj spokój, Stello.

– Mówię poważnie. Nie jestem pełnoprawną członkinią Klubu Cierpienia, o którym często wspominasz.

– Jeśli nie *ty*, to kto?

– Zrobiłam coś tylko po to, żeby poprawić sobie nastrój. Wtoczyłam się do środka i powiedziałam: „rozumiem wasz ból". Wiem, co by odpowiedzieli: „jak ona śmie?".

– Nieprawda. To zwykły gest. Wyraz szacunku. Nie traktuj wszystkiego tak poważnie, Stello.

– Co mam traktować poważnie, jeśli nie Holocaust? – Uśmiechnęła się do Gerry'ego. – Mogą zachować mój dar. Nie jest to wielkie wyrzeczenie. W dzisiejszych czasach pojedyncze kolczyki są bardzo modne.

Stella rozcięła kawałek ciasta. Nóż był tępy, więc nacisk sprawił, że kawałki jabłka wysunęły się na talerz.

– Ty tniesz, ja wybieram.

– Brzmi sprawiedliwie.

– Anne Frank byłaby zdumiona, że dobrą kawę i ciasto można kupić zaledwie kilka metrów od miejsca, gdzie cierpiała głód.

Gerry jadł, wydając pomruki zadowolenia. Przez pewien czas nic nie mówili. Widelce stukotały o talerz.

– Nadal się wstydzę.

– Czego?

– Mojego gestu. – Wstała i wysunęła się zza stołu.

Gerry podniósł na nią wzrok i lekko przewrócił oczami.

– Co robisz?

– Zaczekaj.

– Nie dopiłem jeszcze kawy – powiedział. Obserwował, jak Stella opuszcza kawiarnię i wraca tam, skąd przyszła.

Stanęła w drzwiach prowadzących do pokoju. Był pusty. Podeszła do gzymsu nad kominkiem, a jej płaszcz i szalik zwisały luźno do ziemi. Ułożone w szeregu drobiazgi połyskiwały w świetle lamp sufitowych. Skojarzyły jej się teraz z zestawem rekwizytów do jakiejś gry czy zabawy, w której bezprawnie wzięła udział – ona, absolutna nieznajoma, osoba z dalekich stron. Nie, nie będą musieli pytać, jak śmiała. Do licha z solidarnością. Za kogo się uważała, żeby przypuszczać, że taki gest jest niezbędny? Tylko dlatego, że Irlandia Północna wycierpiała swoje podczas trzydziestu lat wojny, a Stella na własnej skórze doświadczyła okrucieństwa tych, którzy ją prowadzili. Podniosła kolczyk z gzymsu i wsunęła go do kieszeni, a gdy się odwróciła, zobaczyła tuż za sobą znajomego starszego mężczyznę w jarmułce. Wpatrywał się w nią znad pozbawionych oprawek okularów. Miał rozchylone usta i powoli kręcił głową. Znów zwróciła uwagę, że niedokładnie się ogolił. Gdy ruszyła z powrotem do drzwi, usłyszała jego głośne westchnienie. Próbował coś powiedzieć, ale Stella nie mogła rozróżnić słów. Nawet gdyby jej się to udało, nic by nie zrozumiała; była przecież w obcym kraju. A jednak świdrujące spojrzenie mężczyzny mówiło dość. Położył dłoń na jednej ze szklanych gablot, by nie stracić równowagi, a Stella w jednej chwili pojęła wszystko. Wiedziała, że przyszła tu, by odzyskać swój kolczyk, starszy mężczyzna uważał jednak, że jest złodziejką. Widział jedynie kobietę, która ukradła coś wartościowego – własność muzeum lub przedmiot zostawiony tu przez odwiedzających. Hienę cmentarną.

Była bezradna. Mogła tylko ruszyć dalej. Gerry czekał w kafejce. Wstał, gdy weszła do środka. Opróżnił filiżankę, zawiązał szalik i zaoferował jej ramię. Minęła go i pospieszyła w dół po schodach. Ruszył za nią, wołając jej imię, ale nie zareagowała. Schodziła szybciej niż on – słyszał stukot jej butów, gdy wybiegła przez jasny prostokąt wejścia na zalaną słońcem ulicę.

– Stello... co się dzieje?

Maszerowała brzegiem kanału, a Gerry dreptał za nią.

– Zwolnij. Mam chore kolano.

Podeszła do ławki i usiadła. Gdy zajął miejsce obok, zobaczył, że jest bardzo poruszona.

– W pokoju był staruszek. Ten od żydowskiej czapeczki. Myślał, że kradnę. – Była na granicy łez.

– Co?

– Mój własny kolczyk – powiedziała. – Mężczyzna był naprawdę bardzo stary. Wyglądał, jakby sam mógł być kiedyś w obozie. Spotkaliśmy go w szatni. Patrzyliśmy, jak zakłada jarmułkę.

Gerry pogłaskał grzbiet jej dłoni.

– Okropnie się na mnie gapił. Nigdy w życiu się tak nie czułam. Jezu przenajświętszy, co za koszmarny wstyd.

– Zwykła pomyłka. Facet nie zrozumiał, co się dzieje. A przedmioty nad kominkiem to nic oficjalnego, ktoś zaczął i jakoś poszło...

– Nie miałam prawa niczego tam dokładać.

Kilka ciekawskich kaczek zobaczyło postaci na ławce i podpłynęło do nich, licząc na coś do jedzenia.

– Dostałam je w prezencie. Podobały mi się, ale nie byłam w nich zakochana. Właśnie ten fakt niemal powstrzymał mnie przed zdjęciem jednego z nich. Powinnam była zostawić coś, co jest mi naprawdę bliskie.

Gerry zerknął na kolczyk, który nadal zwisał z ucha Stelli.

– Mnie się podobają – rzucił. – To znaczy: podoba mi się.

Znów sięgnął, by dotknąć jej dłoni. Gdy Stella rozłożyła palce, ich oczom ukazał się drugi kolczyk, niemal wryty w skórę. Ściskała go tak mocno, że zostawił wyraźne wgłębienie wśród linii papilarnych wnętrza dłoni.

– Nigdy w życiu nie było mi tak wstyd. – Wzięła drżący oddech i wstała. – Profanacja. Uciekajmy stąd. Tak daleko, jak się da. Nie mogłabym znów spojrzeć mu w oczy. A gdyby nawet, nie dałabym rady się wytłumaczyć.

Zostawiła Gerry'ego, który nadal siedział na ławce z twarzą zwróconą w stronę kaczek. Skoczył na równe nogi i ruszył w pogoń, ale zrównał się z nią dopiero na głównej ulicy.

Szli razem.

– Dokąd teraz?

– Chcę zostać na zewnątrz – odparła Stella.

– Więc spacerujmy. Wiesz, jak wrócić do hotelu?

– Mam mapę.

– To dwie różne rzeczy.

Weszli na metalowy most wiszący i przekroczyli kanał. Barierki po obu stronach uginały się pod ciężarem zapiętych na nich kłódek.

– Zdaje się, że mają jakiś związek z rowerami – powiedziała Stella.

Przystanęła, by lepiej się przyjrzeć. Kłódki niczego nie zabezpieczały. Przypięto je do metalowych lin i fragmentów siatki. Niektóre miały na sobie zapisane mazakiem imiona. „Don + Gwen", „Micky & Minnie", „Leo i Leonora". Na jednej znajdowała się krótka wiadomość. „Graham i Vickey. Kocham cię bardziej niż czekoladowe płatki śniadaniowe".

– Najwyraźniej wyznają w ten sposób miłość – stwierdził Gerry.

– Kłódki są zatrzaśnięte na zawsze.

– Widziałaś już coś podobnego?

– Słyszałam o tym.

– Dzieło młodzieży.

– Modnych dzieciaków.

– Takich jak te, które zaczęły układać przedmioty na gzymsie.

– A ja chciałam do nich dołączyć. Mam za swoje.

– Jeśli chodzi o deklarację miłości – rzekł Gerry – kłódka to żaden problem. W przeciwieństwie do tatuażu.

Stella oparła łokcie na barierce i spojrzała w czarną wodę.

– Brak mi słów, by opisać, jak przykry był dla mnie cały ten epizod.

Westchnęła ciężko. Gerry wzruszył ramionami i objął ją.

– Kolczyki już zawsze będą mi go przypominać. Nie będę mogła spojrzeć na nie bez wzdrygnięcia. – Otworzyła dłoń i zmusiła się, by spojrzeć na jej zawartość. – Przez całą wieczność. Dużo cię kosztowały?

– Były tanie jak barszcz.

Uśmiechnęła się. Parsknął śmiechem.

– Będzie ci przykro, jeśli się ich pozbędę?

– Są twoje. Rób z nimi, co zechcesz.

Zacisnęła usta i przechyliła dłoń tak, że połyskujący krążek zsunął się do kanału. Oboje patrzyli, jak nurkuje zygzakiem coraz głębiej, by wreszcie zniknąć w mule. Zanim to się stało, Stella sięgnęła już i zaczęła odkręcać kolczyk, który nadal miała w drugim uchu. Zdjęła go, przykręciła z powrotem baranek i wrzuciła całość do wody identycznym ruchem dłoni. Znów obserwowali połyskujący zygzak, który po chwili pochłonęła ciemność. Stella odwróciła się, by odejść.

– Teraz mam poczucie winy – powiedziała.

– Nie dajesz sobie szans.

– Po powrocie do domu mogłam znaleźć lombard. Przekazać pieniądze dla potrzebujących.

– Hej.

Gerry odwrócił ją do siebie i przyciągnął. Przytulił. Przez dłuższą chwilę trzymała mu głowę na ramieniu. Potem ruszyli dalej.

– Kocham cię bardziej niż czekoladowe płatki śniadaniowe – powiedział.

Weszli do niewielkiego parku, na który trafili po drodze. Dzień był zimowy, więc wokół widzieli zaledwie kilka osób.

Właścicieli z psami. Młodą matkę z dzieckiem. Usiedli na ławce otoczonej przez żywopłot i skulili się z zimna. Po drugiej stronie ścieżki widzieli plac zabaw.

– Takie rzeczy tylko w styczniu – powiedziała Stella. – Przebiśniegi obok krokusów.

W ogrodzie pracowało kilku mężczyzn w kombinezonach roboczych. Jeden z nich ospale kopał i przerzucał ziemię. Dociskał szpadel stopą, po czym wyciągał i rozdrabniał fragmenty darniny. Jego towarzysz przycinał tymczasem krzewy różane, trzaskając cicho sekatorem.

– Gdybym wiedziała, że będzie taki ziąb, przyniosłabym koc – powiedziała Stella. – Albo butelkę z gorącą wodą.

Młoda matka posadziła córkę na jednej z huśtawek. Następnie podciągnęła siedzisko na wysokość klatki piersiowej i puściła je. Wydawała odgłosy, które jej zdaniem powinno wydawać dziecko, aż dziewczynka posłusznie zaczęła ją naśladować. Po chwili jednak zamilkła, tak że słychać było jedynie popiskiwanie huśtawki.

– W dzisiejszych czasach mają łatwo – stwierdził Gerry. – Spójrz na ziemię. Nawierzchnia jest miękka jak dywan. Maleństwa nie mają szans choćby się zadrapać. Nowe zastosowanie starych opon.

Przestał kulić się przed zimnem i rozprostował nogi. Zapanowała cisza, którą przerwała dopiero Stella, mówiąc: „wciąż jeszcze wierzę w wewnętrzną dobroć ludzi"[*].

– Zgadzam się.

– Też w to wierzysz? – uśmiechnęła się Stella.

---

[*] Anne Frank, *Dziennik*.

– Tak. To cytat z Anne Frank – rzekł Gerry.

– Nawet gdy chodzi o taką drobnostkę, jak struktura gleby na placu zabaw. Naukowcy wciąż zastanawiają się, jak sprawić, „by maleństwa były bezpieczne".

– Przeciekasz.

Stella wyszukała w torebce chusteczkę i wytarła nos.

– To przez mróz – powiedziała.

Między podporami huśtawek przechadzało się całe stado gołębi. Nagle z dźwiękiem przypominającym klaśnięcie wszystkie poderwały się do lotu. Zafurkotały po łuku, a szelest ich skrzydeł zdawał się przerażać dziewczynkę. Krzyknęła ze strachu, więc matka zdjęła ją z huśtawki. Gdy przechodziły obok, Stella wysunęła głowę i uśmiechnęła się do małej, która z bliska wyglądała na trzy- lub czterolatkę. Zajęły jedną z kolejnych ławek. Skądś pojawiła się plastikowa piłka. Matka dała ją córce, po czym splotła palce obu dłoni i wysunęła ręce, by stworzyć obręcz. Dziecko rzucało do celu i trafiało za każdym razem – położenie rąk zmieniało się bowiem na potrzeby kolejnych prób.

– Matka oszukuje – powiedział Gerry.

– Matka uczy – powiedziała Stella. – Ośmiela córkę. Nie chce, by poczuła, że nic nie potrafi. A nauka to przecież anagram oszustwa[*].

– Przypomina mi się facet, który strzelał z łuku, a potem dorysowywał tarcze wokół grotów. Dzięki temu za każdym razem trafiał w dziesiątkę. Czujesz, że jesteśmy blisko?

– Blisko końca?

Zaśmiał się.

---

[*] Ang. *teach* – uczyć, *cheat* – oszukiwać.

– Nie. Czy czujesz, że jesteś blisko ze mną.

– Siedzimy tuż obok.

Uśmiechnął się.

– No, weź. Odpowiedz – powiedział.

– Ujmę to tak – odparła. – Gdy ktoś pyta mnie, od jak dawna jesteśmy małżeństwem, odpowiadam po prostu: „od dłuższego czasu".

Oboje się uśmiechnęli. Zapanowała cisza, którą przerywały odgłosy pracy sekatora i szelest szpadla trącego o kruchą glebę.

– W każdym związku – powiedziała Stella – jest kwiat i ogrodnik. Jedna strona pracuje, a druga się popisuje.

– Ładnie powiedziane.

– Jak myślisz, którą z nich jesteś?

– Z pewnością jedną lub drugą. Może obomą. Przez całe życie zarabiam na nasze płatki kukurydziane. O smaku czekoladowym. – Ściszył głos. – W mojej pracy ważna jest jednak kreatywność, mam więc tendencje do popisów. A nawet, jak to ujmujesz, do krzykliwości.

– Mówię o codziennej harówce.

– To znaczy?

– O obowiązkach, które nigdy się nie kończą – odparła Stella. – Ty wypełniasz męską misję. Budujesz coś, co przetrwa setki lat. Ja tymczasem gotuję, zmywam naczynia, rozwieszam pranie, płacę za prąd i gaz. Wszystkie te czynności trzeba wciąż powtarzać. Cytując Virginię Woolf: „nic z tego wszystkiego nie pozostaje"*.

– Ale co byśmy zrobili bez mojej zupy minestrone?

------

* V. Woolf, *Własny pokój*, tłum. A. Graff, Warszawa 1997.

– Pewnie nadal myłabym naczynia, których użyłeś, by ją przyrządzić. Kto u nas prasuje?

– Ty. Moim zdaniem zdecydowanie zbyt dużo – powiedział Gerry. – Kto to widział, żeby prasować bieliznę? Albo piżamę.

– Kto odkurza?

Skinął głową, uznając fakt.

– Ale dlaczego uzupełnianie zszywek w zszywaczu zawsze spada na mnie?

Tym razem Stella nawet się nie uśmiechnęła. Milczała przez dłuższą chwilę, po czym zapytała:

– Jak myślisz, w jaki sposób ogrodnik zakończyłby związek?

Siedziała zgarbiona ze skrzyżowanymi rękoma. Gerry przekonał ją, by się wyprostowała i usiadła luźno, tak jak on.

– Dobrze się czujesz? – zapytał.

– Kiepsko. Jestem roztrzęsiona. Po wszystkich wydarzeniach tego dnia.

– Może spadł ci cukier.

Stella sięgnęła do kieszeni i wyciągnęła werthersy. W paczce były już tylko dwa cukierki. Jeden dała Gerry'emu, a ostatni wzięła do ust.

– Uspokój mnie – powiedziała, obijając przysmak o zęby.

– Może pójdziemy na lunch?

– Nie, nie dałabym rady.

Wstali. Stella nadrobiła drogi, by wyrzucić papierki do kosza. Wrócili na ulicę i ruszyli dalej, aż drogę zagrodziły im leżące na ziemi kwiaty. Bukiety w celofanie bezpośrednio na chodniku. Niektóre sczerniały już, inne zwiędły, jeden czy dwa pełne były jednak świeżych, kolorowych kwiatów. Nie brakowało też kartek i drobnych przedmiotów. Podobna sterta znajdowała się obok, na ogrodzonej ocynkowanymi barierkami wysepce na środku jezdni.

– Traktują kwiaty tak samo jak rowery – powiedział Gerry. – Po prostu zostawiają je na ziemi. Pomyśl, ilu ogrodników musiało pielęgnować taki zbiór.

Stella pochyliła się i próbowała odczytać tekst na kartkach. Część atramentu wyblakła, część spłynęła z deszczem. Powtarzało się nazwisko Van Gogha.

– Na pewno nie chodzi o malarza – powiedziała.

– Może o gościa, którego zamordowano kilka lat temu.

– Był filmowcem. Zadźgali go. Albo zastrzelili.

– Chyba jedno i drugie.

– Zabójstwo na tle religijnym, prawda?

Gerry obserwował ją uważnie. Wyprostowała się, splotła dłonie przed sobą i pochyliła głowę.

– Niedobrze – powiedziała. – Jestem bardzo roztrzęsiona.

Ujął ją za ramię i ruszyli dalej ulicą, aż dotarli do postoju taksówek. Gerry otworzył tylne drzwi jednej z nich i pomógł Stelli wejść do środka.

– Wracajmy – powiedziała. – Muszę się położyć.

Gerry podał kierowcy nazwę hotelu. Odwrócił się do Stelli.

– Trochę zbladłaś.

Wziął ją za rękę. Była lodowata. W drodze do hotelu zdążyła nieco się ogrzać, Gerry nadal jej jednak nie puszczał.

– Zdrzemniesz się?

Kiwnęła głową w milczeniu.

– W takim razie pójdę na spacer. Masz klucz?

Ponownie skinęła. Odprowadził ją do windy i nacisnął przycisk. Zdawało im się, że czekają w nieskończoność. Stella obserwowała czerwony blask guzika, opuściwszy ręce luźno wzdłuż tułowia. Gdy drzwi się rozsunęły, Gerry wprowadził ją do pustej przestrzeni.

– Niedługo wrócę – powiedział. Cmoknął ją delikatnie w policzek i wycofał się z windy.

– Możesz się nie spieszyć.

Stella spojrzała na swoje odbicie w lustrze. Była bardzo blada. Wyczerpana. Wzdrygnęła się, spuściła wzrok i zamknęła oczy, póki winda nie zatrzymała się na jej piętrze. Mechanizm zadygotał, po czym drzwi się rozsunęły.

Gdy dotarła do pokoju, zrzuciła buty i położyła się na łóżku. Nie chciało jej się wsuwać pod kołdrę, nakryła się więc narzutą. Materiał był gruby, ciężki i ciepły. Westchnęła błogo, sen jednak nie nadchodził. Nie mogła uspokoić myśli. Zamknęła oczy, ale w jej głowie pojawiały się kolejne obrazy, których nic nie mogło powstrzymać. Starała się odróżnić cuda od tego, co zwyczajne. Nakreślić tor lotu pocisku. Wróbel wleciał przez jedne drzwi, wyleciał drugimi. Działo się to wszystko, gdy pierwszy raz odwiedziła Hunterian Museum*. Mieszkali wówczas w Glasgow od niedawna. Wybrała się na spacer na kampus uniwersytetu – otwarty dla odwiedzających – z Michaelem, który nie chodził jeszcze do szkoły. Gdy zaczęło padać, schowali się w miejscu, które przypominało krużganek; wśród kolumn wspierających bogato zdobioną, wiktoriańską budowlę. Czekali, deszcz mógł jednak równie dobrze padać do wieczora. W pewnym momencie Stella

---

* Muzeum i galeria sztuki nazwana na cześć Williama Huntera, szkockiego fizjologa i chirurga.

zauważyła tabliczkę ze strzałką wskazującą, że na wyższych piętrach znajduje się muzeum. Weszli do windy, gdzie skierowała palec Michaela na właściwy przycisk. Gdy drzwi się otworzyły, chłopiec natychmiast skoczył naprzód.

Eksponaty znajdowały się za szybami o ramach z nierdzewnej stali. Honorową pozycję w centralnym oknie zajmowała ogromna księga otwarta na ilustracji, której widok sprawił, że Stella stanęła jak wryta. Nie wiedziała, czy posłuchać instynktu samozachowawczego i odwrócić lub spuścić wzrok, czy też dać wyraz przerażeniu i zażenowaniu. Ilustracja była niemal naturalnej wielkości. Przedstawiała rodzącą kobietę – nie – to wcale nie był poród. Jego termin ewidentnie już nadszedł, ciało kobiety zostało jednak rozwarte na oścież, by ukazać upchnięte w łonie dziecko – ułożone głową w dół, gotowe wygrzebać się na świat. Niczym Macduff, który „przed czasem ze swojej matki wydarty był łona"*. Nie chodziło o to, jak dobrze artysta uchwycił śliską szarość wnętrzności, ani o brutalność, z jaką rozwarto kobiece ciało. Stellę zaszokował przede wszystkim stopień nabrzmiałości łona. Dzieci w macicy zachowują się jak pianka montażowa – rozszerzają się, by zająć całą dostępną przestrzeń. Ta przestrzeń była teraz wypełniona na podobieństwo rosyjskiej matrioszki. Pełna kogoś innego. Wypełniona samą sobą, tak że nie został choćby cal wolnego miejsca. Nawet igły nie byłoby gdzie wsunąć. Stella zdała sobie sprawę, że aby odciągnąć fałdy skóry i ujawnić zawartość macicy, trzeba było najpierw wyciąć na niej skalpelem znak krzyża.

---

* W. Szekspir, *Makbet*, tłum. L. Ulrich, Fundacja Nowoczesna Polska [na podst. wyd.:] G. Gebethner i Spółka, Kraków 1895.

Widziała trzy odgięte, trójkątne płaty ciała. Kontener otwarto bez użycia dużych nożyczek, a rysunek przekroczył granice nagości. Kobietę odarto nawet z jej własnych tkanek; uda rozwarte, brzuch i podbrzusze na wierzchu. Stella nie mogła artyście wybaczyć, że zredukował nogi do udźców z widoczną kością. Zamachowcy w Belfaście osiągali podobny efekt za pomocą bomb. Starała się przenieść spojrzenie z oberżniętych ud z powrotem na łono napęczniałe od dziecka. Gdzieś między jego prawym kolanem a środkowym palcem zauważyła w końcu lukę: wąziutki korytarz wolnej przestrzeni. Możliwe, że pojawił się tam cudem. Schyliła się, by przeczytać opis dołączony do eksponatu. *Rysunek z „Ilustrowanej anatomii ludzkiej macicy w zaawansowanej ciąży" Williama Huntera (1774).* Słowo „ciąża" ciążyło jej na języku. Jej matka powiedziałaby raczej „stan wypełnienia". Obramowana nierdzewną stalą gablota też była w ciąży: książka wypełniała ją niczym płód. W krzyżówkach Stelli pojawiało się czasem słowo „brzemienność".

Modelki musiały być martwe, zanim je pocięto i przedstawiono na ilustracjach. Biedna kobieta została wraz z dzieckiem odarta ze skóry i wystawiona na pokaz. Wszystko dla dobra nauki. W opisie wymieniono artystę, kolekcjonera i anatoma, o kobiecie nie było jednak ani słowa. Pozbawiono ją godności i odebrano imię. Imię, którego nienarodzone dziecko nie zdążyło oczywiście otrzymać. Nie była kryminalistką, nie została powieszona. Ot, po prostu zwykła kobieta, która zmarła u progu szczęścia. W osiemnastym wieku takie tragedie musiały być na porządku dziennym, nikt nie mógł jednak Stelli wmówić, że żyjący wówczas ludzie nie przeżywali wszystkiego równie silnie jak my. Opłakiwała więc kobietę i dziecko, stojąc przed ich wizerunkiem. Zmówiła za każde z nich modlitwę.

Stała pochylona i czytała opis eksponatu, gdy usłyszała, że wraca Michael. Ustawiła się tak, by zasłonić rysunek przed chłopcem, i ruszyła mu na spotkanie, by na pewno nic nie zobaczył. Razem poszli z powrotem do krainy dinozaurów i wypchanych zwierząt o szklanych oczach. Stella wiedziała, że syn zadałby zbyt wiele pytań. Stała przed rysunkiem dość długo, by całkiem wcielić się w przedstawioną na nim kobietę. Przecież to była właśnie ona. Kiedyś i teraz. Rozkraczona i ranna. Jak mogła pozwolić, by własny syn zobaczył ją w takim stanie?

Usłyszała kroki kogoś innego. Strażnika w jasnobłękitnej koszuli.

– Przepraszam – powiedział. – W poniedziałki muzeum jest nieczynne.

– Nikt mnie nie poinformował.

Wzięła dziecko za rękę i – szczęśliwa, że ją wyrzucono – odwróciła się tyłem do ilustracji w potwornej, szarej księdze.

Gerry wyszedł na ulicę, zawiązał mocniej szalik i postawił kołnierz. Nadarzyła się doskonała okazja – choćby do uzupełnienia butelki. Gdy Stella stawała się cicha, najlepiej było zostawić ją samą. Znów zobaczył bryłę lodu zaklinowaną w zagłębieniu chodnika. Przy takiej temperaturze nic nie miało przecież szans się stopić. Próbował przypomnieć sobie, w którą stronę szli, by trafić do restauracji z pożywnymi potrawkami. Linia dachów odcinała się na tle nieba tak ostro, że całość przypominała kwasoryt. Każdy gzyms i każdy szczyt był wyraźnie zarysowany, jedyny w swoim rodzaju. Spirale, pinakle i girlandy nakreślono niezwykle precyzyjne. Wyglądały jak wycięte z papieru. Gałęzie drzew odarte z liści czerniły się na tle wieczornego nieba, którego nie barwił zachód słońca. Zimny, jasny dzień po prostu się kończył, niebo z niebieskiego stawało się żółte, a później rumiane.

Rosnące wzdłuż ulicy drzewa były właśnie przycinane, z czego Gerry zdał sobie sprawę, gdy usłyszał hałas – glissando przechodzące od warkotu do piskliwego wrzasku. Podniósł wzrok i zobaczył dwóch mężczyzn w kaskach z przytroczonymi do pasów piłami spalinowymi, którzy wspinali się po pniach. Dalsza część ulicy była już wysprzątana, gałęzie z poucinanymi końcówkami przypominały wzniesione ku niebu pięści. W supermarkecie naprzeciwko knajpy z potrawkami kupił więcej tyrone ekstra. Po tak ciężkim dniu mógłby napić się choćby i w tej chwili! By uniknąć konieczności podejmowania trudnych decyzji, udał się do irlandzkiego pubu.

Usiadł twarzą do drzwi, mając na stoliku przed sobą guinnessa i porcję whiskey. Wcześniej obserwował, jak barman z Dublina nalewa mu pintę i czeka, aż ciemny płyn osiądzie – kurtyna śmietanki musiała spłynąć i uformować białą koloratkę – by następnie dopełnić szklankę. Nalana, ale nienaruszona jeszcze pinta guinnessa, zwieńczona łukowatą warstwą piany, kojarzyła mu się z krzywizną zewnętrznych ścian kościoła Burt Chapel. Tymczasem whiskey – jameson – nie wymagała niczego poza kropelką wody. Barman z Dublina rozmawiał półgłosem z jednym z gości. Irlandzka muzyka leciała w tle na tyle cicho, że nie była irytująca.

Gerry trzymał dłonie na kolanach. Wciąż zerkał w stronę okna. Wieczorne światło padało na szybę pod kątem, odbijało się od niej i sprawiało, że widoczny fragment świata zdawał się pozbawiony barw. Okna pokrywała matowa warstwa kurzu, a promienie słońca w jednej chwili mogły zmienić je w kryształy od Waterforda. Tak, irlandzkie puby w Amsterdamie ewidentnie nie szczędziły środków. Światło było rozszczepiane, a do środka wpuszczano tylko wyselekcjonowany fragment spektrum. Okna pełniły podwójną funkcję: zapewniały zarazem niezbędne oświetlenie i piękny widok. Gerry znów słyszał w głowie głosy dawnych nauczycieli. Szczególnie doktora Rice'a.

Gdy skończył szkołę pod koniec lat pięćdziesiątych, nie miał pojęcia, co chce robić dalej. Jego zainteresowania skupiały się wokół nauki. Rozmawiał z doradcą zawodowym – w tamtych czasach prawdziwa rzadkość! – który na koniec spotkania podsunął mu kartkę wydobytą z chaosu panującego na jego biurku. Chodziło o pracę wakacyjną w biurze architekta. Gerry zgodził się spróbować, a pod koniec lata firma zaoferowała mu praktyki. Wieczorami studiował na Belfast Tech, na bieżąco nabierał doświadczenia i doskonale rokował we wszystkim, do czego się zabrał. Po jakimś czasie upolowała go katolicka firma, która była na dobrej stopie z klerem i mogła pracować przy licznych szkołach i kościołach. W tamtych czasach każdego, kto przekroczył próg świątyni, przymuszano do zasilenia „funduszu na budowę szkół", pracy więc nie brakowało. Będąc u progu kariery, Gerry spędzał dużo czasu, kolorując wydruki – cegły miały być czerwone, beton zielony, stal niebieska. Przygotowywał architektoniczne storyboardy. I robił za gońca. Wysyłano go, by za pieniądze ze wspólnej kasy kupował ciastka i kawę Maxwell House. Po Soborze Watykańskim drugim reformy liturgiczne ruszyły pełną parą – a to znaczyło, że budynki, w których zbierali się wierni, należało przerobić (lub „przemienić", jak żartowali architekci). Puginowskie błyskotki i prospekty demontowano, księża mieli być zwróceni w stronę ludzi, a poręcze wokół ołtarzy musiały zniknąć. Następnie Gerry miał to szczęście, że zatrudnił go Liam McCormic, który pracował właśnie przy Burt Chapel. Niektórzy już wtedy nazywali McCormica najwybitniejszym architektem Irlandii. Jego kościół wzorowany była na Grianan Aileach – położonym wyżej na wzgórzu kolistym forcie z epoki żelaza.

Gerry dopiero co poznał Stellę – musiało to być pod koniec lat sześćdziesiątych. Niedługo po wycieczce do Ballycastle zabrał ją do Donegal, by pokazać, nad czym właśnie pracuje. Podjechali do prehistorycznego fortu, by zobaczyć podobieństwa łączące go ze wznoszonym poniżej kościołem. Budynki rymowały się ze sobą, choć dzieliły je setki metrów i tysiące lat.

Stellę bardziej interesowała jednak panorama. Stwierdziła, że gdyby usunąć kilka drzew i dróg, wszystko wyglądałoby tak samo jak dwadzieścia wieków temu. Wystarczyło obrócić głowę, by zobaczyć hrabstwa Donegal, Derry i Tyrone, a między nimi zatoki Lough Swilly i Lough Foyle. Poczuła się szczęśliwa, że ma celtyckie korzenie.

W miejscu takim jak to, na tak wielkiej wysokości, trudno o ciszę, choć wiatr wpada do uszu i pozornie tłumi inne dźwięki. Być może niósł wówczas beczenie owcy, choć samego zwierzęcia nigdzie nie było widać. Stella uniosła dłoń w powietrze, chcąc określić kierunek, z którego wiał. Stella. Gwiazda o rozwianych włosach. Przyćmiła wszystko inne. Stała ze wzniesioną dłonią.

Co też mówiła dziś o kwiecie i ogrodniku? W jaki sposób ogrodnik zakończyłby związek? Co to w ogóle za pytanie? Mówiła też coś o religijnej społeczności. Chyba nie żartowała, bo miała umówione spotkanie.

Pociągnął łyk guinnessa. Smak, faktura, temperatura. Wszystko doskonałe. Whiskey mogła zaczekać, póki nie dotarł do połowy czarnej szklanki. Zwykle osiągał ten punkt po trzech łykach, za każdym razem zostawiając po sobie pierścienie piany na szkle. Druga połowa zajmowała mu dłużej, jako że pragnienie zostało już zaspokojone. Odwlekał zakup kolejnej kolejki, aż nie można było dalej zwlekać. Opróżnił obie szklanki, wstał i podszedł do baru.

– Jeszcze raz to samo.

Usiadł z powrotem, mając przed sobą dwa pełne naczynia. Fakt, że na razie ich nie ruszał, był niezwykle satysfakcjonujący. Grunt, że zaopatrzenie nareszcie dotarło. Wykładowca z Belfast

Tech – doktor Rice – powiedział, że architektura to sztuka dostarczania klientowi usług (gazu, wody i elektryczności) w sposób tak elegancki, jak to tylko możliwe. Nic mniej, nic więcej. Nie szkodziło oczywiście, jeśli umiałeś przy okazji narysować linię prostą bez linijki i zadbać, by dana konstrukcja się nie zawaliła. Architekci ratowali życie – wznosili budynki, które nikogo nie zabijały. Nieważne, czy chodziło o bazylikę Świętego Piotra czy toaletę publiczną w Portadown – reguły zawsze były te same... tyle że w Portadown nikt ich nie przestrzegał. Doktor Rice był wspaniałym nauczycielem. Twierdził, że chce, by jego uczniowie mieli dość pewności siebie, by tworzyć, a jednocześnie dość wiedzy, by w siebie wątpić.

Napój sprawiał, że Gerry się rozkręcał. Sam pub pełen był uspokajających odgłosów i zapachów, które niosły ze sobą pewność, że alkohol jest i pozostanie dostępny. Picie ułatwiało wszystko – od przeżywania emocji po dobór właściwych słów. Gerry znał ludzi, których alkohol zmieniał w potwory: stawali się okrutni, złośliwi i – co najgorsze – agresywni. Z nim było jednak inaczej. Gdy wypił kolejkę czy dwie, zaczynał kochać ludzi. Nie chciał ich bić, chciał ich tulić.

Zastanowił się, czy nie pije za dużo. Pogarszała mu się pamięć – nie wiedział, jak kończyły się niektóre wieczory i często nie kojarzył ludzi ani ich imion. Ani twarzy. Gdy byli w domu, żartował, że nigdy więcej nie wyjdzie na miasto, bo tylko pod dachem czuje się bezpiecznie. Gdy się z kimś umawiał, zwykle wpisywał jego imię do terminarza. Kiedy danego dnia o wyznaczonej godzinie odzywał się dzwonek do drzwi, Gerry zerkał do terminarza i znajdywał tam imię Jack. Otwierał więc i mówił: „Jak się masz, Jack?". Jeśli okazywało się, że przyszedł niejaki

Billy, by odczytać stan licznika prądu – to szkoda. A jeśli ów pracownik elektrowni przypadkiem *naprawdę* nazywał się Jack, zapewne przez cały dzień zastanawiał się później, czemu nieznajomy przeszedł z nim na ty. Stella była w tym względzie jego przeciwieństwem. Pamiętała nie tylko imiona, ale też wszystko, co dotyczyło ich właścicieli.

W szkole uwielbiał geometrię. Miała w sobie coś fascynującego – kochał jej równowagę, klarowność, przypominające łęk oporowy oznaczenie kąta prostego oraz stabilność, jaką zapewniały trójkąty równoramienne. Do tego dochodziły jeszcze wspaniałe słowa, na przykład „kongruencja". Uwielbiał nie tylko jego dźwięk, ale i znaczenie. Kongruentne znaczy przystające, takie samo. Stella i on byli niegdyś kongruentni.

Najlepszym prezentem, jaki dostał w młodości, był zestaw budowlany Bayko – zabawka, która pozwalała składać domy o białych ścianach, czerwonych dachach i zielonych oknach. Gdy całość była skończona, wyglądała całkiem jak dom z powieści Enid Blyton, w którym mieszkali bohaterowie serii *Famous Five*. Z podwójnym garażem na samochody Wuja Quentina.

W prawdziwym życiu budowali wraz z przyjaciółmi chatki z uschniętych gałęzi, tektury i kawałków blachy falistej. Gdy kończyli, siadali wewnątrz swych dzieł z uśmiechem na ustach, zastanawiając się, co dalej.

Kariera pozwoliła mu zobaczyć świat. Miejsca, których inaczej by ze Stellą nie odwiedzili. Na przykład Rosję sowiecką. Kraj tłuszczy, gdzie wszystko się łuszczy. Gdy byli w Warszawie, Stella zastanawiała się na głos, skąd tu tyle parków. Usłyszała w odpowiedzi, że powinna zapytać Niemców. Gerry uwielbiał miasta o wielu warstwach – takie jak Lizbona, gdzie można było przedostać się z jednego poziomu na drugi za pomocą windy. Piętro w górę, piętro w dół. Za najpiękniejsze ze wszystkich miast uznał jednak Edynburg; gdziekolwiek spojrzeć, kolumny, klasycyzm i cięty kamień. Bodaj największe wrażenie zrobił na nim uliczny artysta – żongler, który wspiął się na zupełnie nowe wyżyny swej sztuki. Wcisnął stopy między dwie kanelowane kolumny i krok po kroku wdrapał się po ścianie budynku. Zaczął żonglować płonącymi pochodniami dziesięć metrów nad głowami zebranego tłumu. W trakcie pokazu wszyscy zorientowali się, że artysta nie ma jak zejść. Utknął. Na zawsze. Gdyby przestał dociskać do kolumn którąś ze stóp, runąłby na ziemię. Oczywiście obrócił całą sytuację w żart – ta zagwozdka stanowiła główny element jego występu – a ostatecznie zsunął się powoli i otrzymał brawa. Jego ruchy były przerywane, centymetr po centymetrze, tak że wyglądał jak sunący po drucie sztuczny dzięcioł. Patrząc na niego, można by pomyśleć, że to najprostsza rzecz na świecie.

Gerry zamówił kolejne piwo z popitką. Barman znał się na rzeczy – tym razem wystarczyło spojrzeć w jego stronę i skinąć głową, by alkohol pojawił się chwilę później. Gerry pamiętał, że zaparło mu dech w piersiach na widok dachu nad dziedzińcem British Museum autorstwa Normana Fostera. Projekt równie śmiały, co genialny. Przejście od zatopionego w półmroku wnętrza budynku do jego porażającego blaskiem centrum – największego zadaszonego placu w Europie – było absolutnie wspaniałe. Architektura to sztuka rzucania światła.

Kontakt z genialnym dziełem wzbudził w Gerrym podziw. Następnie pojawiła się zazdrość. Wiedział, że gra w drugiej lidze, a jeśli miał zły dzień, może nawet i w trzeciej. Chciał stworzyć coś, co naprawdę zachwyciłoby ludzi, jak stanowiąca cel pielgrzymek kaplica w Ronchamp. Światło wpada do środka przez szczeliny w szerokich ścianach, zdobiąc podłogę plamami barw. Każdy z ołtarzy wieńczy kolumna blasku. Sam budynek jest zaskakująco niewielki – przypomina krzyżówkę fortepianu z przewróconą do góry dnem łodzią. Prezentuje się jednak wspaniale. Uwagę zwraca nawet mała, prążkowana muszla, którą osadzono w betonie, by witała przybywających pielgrzymów.

Gerry został ostatecznie wykładowcą na uniwersytecie. Wykładowcą, który za dużo pił. Czy to właśnie alkohol przeszkodził mu w dotarciu na szczyt? Czy też może stał się sposobem na ukojenie żalu z powodu porażki? Gerry osuszył obie szklanki i dźwignął się na nogi. Zatoczył się – zachwiał jak wieżowiec na wietrze – miał tego jednak pełną świadomość. Dobrze znał swoje normy bezpieczeństwa.

Kiedy wrócił do hotelu, Stella już spała. Pochylił się i pocałował ją w czoło. Obudziła się i powiedziała:

– Wieje od ciebie zimnem.

Zdecydowali się znów zjeść nad kanałem Amstel.

– Restauracja ma tę zaletę, że wiemy, gdzie się znajduje – powiedziała Stella.

Złożyli zamówienie, a Gerry napełnił kieliszki winem.

– Lżej ci już na sercu po dzisiejszym? – zapytał.

– Nie. Taki problem znika bardzo powoli. Za dziesięć lat – o ile dożyję – nadal będę jęczeć z zażenowania, stojąc w jakiejś przyszłej kolejce.

Wysunął rękę, objął jej dłoń i delikatnie nią potrząsnął.

– Nie mówię o domu Anny Frank. Tylko o tym, co było później.

Stella potrząsnęła głową.

– Nauczyłam się już z tym żyć – powiedziała. – Pokaż brodę.

Gerry obrócił głowę w bok.

– Robi się bardziej żółta, mniej bakłażanowa.

Jedli w ciszy.

– Sądzę, że powinniśmy dziś wyjść na miasto – powiedziała Stella – i zobaczyć dzielnicę czerwonych latarni.

– Mam iść tam z żoną?

– Tak.

Szli pod rękę, gdy zaczęła padać zimna mżawka. Stella spojrzała w niebo i przytuliła się mocniej do ramienia Gerry'ego. Obserwowali ludzi przechodzących wąskim pasażem i zastanawiali się, dokąd może prowadzić. Ściany były tak blisko, że wystarczyło rozłożyć ramiona, by ich dotknąć, musieli więc iść gęsiego. Gerry ruszył pierwszy.

Dotarli na plac otoczony przeszklonymi kabinami, w których kobiety pozowały, siedziały z rozłożonymi nogami lub przechadzały się, by przyciągnąć i podniecić klientów. Gerry przystanął i wybałuszył oczy. Puścił ramię żony.

– Ktoś może uznać to za zboczenie. Przyglądamy im się we dwoje.

– Biedactwa – powiedziała Stella.

Szli dalej, a przejście znów się zwęziło. Gerry ruszył pierwszy. Odwrócił głowę.

– Co, jeśli spróbuje się obok mnie przecisnąć jakiś facet z erekcją?

Stella zdzieliła go w ramię. Wąska uliczka prowadziła do kolejnej, nieco szerszej. Gerry zatrzymał się i spojrzał na budynek.

– To pub, Gerry. Nie udawaj, że od razu go nie rozpoznałeś.

– Sam Rembrandt mógłby wpaść tu na dzban wina.

Stella ostrożnie otworzyła drzwi. Z wnętrza uderzyła ją ściana dźwięku – głosy o natężeniu przywodzącym na myśl pędzący pociąg. Wsunęli się do środka. Nie było stołów ani krzeseł. Ludzie tłoczyli się wokół, trzymając w dłoniach kufle piwa z beczki. Gerry i Stella nigdy nie widzieli takiego pubu: niskie lady, mnóstwo półek, całość przypominała raczej aptekę niż bar. Gerry spojrzał na Stellę, uniósł brew i za pomocą gestu podnoszenia szklanki do ust zapytał, czy chciałaby się czegoś napić. Skrzywiła się. Za barem stało dwoje ludzi w strojach ludowych. Klient przed Gerrym złożył zamówienie, a barmanka postawiła przed nim piwo i szota. Napełniła kieliszek po brzegi, aż trochę płynu pociekło po ściance. „Niechlujstwo", pomyślał Gerry. Mężczyzna zgiął się tymczasem w pół i zawisł z ustami nad szkłem. Zaczął sączyć alkohol, nie dotykając kieliszka, a następnie uniósł go i dopił całość aż do ostatniej kropli. Miał głowę odgiętą w tył jak Stella, gdy wpuszczała sobie krople do oczu. Gerry zawahał się, gdy nadeszła jego kolej przy barze. Barmanka rzuciła mu jedno spojrzenie, po czym zaczęła krzyczeć, ile sił w płucach. Po angielsku.

– Chcesz spróbować? Wiesz, o co chodzi?

Gerry potrząsnął głową. Nie.

– To jest *jenever*. Zanim wy, Anglicy, wymyśliliście dżin, my mieliśmy jenever.

– Nie jestem Anglikiem! – Musiał niemal wrzasnąć, by go usłyszała. – Tylko Irlandczykiem!

– Jenever dobrze smakuje z piwem. A z guinnessem... – zaśmiała się – jeszcze lepiej!

Gerry spojrzał przez ramię na Stellę i wypowiedział bezgłośnie kolejną zachętę. Znów potrząsnęła głową. Nie, dziękuję.

– Tak! – krzyknął do barmanki.

Nalała mu żółte piwo z beczki i postawiła spieniony kufel na ladzie. Następnie wyciągnęła kieliszek do sherry – lekko poszarzały od pobytu w zamrażalniku – i wypełniła go po brzegi przezroczystym alkoholem. Pachniał jak dżin. Gerry zrobił to samo, co mężczyzna, którego wcześniej obserwował. Pochylił się i wyssał napój. Była w tym dziecięca radość; czuł, jakby łamał zasady zachowania przy stole, jakby wylizywał miskę. Uniósł kieliszek i opróżnił go do dna. Napój smakował nieco jak samogon.

Barmanka pogroziła mu palcem. Następnie krzyknęła:

– Najpierw pije się piwo. Potem popitkę!

– O, przepraszam. Pozwól, że się poprawię.

Postawiła przed nim kolejny kieliszek jeneveru i drugie piwo. Gerry wypił jedno z piw, upił odrobinę dżinu i zaniósł resztę do Stelli.

– Jest dobre.

– Słucham?

Pochylił się do jej ucha.

– Jest dobre! – krzyknął w kierunku jej włosów. Nie chciał sprzeczać się z barmanką, ale piwo smakowało po jeneverze naprawdę dobrze. Nie na odwrót. Uważał, że właśnie piwo stanowiło w tej sytuacji popitkę. Zagadnienie było jednak zbyt skomplikowane, by wytłumaczyć Stelli wszystkie jego niuanse. Wyciągnęła dłoń, pokazując, że chce spróbować jeneveru. Gerry oddał jej kieliszek. Wzięła łyk i mlasnęła. Nie była pewna – potrafił wyczytać to z wyrazu jej twarzy. Wzięła kolejny łyk.

– Zamówić ci? – Gerry zaczynał irytować się drastyczną redukcją zawartości jego kieliszka.

– Tak.

– Piwo też?

– Nie.

Poszedł do baru, a Stella została sama. Fascynował ją panujący wokół hałas. Zawsze była zaszokowana tym, jak głośno jest w pubach, choć wystarczyłoby przecież, by wszyscy mówili odrobinę ciszej. Alkohol sprawiał, że podnosili głosy, tak że z czasem nie było już wyboru: musieli krzyczeć. Hałas rósł wykładniczo. Ludzie zdzierali gardła i musieli wypić więcej, by je nawilżyć. Potem krzyczeli jeszcze głośniej, by zagłuszyć sąsiadów, a pozostali imprezowicze nieświadomie odpowiadali tym samym. Stella spędziła zdecydowanie zbyt wiele wieczorów swego życia na obrzeżach kompanii pijaków – oczywiście z powodu Gerry'ego. Szczególnie w biurze w Derry, gdy pracował jeszcze z Norwegami. Pijanych Norwegów trudno było zrozumieć. Zaczynały bawić ich najdziwniejsze rzeczy. Przypadali ze śmiechu do ścian i osuwali się na podłogę, choć przy śniadaniu nawet nie uśmiechnęliby się, słysząc te same słowa.

O czym rozmawiali ludzie wokół? Co było tak ważne, że trzeba było krzyczeć? Stojący obok mężczyzna uśmiechnął się, wysunął szklankę i przepił do niej.

Wyglądał na Amerykanina. Z kieszeni wystawała mu górna część okładki znajomego przewodnika po Amsterdamie, wiedziała więc przynajmniej, że mówi po angielsku. Na jego jasnej kurtce odznaczały się ciemne plamy po deszczu. Nosił okulary w rogowej oprawie. Nie była pewna, jak się zachować.

Byli przecież niedaleko dzielnicy czerwonych latarni. Może nawet w obrębie dzielnicy czerwonych latarni. Czy mężczyzna myślał, że przyszła tu sama? Był uprzejmy czy próbował ją poderwać? Nachylił się i powiedział coś, czego nie usłyszała. Pytanie? Czy powitanie? Powoli skinęła głową w górę i w dół. Nie umiała kłamać. Kłamstwa ją krępowały. Amerykanin spróbował jeszcze raz. Przysunął się nieco za blisko, nadal nie mogła jednak zrozumieć ani jednego słowa. Zerknęła przez ramię na Gerry'ego.

On tymczasem stał zgięty przy barze. Co u licha wyprawiał z barmanką? Trzymał głowę na poziomie jej... jej zadka. Wyglądało, jakby robił publicznie coś niezwykle intymnego – efekt był bulwersujący. Wróć do mnie, Gerry, proszę. Amerykanin oblizał wargi i poprawił okulary na nosie, jakby zamierzał jeszcze coś powiedzieć, Gerry przybył jednak nareszcie, niosąc w dłoniach dwa kieliszki. Jeden był wypełniony po brzegi. Drugi, opróżniony do połowy, dał Stelli. Biorąc go, odwróciła się plecami do Amerykanina.

– Mów do mnie – krzyknęła Gerry'emu do ucha. – Głośno.

– No, jak się masz, moja laleczko! – wrzasnął. – Wychyl swojego szota. Na raz.

– Pochorowałabym się. – Stella piła małymi łyczkami.

– Mogłabyś się przyzwyczaić.

Skrzywiła się i przekazała mu kieliszek, by dokończył resztę.

– Bardzo to mocne.

Wypił na raz. Stella wskazała głową drzwi.

– Czas się ulotnić – rzekł Gerry.

Stella odwróciła się, by skinąć Amerykaninowi głową na pożegnanie, ale już go nie było.

– Choć ulatniać się nie mam w zwyczaju, tym razem zrobię wyjątek.

Gdy wyszli, okazało się, że przestało padać. Chyba że to pasaż był zwyczajnie zbyt wąski dla kropel deszczu.

– Cudownie jest wyjść z tego hałasu – powiedziała Stella.

– A ty myślałaś, że dobrze się bawię, gdy wychodzę pić.

– Nie słyszałam ani słowa z tego, co mówił ten facet.

– Jaki facet?

– Jakiś. Ten w okularach. ·

Doszli do końca wąskiego przejścia. Po prawej rozciągał się kanał. Po lewej: cały rząd maleńkich przeszklonych pokojów, w których prężyły się kobiety. W okolicy krążyły tłumy ludzi. Z tej odległości okna pomieszczeń wydawały się maleńkie. Jarzyły się jak ekrany telewizorów. Stella objęła dłońmi łokieć Gerry'ego i poczuła, że prowadzi ją w kierunku szyb. Dziewczyny nosiły niemożliwie wysokie obcasy. Były półnagie, odstawione, przyozdobione wstążkami. Znudzone. Chodziły w tę i z powrotem. Jedna z nich czytała książkę. Kolejna siedziała, jakby była na ławce w parku. Następna piła coś z kubka w kropki. Trudno było określić jego kolor, bo oświetlały ją bardzo jaskrawe lampy. U stóp innej, wysokiej dziewczyny znajdował się grzejnik elektryczny, jarzył się jednak tylko jeden z jego prętów. W pomieszczeniu kolejnej zawiodła wentylacja, tak że musiała wycierać zaparowaną szybę przy użyciu zbieraka do wody. Gerry zamierzał podejść bliżej, ale Stella stawiła opór.

– Na pewno nie chcą, żebym się na nie gapiła.

– Wiedzą, że jeszcze wcześnie. Ledwie po dobranocce. Są równie seksowne, co golizna z trzeciej strony gazet.

– Żal mi ich. Niech je Bóg ukocha – powiedziała Stella.

Większość kobiet oświetlało ultrafioletowe światło, które przydawało ich skąpej bieliźnie jaskrawej, fioletowej poświaty.

– Rzeźnicy używają promieni UV, by pozbyć się much – powiedział Gerry.

Minęła ich zmierzająca w przeciwnym kierunku grupa mężczyzn. Kolejny wieczór kawalerski. Gerry i Stella usłyszeli ich, zanim ich zobaczyli. Wrzaski i śmiech. Chyba mówili po niemiecku. Wskazywali coś palcami i klepali się po plecach.

– Wypełnia ich holenderska odwaga – rzekł Gerry. – Uwierz mi: jeśli się śmieją, seksu nie będzie.

– Strasznie jesteś mądry, panie burdelmamo.

– Nie wiem, czy powinienem mówić, co mnie podnieca... ale na pewno nie to. Może dałbym się uwieść rosłej dzieweczce w wełnianych rajstopach jadącej na rowerze przypominającym raczej wózek piekarniczy. Kolana suną w górę i w dół. Feromony wsiąkają w siodełko. Blond włosy furkoczą na wietrze. W to mi graj.

Szli dalej, a miejsce płyt chodnikowych zajęły pod ich stopami cegły ułożone w jodełkę. Gerry poczuł, że Stella spycha go na drugą stronę ulicy, z dala od okien. Pływające po kanale kaczki i łabędzie zaczęły hałasować – kwakały, trzepotały skrzydłami, unosiły się nad wodę i sprzeczały między sobą. Łabędzie wyginały skrzydła w łuk i z sykiem wysuwały długie szyje. Przechodnie przystawali, by zobaczyć, w czym rzecz.

– Patrz, kto skupił na sobie całą uwagę – powiedziała Stella. – Odbiły widownię dziewczynom.

Gdy przekroczyli most, ptaki zdążyły się już uspokoić. W miejscu, gdzie woda stykała się z kamiennymi murami, widać było warstwę lodu. W narożnikach przypominała szarą pajęczynę.

Dzielnica czerwonych latarni ciągnęła się dalej po drugiej stronie kanału. Stella przystanęła i pociągnęła Gerry'ego w tył.

– Spójrz – powiedziała.

Podążył za jej spojrzeniem. W wąskiej, bocznej alejce stały pod lampą dwa konie. Poczuł, że Stella popycha go w ich stronę. Podeszli ostrożnie.

– Jak to wspaniale – powiedziała Stella. – Co za piękne stworzenia. Dżin chyba uderzył mi do głowy.

Gerry zauważył, że wydęła wargi, jakby przemawiała do dziecka.

– Za pierwszym i jednocześnie ostatnim razem, gdy posadzono mnie na koniu, czułam, jakbym siedziała na kredensie.

– Gdzie to było?

– U farmera, znajomego ojca.

Jeden z koni był kasztanowy, a drugi siwy. Stały razem w ciszy. Z każdym oddechem przy nozdrzach tworzyły im się białe obłoczki. Za kasztanem znajdowała się parująca piramida odchodów.

– Końskie kupy – powiedział Gerry.

– Pączki. W naszym domu wyrażaliśmy się wytworniej.

Gerry sięgnął dłonią i odciągnął Stellę od koni.

– Ostrożnie. Nie stawaj za nimi. Trzymajmy się poza zasięgiem kopyt.

– Wiem, wiem. Spójrz, jakie są spokojne. Zrezygnowane.

– Wręcz: tajemnicze.

Gerry i Stella patrzyli na konie. Siwek poruszył głową w górę i w dół.

– Wiesz, czy to ogier?

Gerry pochylił się i obejrzał końskie podwozie.

– Jednego jestem pewien – powiedział.

e krowa. Skąd mam wiedzieć, jaką ma płeć?

zostały do niczego przywiązane, były jednak ob-
ipunkiem i błyskotkami. Stella widziała siodła,
wodze i inne elementy uprzęży określane słowa-
mi, które znała tylko z krzyżówek... i co do których wiedziała jedynie, że mają coś wspólnego z jeździectwem. Podogonie,
podgardle, popręg, uzda. Przy siodle był pokrowiec na coś,
co przypominało batutę. Rączka, która wystawała nieco z po-
chwy, była ponacinana, by pewniej leżeć w dłoni. Kasztanowy
koń zmienił pozycję jednego z tylnych kopyt. Podkowa stuk-
nęła o kamienie.

– To magia – powiedziała Stella. – W koniach jest jakiś rodzaj świętości. Coś wyniosłego. Spójrz tylko na żyły pod ich
skórą, Gerry. Wyglądają jak rzeki.

Siwek potrząsnął głową i rzucił oczyma. Stella obserwowała
ich białka. Uprząż skrzypiała cicho.

– Spokojnie, maleńki.

– To konie policyjne. Tylko spokojnie. Spójrz na napis i logo.

Wskazała na derkę pod siodłem.

– *Pol-it-tie* – powiedział Gerry. – Pogłaszcz zwierzaka.

Kasztan miał na czole białą gwiazdkę. Stella wyciągnęła rękę,
a gdy koń opuścił łeb na jej wysokość, powiedziała „jesteś bardzo grzeczny" i położyła na nim dłoń.

– Dotknij jego czoła, Gerry. Jest szerokie jak deska do praso-
wania. Spodziewałam się sierści miękkiej jak u owieczki, a tymczasem bardziej przypomina męską brodę.

Jej dłoń nadal gładziła białą gwiazdkę. Koń wydawał się zadowolony.

– Wspaniale pachną – powiedział Gerry. – Inaczej niż wszystko, co znamy.

– Skórzana uprząż, mleko i pączki.

– Zapach jest cierpki. Ostry.

– Myślisz, że policjanci skoczyli gdzieś na małe...? – zapytała Stella.

– „Na służbie nie zdejmuję munduru, proszę pani".

Wymienili uśmiechy i równocześnie odwrócili się, by odejść.

– W przyszłości – powiedziała Stella – kiedy tylko pomyślę o amsterdamskiej dzielnicy czerwonych latarni, przypomnę sobie te dwie piękności. I ciszę, która je otaczała.

Wieczór był jeszcze młody, Stella zasugerowała jednak, by wrócili do hotelu i wcześnie poszli spać. Gdy dotarli do pokoju, kochali się po raz kolejny.

– Konie mnie nakręciły – powiedziała po wszystkim.

Leżeli obok siebie, patrząc w sufit.

– Wiesz, czemu częściej mam ochotę, gdy jesteśmy w podróży? – spytała Stella. – Potrafisz zgadnąć?

– Nie.

– Bo nie muszę myśleć o kolacjach. O konkretnej kolacji. Dzień w dzień. To przekleństwo mojego życia. Pamiętasz Pana i Panią Owcę?

– Nie?

– Pan Owca mówi: „Mam dość tego, że każdego dnia żrę tę samą trawę".

– No i?

– Pani Owca na to: „Przynajmniej nie musisz jej gotować".

– Uśmiechnęła się – Rozmawialiśmy o nich, gdy jechaliśmy do Edynburga.

– Pamiętam.

Oboje na chwilę zamilkli.

– Czasem po fakcie zastanawiam się, czy to był właśnie nasz ostatni raz.

– Zastanawiasz się, czy masz nadzieję? – zapytał Gerry.

Stella wtuliła się między jego ramię a klatkę piersiową. Pocałował włosy na czubku jej głowy. W punkcie, gdzie znajdowało się niegdyś ciemiączko.

– Szkoda, że nie znałem cię, gdy byłaś młodsza – powiedział. – Moglibyśmy na przykład chodzić do tej samej podstawówki. Nosiłabyś białe skarpetki. Kokardy we włosach. Czuję, że przegapiłem znaczną część ciebie.

Zaczęła miarowo stukać palcem w jego klatkę piersiową i nucić wyliczankę do gry w gumę.

Słodka Rózia była piękna
Bardzo piękna, bardzo piękna
Słodka Rózia była piękna
Dawno, dawno temu.

Pierwszą rzeczą, z której Gerry zdał sobie sprawę po przebudzeniu, był huczący za oknem wiatr. Druga połowa łóżka była pusta, a z łazienki dochodziły dźwięki prysznica. Odwrócił się na plecy i splótł dłonie pod głową. Stella wyszła po chwili owinięta związanym wysoko na piersi ręcznikiem. Uniosła puszkę i prysnęła sobie na dłoń trochę piany, którą następnie wtarła we włosy.

– Co to? – spytał Gerry.

– Pianka do stylizacji.

– A co konkretnie robi?

– Dodaje objętości moim, przyznaję z żalem, oklapłym włosom.

– Ciekawe, czy i mnie by pomogła – powiedział Gerry.

– Spójrz na puszkę: „Nadaje objętości i utrwala". Pierwszy raz widzisz, że jej używam?

– Tak mi się zdaje.

– Gdy jesteśmy w domu, robię to wszystko w łazience. – Potrząsnęła puszką, nałożyła sobie kolejną porcję białej piany na dłoń i wklepała ją we włosy, tak że nadal było na nich widać kilka większych grudek.

– Wygląda jak białko jajka – stwierdził Gerry.

Odgięła głowę w tył i zaczęła się czesać – najpierw zamaszyste pociągnięcia grzebienia, a potem szczotki.

– Czemu tak się odstawiasz? Jeszcze rano.

– Niedziela rano. Idę na mszę.

– Chcesz, żebym poszedł z tobą?

– Nie bardzo. – Wtarła we włosy ostatnią porcję pianki.

– Wierzysz w to, co napisali na opakowaniu?

– Owszem. Moje włosy na pewno robią się od tego milsze w dotyku. – Przestała się czesać. Zwilżyła palec śliną i wyrównała brwi.

– A wierzysz w to, co słyszysz od farmaceutek w aptece? – zapytał.

– Zależy.

– Wszystko to pseudonauka. Promowana przez dziewczyny w białych kitlach i z błyszczykiem na ustach.

– Czasem myślę, że nie znam większego mizogina od ciebie.

W pokoju zapanowała długa cisza. Przerwał ją dopiero szelest szczotki, która znów zaczęła przeczesywać włosy Stelli.

Gdy rozmawiała z pracownikiem hotelu przy recepcji, Gerry przyjrzał się stojakowi z broszurami dla turystów. Kilka z nich postanowił później przeczytać, wsunął je więc do torby na ramię. Stella tłumaczyła właśnie recepcjoniście, że w samym sercu dzielnicy czerwonych latarni znajdował się katolicki „Kościół Naszego Pana na Strychu".

– Pamiętasz, Gerry? Tam, gdzie widzieliśmy konie.

– Między innymi.

– Czy odprawiane są w nim msze?

– Nie. Nie wydaje mi się. – Recepcjonista pokręcił głową. – Kościół przerobiono na muzeum.

– Cała religia to eksponat muzealny – rzucił Gerry.

Mężczyzna wziął mapę okolicy i zaznaczył iksem położenie najbliższego katolickiego kościoła.

– Dwa w jednym: symbol chrześcijaństwa i oznaczenie celu – stwierdziła Stella.

Recepcjonista nie znał godzin mszy.

– *Dank ya* – powiedziała Stella i uśmiechnęła się do niego.

Gerry ruszył za nią w stronę drzwi obrotowych.

– Zapomniałem, że pisałaś doktorat z niderlandystyki.

– Staram się. Zawsze to coś.

Gdy wychodzili, wiatr dmuchnął w obrotowe drzwi z taką mocą, że zdołał ich rozdzielić. Stella czekała, póki Gerry nie wypadł na zewnątrz. Ochronę przed wichurą zapewniała jej rozłożona mapa.

– To chyba ten sam kościół, który już odwiedziliśmy.

Gerry zerkał jej przez ramię.

– Ten od cudownych wymiocin?

Kiwnęła głową. W świetle dnia blok lodu wyglądał żałośnie. Był nieco bardziej przybrudzony niż wczoraj. Gdy Gerry schylił się, by obejrzeć go z bliska, dostrzegł w głębi srebrzyste linie powietrza. Przypominały wędrujące pod wodą bąbelki.

– Nie masz wrażenia, że lód jest niebieskawy?

– Nie.

– Podejrzewam, że to zamrożony mocz wyrzucony z samolotu.

– Gerry, nie bądź takim... – zaczęła Stella. – Przynajmniej nie pada. Nie wiem, skąd mamy tyle szczęścia.

– Szczęścia? – spytał Gerry. – Po prostu modliłem się o ładną pogodę. – Spojrzał w górę. Szarobiałe chmury mknęły po błękitnym niebie.

– Jeśli będzie msza, to na nią pójdę – powiedziała Stella. – Ale jeśli nie... mogę zrobić wyjątek. Jestem w podróży, więc reguły mnie nie dotyczą.

– Pielgrzymujesz.

Gerry odprowadził ją do mrocznego pasażu prowadzącego do siedziby beginek. Pokonali go gęsiego. Dalej powitała ich znajoma zieleń – miejsce, w którym już kiedyś byli. Kilkoro ludzi wchodziło właśnie do kościoła, który nie wyglądał jak kościół.

– Dobry znak – powiedziała Stella. – Msza pewnie właśnie się zaczyna.

Gerry podszedł z nią do drzwi, by się upewnić. W oświetlonym reflektorami wnętrzu kościoła płonęły świece, a ksiądz w sutannie krzątał się przy ołtarzu. Ustalili, że za godzinę spotkają się przy wejściu.

– Na wszelki wypadek – powiedziała, wciskając mu do ręki mapę. Pomachała palcami na do widzenia i ruszyła w stronę ławek. Gerry odwrócił się i odszedł.

Wrócił przez pasaż. O pełnej godzinie nad miastem rozległ się dźwięk dzwonów kościelnych. Prawdziwych, z metalicznym pogłosem. Jak najlepiej spożytkować sześćdziesiąt minut? Puby na pewno były jeszcze zamknięte. Gdy trafił na otwarty sklep muzyczny, wszedł i przejrzał dostępne płyty CD. Przeliczył ceny albumów wytwórni Naxos z miejscowej waluty na funty, by sprawdzić, jaka jest różnica. Było o tyle taniej niż w domu, że kupił krążek, którego jeszcze nie miał – a który zbierał doskonałe recenzje. *Siedem ostatnich słów na krzyżu.*

Wyszedł i ustawił się tak, by iść zgodnie z kierunkiem wiatru, więc każdy podmuch popychał go naprzód. Po drugiej stronie ulicy był targ kwiatowy. Najwyraźniej rozłożono go nad kanałem, Gerry widział bowiem między straganami stalowoszarą powierzchnię wody. Rozejrzał się w obie strony i przeszedł przez ulicę. Był tu ogromny wybór cebulek i bulw. Taca za tacą fioletów i brązów. Obłe obiekty, z których wyrastały – niczym macki ośmiornicy – kłącza i korzenie w kolorach ziemi, błota i umbry. Napis głosił:

Nie dotykać
Non toccare
Ne pas toucher
Nicht anfassen
Niet aankomen

Nie potrafił zidentyfikować przedmiotów, które wyglądały jak ściśnięte knykcie, pięści pokryte szczeciną, zabłocone rozgwiazdy i białe, kiełkujące włócznie. Były ohydne, bo mogły być ohydne; wygląd nie miał wpływu na ich szanse przetrwania. I tak miały trafić pod ziemię. Do kupienia był nawet zestaw „Wyhoduj własne konopie indyjskie". Wszystko zdawało się tu czekać na wiosnę. Na każdej tacce znajdowało się kolorowe zdjęcie przedstawiające kwiat, który miał wyrosnąć z danej bulwy – płatki były szkarłatne, żółte, kremowe i w kolorze sepii. Modelowy przejaw optymizmu. Dzielenie skóry na niedźwiedziu. Wokół Gerry'ego nadymały się i łopotały na wietrze płócienne zasłony. Stella na pewno chciałaby zasadzić trochę tych roślin w swoim ogródku wokół kamienicy. Wybrał czerwoną torebkę z mieszaniną cebulek. Tulipany i narcyzy. Paczuszka dość mała, by ją nosić, ale wystarczająco duża na prezent. Tulipan po holendersku to *tulp*. Podszedł do faceta, który miał na sobie fartuch i granatową puchówkę. Mówił zupełnie nieźle po angielsku – wystarczająco, by pogratulować Gerry'emu słusznego wyboru. Cebulki wolno wnosić do samolotu, a ceny na targu są znacznie niższe niż na lotniskach, gdzie pracują zresztą sami oszuści.

Gerry zapłacił i umieścił zakup w torbie na ramię, obok płyty CD. Woda w kanale ciemniała pod dotknięciem wiatru niczym przygładzony palcem zamsz.

Kawa byłaby nie od rzeczy. Wybrał kawiarnię ozdobioną posągiem Goliata – tak ogromnym, że jego hełm znajdował się na wysokości belek dachowych. Obok wejścia ustawiono też figurę uzbrojonego w procę Dawida, który sięgał olbrzymowi najwyżej do rąbka kiltu. Toby, wnuk Gerry'ego, na pewno byłby zachwycony, zaglądając pod spódniczkę Goliata. Gerry znalazł na karcie angielski opis drewnianych figur. Okazało się, że powstały w dziewiętnastym wieku i że początkowo były automatami, które wystawiano w parkach rozrywki. Dzięki ukrytym wewnątrz mechanizmom Goliat mógł poruszać oczami i głową.

Kawa była dobra, a po pierwszym łyku zapragnął zapalić papierosa. Sięgnął dłonią do kieszeni, zanim zorientował się, że nie pali przecież od kilkudziesięciu lat. Pragnienie pojawiło się znikąd. Pomyślał, że ciało jest durne. Przyzwyczajenie staje się jego drugą naturą. Czy tak samo byłoby, gdyby spróbował przestać pić? Opadły mu ramiona. Gapił się w laminowany, pozbawiony zdobień blat w kolorze bladej owsianki. Trudno mu było oderwać od niego wzrok. Usłyszał dźwięk jadącego po niedzielnym Amsterdamie ambulansu.

Przypomniał sobie migające światła odbite od pomalowanych ścian szpitala. Miał sucho w ustach – zapewne od wszystkich wypalonych papierosów. Poszedł do znajdującego się w pobliskiej toalecie źródełka, nacisnął dźwignię i zaczął pić. Gdy wyszedł, zobaczył na swoim krześle Mavis. Różową damę. Przywołała go do siebie, po czym znów przeprosiła, że nie może mu powiedzieć nic nowego o stanie Stelli. Wiedziała tylko, że kapelan szpitalny był przy niej, gdy przywieziono ją w karetce. Otrzymała sakrament chorych. A może przyjęła wiatyk? Mavis wyjaśniła, że nie jest rzymską katoliczką i błagała o wybaczenie za brak rozeznania w nomenklaturze. Kojarzyła jeszcze jeden termin „ostatnie namaszczenie". Brzmiał zdecydowanie prościej. Należało jednak pamiętać, że wedle słów jej przyjaciółki katoliczki ostatnie namaszczenie można przyjąć wielokrotnie. Wcale nie musi zwiastować rychłej śmierci. Gerry powiedział, że w tym wypadku użyłby samego słowa „namaszczona": Stella została namaszczona. Wzruszył ramionami i dodał, że nie ma to już dla niego żadnego znaczenia. Był niepraktykujący. Niewierzący. Liczyła się tylko Stella. Mavis zapytała go, czy chce zobaczyć syna. Mało brakowało, a powiedziałby, że przecież nie ma dzieci – że z kimś go pomyliła, zaszło nieporozumienie.

Pozwolił, by jej różowy kombinezon prowadził go kolejnym korytarzem do kolejnego pokoju, który nazwała tymczasową salą dla niemowląt. Powiedziała, że z dzieckiem wszystko dobrze. Lekarze uznali, że Gerry może chcieć je zobaczyć, zanim trafi do sali głównej. Drzwi skrzypnęły, gdy je otworzyła. Pomieszczenie wyglądało jak krzyżówka biura i sklepu. Na półkach, obok złożonej pościeli, stały czarne segregatory. Na biurku znajdowała się maszyna do pisania, a pod ścianami szare szafki kartotekowe i składane krzesła. Kobieta w różu wskazała stojący obok biurka kosz do noszenia dziecka. Gerry podszedł bliżej i zajrzał od góry, by nie przeszkadzały mu jego wysokie ścianki. Jezu – w środku leżał niemowlak. Niezbyt piękny, lecz ewidentnie i niewątpliwie chłopiec. Z twarzą podobną do zaciśniętej pięści. Pogrążony we śnie. Z zamkniętymi oczami. Opatulony białym prześcieradłem. Rzadkie włoski miał wilgotne, maleńką rączkę trzymał przy uchu. Cudem ocalony. Gerry spytał Mavis, czy może go dotknąć. „Czemu nie? Jest pana", odparła. Sięgnął i pogładził policzek dziecka zewnętrzną stroną palca. Poczuł ciepło. Następnie musnął drobną buzię dziecka opuszkami. Delikatnie, by nie przerwać snu. Mavis zdawała się czytać Gerry'emu w myślach.

– Spokojnie. Nie obudzi go pan. Dużo dziś przeszedł. Czy nie jest piękny? Kapłan już go ochrzcił. Na wszelki wypadek.

Skóra dziecka była czysta, nieskazitelna. To po matce. Gerry zdał sobie sprawę, że składa milczącą przysięgę. Jesteś mój i będę cię kochał aż do śmierci. Musnął ustami opuszki palców i przeniósł pocałunek na twarz dziecka. Powoli, by się po drodze nie zsunął.

Wnętrze kościoła na terenie Begijnhofu wypełniał zapach zgaszonych świec. W powietrzu unosiła się siwa mgiełka. Panowała cisza, Gerry słyszał więc swój przyspieszony oddech. Ostatnimi czasy nawet niewielki pośpiech częściowo pozbawiał go tchu. Reflektory wyłączono, jedynym źródłem światła były więc wąskie okna. A potem wreszcie ją zobaczył – Stella czytała ze spuszczonym wzrokiem, a blask rozjaśniał czubek jej głowy. Gerry'ego wciąż zaskakiwał dreszczyk emocji, który czuł na jej widok. Szczególnie gdy nie wiedziała, że na nią patrzy.

– Hej – powiedział.

– Hej... – podniosła na niego wzrok.

– Jak było?

– Okropnie dużo śpiewania. – Uśmiechnęła się i przywołała go gestem. – Chcę ci coś pokazać. Mały cud w cudownym kościele. – Była wyzywająco tajemnicza. Miała przed sobą otwartą *Księgę na wasze modlitwy*. Zdawało się, że od ich ostatniej wizyty przybyło w niej kilka nowych stron.

– Musiałam czymś się zająć.

– Przepraszam za spóźnienie.

– Spójrz, co znalazłam.

Gerry powiódł wzrokiem za jej palcem. Wskazywała charakterystyczne, zamaszyste pismo smutnej Amerykanki. Pochylił się i zaczął czytać.

Dziękuję, Panie, za Twoją hojność. Odbudowałeś naszą rodzinę. Ojciec mojego dziecka i ja znów jesteśmy razem. Ty jeden wiesz, na jak długo. On nie wierzy, ale jest dobry, a ja szczęśliwa. Wybacz, że w Ciebie wątpiłam.

– Czy to nie wspaniale? – spytała Stella.

Po poniedziałkowym śniadaniu Stella poszła na umówione spotkanie, a Gerry wrócił do pokoju. Stał tam przez dłuższą chwilę, trzymając dłonie w kieszeniach spodni. Poprosiła go, by zaczął pakować bagaże. Rozglądając się po pokoju, omijał wzrokiem znajdującą się na kredensie butelkę, wciąż owiniętą w torbę ze sklepu. W tej chwili nie było sensu pić. Nie warto zaczynać dnia od użalania się nad sobą. Czuł napięcie w żołądku. Ułożył pościel tak, że łóżko wyglądało na posłane, po czym rzucił walizkę na narzutę. Wieko uchyliło się leniwie. Gerry zgarnął torebkę foliową brudnych ubrań i wepchnął ją do środka. Piżamy – niezależnie od ich koloru – nie wymagały składania. Wrzucił je do walizki i przygładził ręką. Następnie sięgnął po bieliznę Stelli. Na samym dnie szafy znalazł apaszkę i kolorowy krawat. Były luźno owinięte kawałkiem bibuły – takiej samej, w jaką za czasów dzieciństwa Gerry'ego pakowano pomarańcze. Obok znalazł pocztówkę z obrazem Rembrandta *Stara kobieta czytająca książkę*. Odwrócił ją na drugą stronę i przeczytał treść. „Spędzamy kilka dni w Amsterdamie. Mam nadzieję, że spodobają wam się drobne podarki. Na obrazie jestem ja: zaniedbana i pogrążona w lekturze, podczas gdy Wasz ojciec siedzi w pubie. Mam nadzieję, że u Waszej trójki wszystko dobrze". Poniżej widniał podpis Stelli i – co go zaskoczyło – jego własny. *Całusy, Dziadek*. Nie pamiętał, by się podpisywał, niemal na pewno było to jednak jego pismo. Na biurku leżał długopis z nadrukiem Hotel Theo. Gerry pobazgrał jedną z broszurek, by go rozpisać, po czym dodał kilka słów do swojego pozdrowienia: *Całusy dla Toby'ego*.

Złożył i spakował wszystko, co zdołał znaleźć. Do walizki trafiła para butów na zmianę wypchanych po brzegi skarpetkami i majtkami. I kasztanowa kamizelka, której ani razu nie włożył. Ubrania Stelli wisiały na hotelowych wieszakach – powinna sama je spakować w sposób, który uzna za stosowny. Nie chciał być odpowiedzialny za ewentualne wygniecenia. Poszedł do łazienki, gdzie zebrał swoje leki, przybory do golenia i kosmetyczkę. Wrzucił wszystko do torby na ramię. Jeden z hotelowych szlafroków leżał rozłożony na krześle, Gerry powiesił go więc z powrotem na drzwiach łazienki. Spędził kiedyś kilka dni w hotelu w Zurychu, gdzie na każdym kroku umieszczano informacje, że koszt wszelkich brakujących przedmiotów zostanie odliczony od wynagrodzenia pokojówki. Co za draństwo! Przed opuszczeniem hotelu złożył nawet zażalenie. Nie werbalnie, lecz po tchórzowsku: napisał kilka słów na kartce hotelowego papieru listowego, a następnie wrzucił ją do skrzynki na uwagi.

Napełnił czajnik i zrobił sobie kawę. „Przelewówkę", jak ją nazywają Amerykanie. Następnie zebrał gazety, ulotki oraz broszurki i wyrzucił wszystkie do kosza. Ten sam los spotkał puste saszetki po kawie. Kolejne dywersje. Siedział, ostrożnie sącząc napój. Był bardzo gorący. I gorzki – Gerry nigdy nie słyszał o tej marce. Champion Coffee. Odpowiednik tyrone ekstra w świecie kawy. Zaczął wspominać dzień, w którym opuścili Irlandię, by popłynąć do krainy obcych akcentów. Wszystkie meble, jakie posiadali, znajdowały się pod pokładem promu, w bagażówce. Dopiero co przeżyli ze Stellą chwilę zażenowania, gdy wyniesiono je z domu na światło dzienne. Wiedzieli, że po przybyciu do

Szkocji sytuacja się powtórzy. O ile znowu będzie świeciło słońce... Ostrzegano ich, że zmierzają do miejsca, gdzie dni dobrej pogody rzadko chodzą parami, Stella i Gerry mieszkali jednak na północy i byli przyzwyczajeni do pluchy. Nowi sąsiedzi mieli już wkrótce zobaczyć ich wysłużone meble przez szpary między zasłonami. Wstyd ze wszystkich stron.

Kierowca bagażówki i jego wyrośnięty syn poszli coś zjeść. Cały poranek spędzili, pakując meble Gerry'ego i Stelli, a kiedy prom dopłynie na miejsce, zawiozą je do nowego domu. Prześpią się w furgonetce i rano wszystko wypakują. Firma nie była duża: ot, facet z synem i jego auto, które mogło zresztą być wypożyczone. Syn każdą wypowiedź kwitował w ten sam sposób. Niezależnie od tego, czy go o coś proszono – jak choćby o podniesienie skrzyni na herbatę wypełnionej w jednej trzeciej książkami – wskazywano mu drogę, czy pytano, ile chce cukru do herbaty. Zawsze odpowiadał: „Bułka z masłem, proszę pana".

Kiedy wrócili po skończonym posiłku, Stella poprosiła chłopaka, by zrobił im rodzinne zdjęcie. Całej trójce, gdy stali na pokładzie: Stella z dzieckiem w ramionach, Gerry tuż obok. Wzbudzany przez prom blady kilwater ciągnął się za ich plecami aż do samego Belfastu. Stado mew podążało za łodzią, dryfując na tle błękitnego nieba.

– Bułka z masłem – powiedział syn, oddając im aparat.

Był środek lipca. Podłogi pokrywała wilgoć, panował ogłuszający hałas. We wszystkich dostępnych na promie barach i strefach wypoczynkowych roiło się od Szkotów i oranżystów[*],

---

[*] Członkowie protestanckiej organizacji opowiadającej się m.in. za utrzymaniem przynależności Irlandii Północnej do Zjednoczonego Królestwa.

którzy wracali do Szkocji po paradzie 12 lipca. Całkiem opanowali miejsca, w których serwowano napoje, przez co podróżujące rodziny musiały tłoczyć się w strefach ciszy lub opalać na pokładzie. Dzieci, które nie rozumiały sytuacji, biegały po korytarzach i po schodach. Woda zalała podłogi w toaletach, a tu i tam widać było ślady świadczące o tym, że wiele osób już się pochorowało. Stella schowała aparat do torby i stwierdziła, że jeśli zdoła, wytrzyma z pójściem do łazienki do chwili, gdy znajdą się już w terminalu po szkockiej stronie granicy.

Gerry wpatrywał się w niknący powoli, szary kontur miasta. W niebo unosiła się czarna kolumna dymu; może to atak bombowy, może zwykły wypadek. Delikatny wiatr wiał z południa, rozpraszając dym, aż w końcu wydawało się, że nad całym tym zacofanym, bogobojnym miastem góruje mroczna aureola. Oto miasto, które narodziło się w konwulsjach sekciarskiej nienawiści. Jeden z ministrów w rządzie – ba, premier! – powiedział, że *nie zamierza* zatrudniać rzymskich katolików i namawiał swych popleczników, by szli za jego przykładem. Nowo powstały kraj był przez pięćdziesiąt lat rządzony – a były to rządy nierządu! – przez prawicową, niezmienną, protestancką większość, tuż pod nosem Brytyjczyków. A gdy Brytole postanowili wreszcie rozwiązać ten problem, rozwikłać węzeł, który przez stulecia zaciskali coraz mocniej i mocniej, okrutnie pokpili sprawę. Krwawa niedziela w Derry była jedynie echem wcześniejszych masakr dokonywanych przez Brytyjczyków w imię ratowania imperium, które zabarwiło mapę świata na czerwono.

Gerry rozdarł tubkę z cukrem i wsypał trochę do kawy, by stała się nieco mniej kwaśna. Odpowiedzialność za cały koszmar trzydziestoletniej wojny rozkładała się oczywiście po równo.

Które skrzydło IRA, który oddział lojalistycznych morderców, którego polityka czy kaznodzieję – a wielu było jednocześnie jednym i drugim – należało winić? Wyobraził sobie starca na łożu śmierci otoczonego przez rodzinę. „Zostawiam wam moją nienawiść wobec drugiej strony. Nigdy jej nie porzućcie. Trzymajcie ją blisko, tulcie niczym nóż do końca waszych dni, a gdy nadejdzie czas, przekażcie ją dalej".

Gdy rozeszli się po fotografii, Gerry zaczął myśleć, jak też zostaną przyjęci w Szkocji. Nie minęło przecież dużo czasu od brutalnego morderstwa trzech szkockich żołnierzy, z których żaden nie skończył dwudziestego roku życia. Byli braćmi; trzema wyrostkami, którzy po służbie postanowili napić się piwa w jednym z belfaskich pubów. Grupa dziewcząt skłoniła ich, by poszli na nieistniejącą imprezę, po czym zostali wywiezieni w odosobnione miejsce za miastem i rozstrzelani. Jeśli ceną za zjednoczenie Irlandii miał być kres ludzkiej przyzwoitości, Gerry nie chciał mieć z tym nic wspólnego. Krwawy piątek był jeszcze gorszy. Zabijano kogo popadnie. Niezależnie od poglądów i przekonań politycznych.

Tamtego dnia w porze lunchu Gerry był z jednym ze swoich przyjaciół architektów na uroczystości zawieszania wiechy na budynku wznoszonym przy Lisburn Road. Stanowił on część kompleksu zabudowań szpitala miejskiego. Dzień był ciepły, większość uczestników cieszyła się więc, że może spędzać go na dachu. Tłum stanowił nietypową mieszankę kasków ochronnych i żółtych kamizelek oraz kołnierzyków i krawatów. Jak zawsze w podobnych sytuacjach pojawiło się też kilka nazbyt wystrojonych kobiet. Pomiędzy zebranymi przemykali dziennikarze i fotografowie. Śmiechy nie milkły ani na chwilę. Rozbrzmiewały żarty, które opowiada się, gdy robotnicy spotykają kierowników i muszą

być dla nich uprzejmi. Stół przykryty białym obrusem z ada-
maszku zastawiono napojami oraz talerzami pełnymi orzeszków
i chipsów. Wokół rozciągał się widok na wzgórza Belfastu – Black
Mountain, Divis, Cave Hill. W powietrzu krążyło stado ptaków.
Gerry nie wiedział, jakiego są gatunku, od strony morza, Islandii
czy Norwegii mogło bowiem wpaść z wizytą dosłownie wszystko.
Przylecieć, rozejrzeć się i zniknąć. Może to czajki? Jego przyjaciel
też nie miał pojęcia. Podczas przemów Gerry obserwował, jak
ptaki oddalają się coraz bardziej, a potem skręcają, błyskając bielą
brzuchów spod ciemnych skrzydeł. Śledzenie ich lotu pozwalało
mu naprawdę poczuć ogrom otaczającej przestrzeni. Na tej samej
zasadzie człowiek, który obserwował ptaki z góry, uświadamiał
sobie, jak wysoko się znajduje. Zatoka – tam, gdzie było ją widać – odbijała błękit nieba. Gerry powiedział koledze, że ptaki
przypominają mu żaluzje weneckie: gdy ustawiają się bokiem, są
niemal niewidoczne.

Część budowlańców i architektów, którzy pracowali przy budynku, podpisywała się właśnie na pomalowanych na biało de-
skach, gdy wybuchła pierwsza z bomb. Huknęło. Ładunek był
wystarczająco blisko, by kilku mężczyzn w kaskach schyliło się
odruchowo. A mimo to, kiedy wszyscy zaczęli się rozglądać, nie
mogli dostrzec wokół niczego niezwykłego. Fotografowie patrzyli na wszystkie strony, ale nie unosili aparatów. Budowlańcy
nie wiedzieli, co robić, po chwili wrócili więc do podpisywania
desek. Nikt nie miał jednak wątpliwości, że doszło do wybuchu. Mieszkańcy Belfastu zdążyli się już do nich przyzwyczaić.
Mieli na to wiele lat. Silna eksplozja wprawia przeponę w drgania, wypełnia klatkę piersiową, wzburza żołądek i zatyka uszy.
Zebrani na dachu odczuwali więc wszystko inaczej, znajdowali

się bowiem wysoko ponad wybuchem. Wcześniej nie było słychać wozów strażackich ani karetek, co oznaczało, że bomba eksplodowała bez ostrzeżenia. Musieli zatem być ranni i zabici. Potem wybuchła kolejna – trudno powiedzieć, z której strony. Fale uderzeniowe nadchodziły zewsząd jednocześnie, skupiały się w klatce piersiowej i wypełniały płuca. Po kilku minutach eksplodował trzeci ładunek, tym razem gdzieś dalej od budynku. Nikt już nawet nie udawał, że trwa przyjęcie. Zebrani na dachu ludzie rozglądali się wokół, a Gerry zobaczył wreszcie białe kłęby dymu unoszące się u podnóża Cave Hill. Wskazał je koledze i obaj skupili na nich spojrzenie, a po chwili dotarł do nich kolejny huk. Usłyszeli go, byli jednak zbyt daleko, by poczuć drganie w piersiach. „O mój Boże", rzucił ktoś z zebranych. Wszyscy pobledli. Kobieta, która postanowiła włożyć na tę okazję białe rękawiczki, zakryła teraz usta i rozglądała się, czekając na kolejny wybuch. Kto to robi? Dlaczego? Co się dzieje?

Później dowiedzieli się, że Prowizoryczna Irlandzka Armia Republikańska zdetonowała tego dnia ponad dwadzieścia bomb, zabijając dziewięć osób i raniąc sto trzydzieści kolejnych. Stojąc na dachu, Gerry natychmiast pomyślał o Stelli. Trwały wakacje, wróciła więc na weekend do domu, do Dungiven. Dobrze – opuściła zagrożony teren. Z drugiej strony bomby mogły przecież być wszędzie. Wybuchła kolejna. W niebo wzbił się czarny słup dymu. Zebrani na dachu ludzie nie wiedzieli, co robić. Ustawili się na krawędzi budynku i patrzyli w dół na zalane światłem miasto, bojąc się wrócić na poziom gruntu. Kilka osób pytało, gdzie wybuchła ostatnia bomba. Na przystanku autobusowym? Na drodze Ormeau Road? Ktoś powiedział, że przy wieży zegarowej Albert Memorial Clock. Gerry pomyślał wtedy o przyjaciółce Stelli – pielęgniarce z oddziału ratunkowego, tej od dużych nożyczek. Czy miała teraz dyżur?

Zabrzmiały syreny karetek pogotowia. Niektóre były dalej, inne bliżej; ich jęczące głosy krzyżowały się i zlewały w jedno. Gerry dowiedział się później, że ludzie na ulicach płakali ze strachu. Mężczyzn, kobiety i dzieci gromadzono dla bezpieczeństwa w parkach publicznych. Z dala od budynków, od samochodów. Z dala od pułapek i potworności, które ktoś dla nich przyszykował.

Stella wyszła z hotelu i pokonała znajomą już trasę: przez pasaż, do ogrodu w Begijnhofie, a stamtąd do biura, gdzie musiała poczekać, aż kobieta w okularach skończy rozmowę telefoniczną po holendersku. Wsunęła dłoń do kieszeni, by sprawdzić, czy nadal ma wizytówkę, którą dostała podczas ostatniej wizyty. Jeszcze raz zerknęła na widniejące na niej nazwisko. Zastanawiała się, jak je wymówić.

Nie rozumiała słów w obcym języku, wiedziała jednak, że rozmowa dobiega końca. Powtórzenia, kiwanie głową. Kobieta odłożyła słuchawkę i uniosła wzrok – jej uśmiech był blady i pozbawiony ciepła. Stella wiedziała, że kobieta mówi po angielsku słabo albo wcale. Uśmiechnęła się i – nawet o tym nie myśląc – powiedziała: „Dzień dobry".

Położyła na biurku wizytówkę z nazwiskiem osoby, do której przyszła. Zwróciła ją w stronę kobiety. Tamta rzuciła okiem i pokręciła głową.

– Nie, nie, nie. – Wskazała rząd stojących pod ścianą krzeseł z czerwonego plastiku. – *Asseyez-vous.*

Stella zawahała się, zrobiła kilka kroków i posłusznie usiadła. Kobieta wydawała się zadowolona. Wróciła do swoich dokumentów. W powietrzu unosił się zapach środków do polerowania drewna. Spojrzała pod nogi i zobaczyła, że deski były oryginalne – a przynajmniej bardzo stare. Każda miała szerokość dłoni. Wypolerowano je na błysk. Miały piękny kolor.

Na ścianie za biurkiem wisiały oprawione, ozdobione czerwonymi pieczęciami dyplomy. Były zbyt daleko, by Stella mogła odczytać wydrukowane na nich słowa. Zresztą i tak nic by nie zrozumiała.

Poszła na uniwersytet jako jedyna dziewczyna ze szkoły pana Ryana. Kiedyś stanowiło to dla niej powód do dumy, teraz jednak nie miało już znaczenia. Zielona trawa w dniu uroczystości ukończenia studiów, togi, tuba z czerwonej tektury wypełniona dyplomem. Najlepiej zapamiętała z tamtej chwili to, jak bardzo ojciec był dumny, ale zarazem onieśmielony – nie chciał być na zdjęciach, ale nie potrafił obsługiwać aparatu, więc nie mógł sam ich robić. „Co mam nacisnąć?". Był robotnikiem rolnym. Miał dłonie twarde od pracy i zrogowaciałe paznokcie. Niewiele to teraz znaczyło. Dawne dzieje. Ojciec leży w grobie. Wspominała go w każdej ze swoich modlitw.

Nieznajomość obcego języka stanowi ogromną barierę. Kto nie rozumie, wychodzi na głupka. Nie, nie głupka – na idiotę. Może jedynie stać i gapić się jak idiota. Co za wstyd. Stella wiedziała, że nie jest głupia. Była dumna z tego, że nadal umiała odmówić *Zdrowaś Mario* w czterech językach. Po łacinie, francusku, irlandzku i oczywiście po angielsku.

– *Excusez-moi* – powiedziała. Wskazała na wizytówkę i uczyniła uniwersalny gest oznaczający brak zrozumienia: ręce rozłożone na boki, wargi wygięte w dół, ramiona w górę.

– *Parlez-vous français?* – spytała kobieta.

– *Un peu.*

– *Madame est très tard.* – Kobieta wskazała na słuchawkę i zrobiła gest, jakby rozmawiała z kimś przez telefon.

– *A quelle heure?* – Stella wskazała na zegarek.

Kobieta za biurkiem uniosła ramiona i rozłożyła ręce. Następnie wróciła do pracy. Stella nie ufała swojej znajomości francuskiego. Jej jedyną nauczycielką była pewna zakonnica z Omagh, po której widać było, że nigdy w życiu nie była we Francji. „Okno" wymawiało się po francusku fen-etr. „Być może" – pet-etr.

Chciała zapytać, kiedy dotrze tu kobieta, z którą się umówiła. Czy ma czas skoczyć w międzyczasie na zakupy? Czy tamta w ogóle dziś przyjdzie? Co konkretnie mówiła przez telefon?

Drzwi otworzyły się i do środka weszła nowa nieznajoma. Na oko po pięćdziesiątce. Brakowało jej płaszcza, ale wokół szyi miała zawiązany zielony wełniany szalik. W dłoni trzymała kopertę. Miała czarne włosy, nosiła stylowy spodnium. Podeszła do kobiety przy biurku i oddała jej kopertę; przywitały się, uśmiechnęły i wymieniły kilka słów po holendersku. Następnie obie spojrzały na Stellę, której kobieta w zielonym szaliku również posłała uśmiech. Rozmawiały dalej – pół na głos, pół szeptem – w wypełniającej biuro ciszy. Następnie nowo przybyła podeszła do Stelli.

– Cześć – rzuciła. – Jak się masz?

– Pochodzisz z Irlandii?

– Owszem – odparła kobieta.

– Skąd konkretnie?

– Z Waterfort. – Zajęła sąsiednie krzesło, spojrzała w stronę biurka i się uśmiechnęła. – Hennie nie bardzo mówi po angielsku. Czy mogę w czymś pomóc?

– Nie wiem, od czego zacząć – powiedziała Stella.

– Hennie prosiła, by przekazać, że kobieta, na którą czekasz, ma opóźnienie – nie wiem dlaczego – i jeszcze przez dłuższy czas jej nie będzie.

Zapanowała cisza.

– Nazywam się Kathleen Walsh. Jestem tu stażystką.

– Chciałam się czegoś dowiedzieć... Co powinien zrobić ktoś, kto chciałby... stać się częścią tej instytucji? Zamieszkać tu.

– Nie są to proste pytania. – Kathleen wstała i podeszła do kobiety przy biurku, z którą wymieniła kilka cichych zdań. Po chwili wróciła. – Najlepiej będzie, jeśli pójdziesz ze mną. Zrobię ci filiżankę herbaty – albo kawy, jeśli wolisz. Zobaczysz, gdzie mieszkam. Może do tego czasu zdąży już przyjść kobieta, na którą czekasz.

Stella wstała.

– Jesteś pewna? To bardzo uprzejme z twojej strony.

Uścisnęły sobie dłonie. Kathleen rzuciła Hennie przez ramię kilka słów po holendersku, prowadząc Stellę do drzwi.

– A ty, skąd pochodzisz? Akcent sugeruje, że z Północy.

– Z hrabstwa Derry. Z gminy, o której nikt nie słyszał. Z miasta, którego nikt nie zna. Dungiven.

Powoli szły ścieżką.

– Ogród jest piękny – powiedziała Stella. – Bardzo cichy.

– Znajduje się metr niżej od zewnętrznego świata. Wydaje się, że hałas po prostu przelatuje górą. Ale wszędzie jest przecież ciszej niż na Północy.

– Nie mieszkam już w Irlandii.

– A gdzie?

– W Glasgow.

Kathleen wskazała na angielski kościół reformowany oraz ukryty między budynkami kościół katolicki.

– Rozumiem, że jesteś katoliczką? – spytała Kathleen.

– Zgadza się. Byłam tu wczoraj na mszy.

– Wspaniale, że poza Irlandią możemy swobodnie zadawać takie pytania, prawda?

Stella przytaknęła z uśmiechem.

– Ojcowie miasta zakazali praktykowania katolicyzmu na początku siedemnastego stulecia. – Kathleen sięgnęła dłonią i dotknęła łokcia Stelli. – Wybacz, przewodniczce trudno prowadzić normalną rozmowę.

– Spokojnie. Doskonale ci idzie.

– Katolicy mogli uczęszczać na msze, ale nie publicznie. Omijali więc zakaz, spotykając się w domach.

– Bardziej kameralnie – podoba mi się. W latach sześćdziesiątych księża często odprawiali msze w prywatnych domach. Nawet w Irlandii Północnej.

– Urodziłam się w latach siedemdziesiątych.

– Och, przepraszam. Czasem się zapominam.

– To miejsce istnieje od czasów średniowiecza. Stanowiło wyspę – wyspę kobiet – na której to beginki nosiły spodnie.

Stella śmiała się i powoli kiwała głową. Kathleen mówiła dalej.

– Wszystko zaczęło się od kobiet, które chciały żyć same. Poświęcić się modlitwie i... wielu różnym sprawom. Czynić dobro bez składania ślubów. Tak powstały pierwsze beginaże. Ich mieszkanki nie były zakonnicami, bo gdyby tylko zechciały, w każdej chwili mogły wrócić do świata. I wyjść za mąż. Nie składały również ślubów ubóstwa – żadna z nich nie wyrzekła się majątku. Gdy którejś brakło pieniędzy, nie prosiła o zapomogę i nie przyjmowała jałmużny. Szukała pracy, by móc się utrzymać. Wiele z nich zostało nauczycielkami.

Stella przystanęła i spojrzała na ogrodzenie z kutego żelaza.

– Ogrody są wspaniale utrzymane – powiedziała. – Och! Przebiśniegi. Miałam wrażenie, że się w tym roku spóźniają. Ale zobaczyłam kilka z nich w dniu, gdy opuszczaliśmy Szkocję, by tu przylecieć. – Odchyliła głowę i wzięła głęboki oddech. – Co tak bosko pachnie?

Zauważyła pozbawiony liści krzew, z którego nagich gałązek bezpośrednio wyrastały różowe kwiaty.

– Czy to nie kalina?

Stella przyciągnęła gałąź i odetchnęła przez nos. Zmrużyła oczy z rozkoszy.

– Wspaniały zapach w samym środku zimy.

– Latem ogród staje się niewiarygodny. Szczególnie wieczorami, gdy pachną lewkonie.

– W domu mam jedynie ogródek przy ulicy. Metr czy dwa szerokości. Wzdłuż budynku.

Kathleen poprowadziła Stellę do drzwi.

– Tutaj właśnie mieszkam.

Przedpokój był wąski, a klatka schodowa przypominała raczej drabinę. Była niezwykle wysoka i wąska niczym lej.

– Schody do nieba – powiedziała Stella, gdy zaczęła się wspinać, chwytając dłonią poręcz linową. Na stopniach nie było wykładziny. Słyszała, jak skrzypią, gdy przenosiła na nie swój ciężar. Wspinaczka zdawała się trwać w nieskończoność.

– Dajesz radę? – spytała Kathleen.

– Musisz być w dobrej formie. Mieszkasz w orlim gnieździe.

– Można się przyzwyczaić. Gorzej, jeśli zamarzy ci się forte-pian. Wtedy trzeba go wciągnąć na linach. Od zewnątrz.

– Ja wybrałabym skrzypce.

Dłoń Stelli dotarła nareszcie do wieńczącego barierkę linową ozdobnego węzła.

– Podoba mi się. Bardzo bezpieczny system. I atrakcyjny wi-zualnie.

– Ten węzeł nazywa się „gałka bosmańska” – wyjaśniła Kathleen.

Stella dyszała ciężko, nadal trzymając się liny.

– Franciszkanie noszą w pasie sznury o trzech węzłach sym-bolizujących ubóstwo, czystość i posłuszeństwo. – Po każdym słowie brała kolejny wdech.

Kathleen poklepała ją po plecach.

– Wszystko w porządku?

– Tak. Jest dobrze.

Przeszła obok, otworzyła drzwi od mieszkania – które nie były zaryglowane – i wślizgnęła się do środka. Zaprosiła Stellę gestem dłoni.

– Pięknie tu.

– Styl minimalistyczny – powiedziała Kathleen. Przestrzeń była jasna, deski podłogowe polakierowane, a ściany pomalowa-ne na biało. We wnęce wisiał mały, czarny krzyż. W powietrzu unosił się ledwie wyczuwalny zapach kwiatów. Na jednym krań-cu kredensu stał kamienny wazon z żonkilami, a na drugim, przy oknie, przezroczyste naczynie pełne żółtych tulipanów.

– Wspięłyśmy się do światła – powiedziała Stella. – Skąd wzięłaś kwiaty?

– Ze sklepu.

– W styczniu?

– Jesteśmy w Amsterdamie.

– Oczywiście. Tulipany wyglądają perfekcyjnie. Jak z taśmy produkcyjnej.

Stella podeszła do okna i dotknęła jednego z kwiatów, jakby nie wierzyła, że jest prawdziwy. Wyjrzała w dół, na zieloną przestrzeń, na bezlistne czubki drzew, na otaczające plac budynki zwieńczone ceramiczną dachówką.

– Pięknie tu. Jak w innym świecie.

Za oknem zwisał przymocowany do nadproża karmnik dla ptaków pełen orzechów i ziaren. Stella odwróciła się i zaczęła przepraszać:

– Kiedy trafiam w takie miejsce, zaczynam węszyć jak pies na polowaniu. Robię się wścibska i zaglądam w każdy kąt.

– Śmiało. Mieszkanie nie jest okazałe, ale przynajmniej mogę powiedzieć, że należy do mnie.

– Straszydełko, panie, ale moja*.

– Pozwól nogom odpocząć i złap oddech.

– Nie jestem zdyszana – sapnęła Stella. – Raczej zmieszana.

Obie zaczęły się śmiać, gdy Stella na wpół padła, na wpół osunęła się na kremową, materiałową sofę. Kathleen podeszła i stanęła jej nad głową.

– Kawa czy herbata?

– Pora jest w sam raz na herbatę.

Kathleen odwróciła się i wyszła z pokoju. Stella rozglądała się ciekawie. Pomieszczenie przypominało jej wnętrze przyczepy

---

* W. Szekspir, *Jak wam się podoba*, tłum. L. Ulrich, Fundacja Nowoczesna Polska [na podst. wyd.:] G. Gebethner i Spółka, Kraków 1895.

kempingowej: było funkcjonalne i dobrze zagospodarowane, a przy tym eleganckie. Żywcem wyjęte z broszury.

Na brzegu sofy leżała rozpoczęta robótka – fragment tradycyjnego, irlandzkiego swetra; mieszanka ściegów warkoczowego i jeżynowego. Z wełny wystawały druty. Na każdej ze ścian wisiał obraz oprawiony w czarne ramy, które ostro odcinały się od białego tła. W pokoju znajdowała się pojedyncza półka z książkami, wśród których Stella rozpoznała Biblię i mszał rzymski. Oraz gruby słownik. I atlas, sądząc po wysokości. Nachyliła się i dojrzała jeszcze kilka zbiorów wierszy-modlitw Michela Quoista. Sama miała w domu tłumaczenie jego *Modlitw życia*. Wstała, by obejrzeć z bliska obrazy. Wszystkie poza jednym były reprodukcjami w formacie plakatu. Miró, Morandi, Mondrian – wszyscy na M, choć Kathleen pewnie nie zwróciła na to uwagi. Podobne prawidłowości zauważali jedynie miłośnicy krzyżówek. Wyjątek stanowiła niewielka ikona Chrystusa Pantokratora: oryginał, nie reprodukcja. Złota aureola odbijała wpadający przez okno blask i połyskiwała z cienia rzucanego przez ramę.

Stella odwróciła się i powoli przeszła do kuchni.

– Znów węszę jak ogar – powiedziała.

Kathleen wykładała na talerz herbatniki. Woda w czajniku zaczęła wrzeć.

– Moja kuchnia przypomina raczej kambuz.

Na ścianie nad zlewem znajdowała się deska z gwoździami, z których zwisały narzędzia: młotek, śrubokręty, szczypce, piłka do metalu i kilka innych. Każdy przedmiot był ostrożnie obrysowany czerwoną farbą.

– Dobrze zorganizowana deska – powiedziała Stella.

– Obrysy przypominają mi, żeby odwieszać wszystko na miejsce. Jeśli tego nie zrobię, słyszę zawodzenie pustych przestrzeni. Więc odwieszam. A pracy nie brakuje – te budynki są naprawdę stare i mają swoje dziwactwa. Jeśli upuścisz kulę wełny, będzie się toczyć, aż trafi na ścianę. Wszędzie problemy.

– Mogę jakoś pomóc?

– Jasne, wyrównaj podłogi.

Kathleen się zaśmiała, podniosła tacę i ruszyła do drugiego pokoju. Za oknem coś przemknęło – szybkie jak błyskawica.

– Spójrz tylko. – Odstawiła tacę i podeszła do framugi.

– Co to?

– Jemiołuszki – wskazała Kathleen. – Piękne, prawda?

Stella stała niemal na palcach, z rękoma splecionymi za plecami. Dostrzegła stado kolorowych ptaków, które przemierzały widoczną poniżej zieloną przestrzeń.

– Przyleciały wczoraj. Bywają lata, że wcale ich nie ma. Wielobarwni goście.

– Podobają mi się ich irokezy.

– I żółte piórka. Na pewno przyleciały szukać jagód. Szczególnie przyciągają je irgi. Uwielbiam ptaki, wiesz? – Niechętnie odwróciła się od okna i zaczęła nalewać herbatę. – Holendrzy nadali jemiołuszkom niezbyt fortunną nazwę. *Pestvogel**. W średniowieczu wierzono, że przynoszą zarazę.

– Twoim sąsiadom nie podobałoby się zatem, że montujesz karmniki.

– To fakt. – Kathleen podała Stelli porcelanowy kubek herbaty. – Mleko i cukier są tam.

---

* Nl. *pest* – dżuma, *vogel* – ptak.

– Dziękuję. To bardzo miłe z twojej strony. Widzę, że z otwartymi ramionami przyjmujesz wszelkie zguby i przybłędów.

– Nie ma o czym mówić. – Kathleen dosłodziła swoją herbatę i dolała mleka.

– Uwielbiam wizerunek wróbla, który przelatuje przez stodołę – powiedziała Stella.

– Który?

– Przedstawienie bezdomnego przybłędy w sztuce wikingów. Wróbel wlatuje do sali biesiadnej, gdy na zewnątrz szaleje burza. Wpada przez jedne drzwi, wypada przez drugie.

– I tyle?

– To alegoria całego życia.

– Na pewno nie całego.

– Eleganckie podsumowanie. Palenisko, jedzenie: wszystko to, co na świecie materialne, skończone... przemija tym szybciej, im jesteśmy starsi.

Obie zajęły się kubkami herbaty.

– Powiedz, co mogę dla ciebie zrobić – powiedziała Kathleen. – Jak mogę pomóc?

– Chciałam dowiedzieć się więcej o tym miejscu, o zakonie. Zapytać, jak się w nim żyje. Powiedziałam to kobiecie w biurze...

– Hennie.

– Tak. Nie wiem, czy mnie zrozumiała.

– Mleka?

– Nie, dziękuję. Piję sauté. – Stella uniosła kubek do ust i dmuchnęła na powierzchnię płynu. Wzięła łyk, przymykając oczy. – Czy trudno jest dołączyć do takiej organizacji?

– Czemu chciałabyś to zrobić?

– Byłam tu już trzydzieści lat temu. Podczas zjazdu nauczycieli. Ktoś opowiedział mi o beginkach. Byłam zaintrygowana... ale nic mnie wtedy nie nagliło.

– A co cię teraz nagli?

– Czas.

– Jak chcesz go wykorzystać?

– Chcę prowadzić bardziej wartościowe życie. Równocześnie uduchowione i pożyteczne. – Stella wzruszyła ramionami. – Jak możemy zmienić świat na lepsze? Trzeba podejmować choćby i najdrobniejsze wysiłki. Mimo to, co Kościół myśli o kobietach.

– Znałam kiedyś wspaniałą zakonnicę, która mówiła, że na ostatni sobór watykański przybyli jedynie biskupi, ale przewidywała, że na następny przyjadą już z żonami. A na jeszcze kolejny z mężami. – Stella zaczęła się śmiać. Kathleen rozsiadła się wygodniej i zaklaskała w dłonie. – Mamy więc na co czekać.

Uniosła tackę herbatników. Stella wzięła pełnoziarnisty.

– Kiedyś uwielbiałam robić z nich kanapki – powiedziała. – Ściskałam dwa herbatniki, aż masło wypływało przez ich małe dziurki.

– Szkoda, że na to nie wpadłam.

Ich śmiech powoli ucichł. Kathleen schrupała swoje ciastko, wytarła usta i powiedziała:

– Zdaję sobie sprawę, że nie przyszłaś tu dla żartu. Ile o nas wiesz?

– Niedużo. Trochę słyszałam. Trochę widziałam w internecie.

– Nasze korzenie sięgają dwunastego wieku, gdy *wszyscy* byli katolikami – nawet protestanci. Zaczęło się od grupy kobiet, które odmawiały modlitwy i pomagały chorym. Później postanowiły razem zamieszkać i stworzyć wspólnotę. Nie były zakonnicami – nie składały ślubów, a ich reguła była znacznie łagodniejsza od zakonnej. Zakaz wstępu dla mężczyzn pozostawał jednak nienaruszalny. Kobiety musiały być przygotowane na samotność, choć nie spędzały czasu w dziczy jak pustelniczki. Żyły z dnia na dzień. Zanurzone w codzienności.

– A teraz?

– Skończyło się. Religijna wspólnota zniknęła. Została po niej jednak plus minus setka mieszkań. Raz na długi czas jedno z nich się zwalnia, bo każdy musi kiedyś kopnąć w kalendarz. Wtedy pojawia się wakat.

– Co się stało z mniszkami?

– Ostatnia beginka w Begijnhofie zmarła w 1971 roku.

– Więc wszystko pomyliłam?

– Nie jestem pewna – odparła Kathleen. – Nie wiem, na co liczyłaś. – Zawahała się przez moment, po czym mówiła dalej. – Byłam zakonnicą w Irlandii, u sióstr miłosierdzia, ale odeszłam i trafiłam tu. W domu przejściowym jest mi lepiej.

Stella nie wiedziała, co powiedzieć. Milczenie trwało zbyt długo. Gdy stało się kłopotliwe, przemówiła.

– Dlaczego odeszłaś?

– O, to długa historia – uśmiechnęła się Kathleen.

Stella wiedziała, że nie należy brnąć dalej.

– A ta kobieta... ta, z którą mam się spotkać... czy jest...?

– Raczej agentką nieruchomości.

– Jakie kobiety tu mieszkają?

– Samotne, które na to stać. Przekrój nadzianej części społeczeństwa. Nadzianej na wysokie szpilki, choć tych akurat nie pojawia się tu zbyt wiele.

– A czym ty się zajmujesz?

– Uczę.

– Też to robiłam! Byłam Irlandką, która uczyła w Szkocji angielskiego.

– Ja jestem Irlandką, która uczy w Holandii religioznawstwa i matematyki. – Zaśmiały się w głos. – Szkoła znajduje się dziesięć minut drogi stąd. W poniedziałki pracuję z domu. Miałyśmy szczęście, że udało nam się spotkać.

– Chciałabym zapytać... – Stella zawiesiła głos. – Nadal praktykujesz?

– Jak najbardziej. Religia jest dla mnie bardzo ważna. Właśnie dlatego w ogóle tu przyjechałam. W Waterford uczyły mnie zakonnice i większość z nich nawet lubiłam, teraz jednak każda z nas sama odpowiada za swoją duchowość. Na miejscu jest kaplica, co ułatwia sprawę.

– A modlitwy?

– Zależy od ciebie – powiedziała Kathleen. Uśmiechnęła się. – Sama wybierasz głośność, długość i intensywność.

– Tutejsza wspólnota kobiet to wytwór mojej wyobraźni?

– Wspólnota jak najbardziej istnieje. Tworzy ją wiele wspaniałych osób. Aspekt religijny w dużej mierze jednak zanikł.

– Grzebień mi oklapł. Jak u starej jemiołuszki.

– Biedactwo. Kobiety nadal mogą tu żyć. Ale lista oczekujących jest długa.

– Jak długa?

– Mówimy o latach. Może nawet więcej niż pięciu. Gorzej niż w klubie golfowym. Aby się zgłosić, musisz być gotowa żyć w samotności. Mieć nie mniej niż trzydzieści i nie więcej niż sześćdziesiąt pięć lat... oraz wystarczające środki.

Stella przez dłuższą chwilę trawiła uzyskane informacje. Wreszcie zacisnęła usta, a cała jej twarz oklapła.

– To tyle. Jestem za stara.

– Nie masz chyba więcej niż sześćdziesiąt pięć lat? Wyglądasz o dekadę młodziej.

– W tej chwili na pewno się młodziej nie czuję. – Stella przez dłuższy czas nie wiedziała, co jeszcze powiedzieć. Potem zadała pytanie. – Czy gdzieś jest inne miejsce? Działające na podobnych zasadach?

– W Belgii jest ich kilka. W Brugii. Nie ma tam jednak sióstr, tylko budynki. Przejęli je benedyktyni. Dzicy lokatorzy w habitach.

– A coś w Wielkiej Brytanii?

– Nic mi o tym nie wiadomo.

– Anglojęzyczne beginki byłyby super. Polubiłam cię.

– Modlitwy nie wymagają tłumaczenia.

Stella się uśmiechnęła.

– Kolejny szkopuł: jestem mężatką.

– Masz dzieci?

– Synka, Michaela. Jest już mężczyzną. Mam też wnuka, Toby'ego. Mieszkają w Kanadzie.

– Odwiedzacie ich?

– Oczywiście. Wybraliśmy się, by zobaczyć Toby'ego, gdy miał ledwie roczek.

– Na pewno było wspaniale.

Stella przytaknęła.

– Gdyby znalazło się dla mnie miejsce – powiedziała – obeszłabym jakoś problem męża. Nasze małżeństwo i tak niemal już nie istnieje.

– Jesteś pewna?

– Czytałam niedawno, że starsze pary zaczynają się kłócić, gdy ich dzieci wylatują z gniazda. Mają zwyczajnie zbyt dużo wolnego czasu.

– Wszystko mówiłam całkiem nieoficjalnie. Może uda się jeszcze coś zdziałać. Pokonać niektóre przeszkody. Widzę, że dobrze przemyślałaś postanowienie.

– Owszem. Takie rzeczy zawsze odkładamy na później. Nikt ich nie dostrzega. Pielęgnujemy je tylko, gdy chodzimy na mszę. Stanowią tajemnicę. Gdy wróciłam do domu po mojej pierwszej wizycie w Amsterdamie, wybraliśmy się z mężem na wycieczkę samochodową. Dotarliśmy na obrzeża Glasgow, w rejon wzgórz Campsie Fells. Spontaniczny pomysł, pogoda była po prostu przepiękna, co w Szkocji nie zdarza się zbyt często. Mój mąż zasnął na trawie, a ja poszłam na spacer. Przy drodze zauważyłam mały, biały kościółek. Okazało się, że to siedziba niemieckiego zakonu żeńskiego. Wdałam się w rozmowę z jedną z sióstr, która wymieniała właśnie kwiaty przy ołtarzu. Powiedziała, że ich organizacja – Ruch Szensztacki, jeśli dobrze pamiętam – zrzesza zwykłych ludzi, którzy chcą we współczesnym świecie poświęcić życie wierze.

– Tak, tak. Słyszałam o nich.

– Powiedziałam jej, że właśnie wróciłam z Amsterdamu i opowiedziałam o waszym miejscu. Doskonale wiedziała, o czym mówię. Była równie czarująca co piękna. Myślę, że rozmawiałam z nią przez dobrą godzinę. Nigdy jej nie zapomnę. Gdy wróciłam, Gerry wciąż jeszcze spał. Wieczorem zobaczyliśmy, że poparzył się na słońcu. Konkretnie jedną stronę twarzy oraz stopy – przed zaśnięciem bezmyślnie zdjął buty i skarpetki.

Gdy smarowałam mu stopy kremem, czułam się jak Maria Magdalena.

Kathleen uniosła dzbanek i wskazała nim kubek Stelli.

– Nie, dziękuję. Na pewno masz dużo rzeczy do załatwienia. Nie musisz wysłuchiwać opowieści kogoś takiego jak ja.

Rozległ się dzwonek telefonu. Kathleen sięgnęła po komórkę, która leżała na kredensie.

– *Hallo, met Kathleen.* – Kiwała głową, słuchając głosu z drugiej strony. Potem się rozłączyła. – Astrid już jest.

Stella spojrzała na nią pytająco.

– Astrid Hoogendorp. Przyszła do biura.

– Jej wysokość. – Stella kiwnęła głową i wstała, by uścisnąć dłoń Kathleen. – Niezależnie od tego, jak sprawa się rozstrzygnie, wspaniale było cię poznać.

– Ciebie też.

Stella przytrzymała jej dłoń.

– Dotychczas zadawałam tylko pytania, ale... – Wreszcie zwolniła uścisk. – Bardzo łatwo się z tobą rozmawia. Chcę ci coś powiedzieć, zanim wyjdę. Coś, co pominęłam.

Kathleen zrobiła gest zapraszający Stellę, by usiadła z powrotem.

– Dziękuję.

Zaczęła, ale nie zaczęła. Słowa żyły jej w głowie, nie potrafiła jednak przełożyć ich na ruchy języka. Otworzyła i zamknęła usta. Spojrzała w oczy Kathleen, która czekała z uśmiechem na twarzy.

– O co chodzi? – spytała.

Stella wzięła oddech. Wiedziała, że był zbyt płytki na to, co miało nadejść.

– Nie znam cię... dawno temu spotkała mnie jednak pewna nieprzyjemność, wypadek. Złożyłam przysięgę... – Stella pozwoliła, by spojrzenie zsunęło się jej na dłonie. – Wiesz, jak wyraziste są ekstremalne przeżycia. Sprawiają, że coś dzieje się w mózgu. Zachodzą reakcje chemiczne. Takiej chwili nie da się do końca przetrawić. A ja nie zdołałam dotrzymać... mojej przysięgi.

Stella zamilkła, a milczenie zaczęło się wydłużać, aż wreszcie Kathleen spróbowała jej pomóc.

– Jaki wypadek?

– Byłam w ciąży.

Kathleen nawet nie mrugnęła, na jej twarzy pojawił się jednak wyraz zaskoczenia.

– Nie o taki wypadek chodzi – uśmiechnęła się Stella. Szybko jednak spoważniała. – Byliśmy już po ślubie. Nasze pierwsze wspólne lato. Byłam w bardzo zaawansowanej ciąży.

Kathleen patrzyła i czekała.

– Postrzelono mnie. W brzuch. Kiedy leżałam na ulicy, zaczęłam się modlić. Oszczędź dziecko w moim łonie, a poświęcę Ci resztę życia. Ale zawiodłam. A teraz, na starość, staram się spłacić dług. Ale...

– Jak do tego doszło? – Oczy Kathleen były szeroko otwarte, usta rozchylone.

– Belfast. Początek lat siedemdziesiątych. To wszystko. Ktoś urządził zasadzkę na kogoś innego. W każdym razie leżałam na chodniku. Jedyną modlitwą, jaką mogłam sobie przypomnieć, był akt żalu i skruchy. Nie zamierzałam jednak prosić o wybaczenie. Nie chciałam ratować siebie, tylko swoje dziecko. Nie wiedziałam nawet, czy jeszcze żyje. Potrzebowałam cudu.

Kathleen pokręciła głową. Najwyraźniej zabrakło jej słów.

– Nie wiedziałam, czy czuję wilgoć, bo się posikałam, odeszły mi wody, czy po prostu krwawię. Fizyczne doznania nie miały jednak znaczenia. Liczyło się tylko to, co sobie powtarzałam. Modlitwa. Targ, którego dobijałam. Panie, spraw, by moje dziecko przeżyło, a na zawsze będę twoją dłużniczką. I tak się właśnie stało.

Kathleen sięgnęła i objęła swymi dłońmi obie dłonie Stelli.

– Nigdy nie pisnęłam nikomu ani słówka o tym... przyrzeczeniu. Nawet mężowi. Nikomu. Wydawało się, że pocisk przeszedł przeze mnie na wylot. Wleciał i wyleciał.

– Bardzo ci współczuję. Co za koszmar.

– Prawdziwy cud. Chyba że moje maleństwo świadomie zrobiło unik. Lekarze orzekli tylko, że z powodu obrażeń nie będę mogła mieć więcej dzieci. Mój syn, Michael, jest jedynakiem.

Zamiast odpowiedzi Kathleen ścisnęła jej dłonie.

– Było o tym głośno we wszystkich irlandzkich gazetach. Nie podali mojego nazwiska, opisywali samo zdarzenie. *Postrzelono ciężarną kobietę* – bla, bla, bla, takie tam. Ale kiedy przeprowadziliśmy się do Szkocji, okazało się, że ludzie nic nie wiedzą. Wolałam, by tak zostało, bo każdy, kto się dowiadywał, nie chciał potem rozmawiać ze mną o niczym innym. Nie ukrywałam, co zaszło. Po prostu nie podejmowałam tematu.

– Jeśli jesteś zdenerwowana... jeśli chcesz, żebym zeszła z tobą na dół...

Stella westchnęła i zebrała się w sobie.

– Nie trzeba. Wszystko w porządku. To dawne dzieje. Jestem teraz zupełnie inną osobą.

Kathleen pomogła jej wstać, objęła ją i poklepała po zgarbionych plecach. Wyprostowały ramiona, by spojrzeć sobie w oczy i przytuliły się raz jeszcze. Potem Stella wyszła z mieszkania.

To Stella zauważyła pierwsze płatki śniegu, gdy wyszli z hotelu i ruszyli do taksówki. Były duże i wilgotne. Wysuwały się z mroku, by opaść na jej twarz i materiał płaszcza. Musiała wyminąć porzuconą bryłę lodu, która trwała na swoim miejscu niczym irytująca gula w gardle ulicy. Przysypana przez śnieg. Gerry przesunął ją podeszwą, by mogli wejść do taksówki.

– Ale wiatr! Czuję, że mógłby rozerwać nas na pół.

– Więcej – rzekł Gerry. – Mógłby rozerwać nas na troje.

Gdy pociąg wjechał na nieosłoniętą część torów, za oknami pojawiły się poziome smugi śniegu. Potem maszyna stanęła, a płatki stopiły się i spłynęły po szybie, zostawiając po sobie miniaturowe strumyki. Raz czy dwa razy Stella przyłapała Gerry'ego na tym, że się w nią wpatruje. Najwyraźniej bał się zapytać, jak poszło. Pociąg znowu ruszył i powoli przejechał nad jezdnią. W świetle latarni dostrzegli, że dachy samochodów zdążyły stać się zupełnie białe. Śnieg padał przez całą drogę na lotnisko.

Gerry ciągnął dużą walizkę, której kółka na zmianę stukotały i warczały, zależnie od zmieniającego się układu płytek podłogowych, przywodzących na myśl konstrukcję z klocków Lego.

Torbę miał zarzuconą na plecy i szedł pochylony, by zachować równowagę. Stella podążała za nim w niewielkiej odległości. Lotnisko było niemal opustoszałe.

Gerry zaczekał i pozwolił jej pierwszej wejść na ruchome schody. Stał za nią, gdy wjeżdżali na wyższy poziom. Trzymała jedną dłoń na czarnej, gumowej poręczy i wydawała się pogrążona w zadumie. Kiepsko radziła sobie w takich sytuacjach – Gerry miał znacznie lepszą koordynację ręka–oko, zwykle stawał więc za nią, na wypadek, gdyby się potknęła. A gdy zjeżdżali, stawał z przodu. Teraz, kiedy dotarli na górę, pozwoliła, by ją wyminął, wciąż patrzyła jednak na schody, które sunęły w górę, choć nikt z nich nie korzystał. Ich rytm był senny, hipnotyczny, uspokajający. Całkiem jakby obserwować ruch wahadła. Gerry – jak zawsze – pędził tymczasem do stanowiska odprawy niczym chart. Zerknął przez ramię, by zobaczyć, czemu przystanęła.

Kolejki były krótkie. Wkrótce zaczęli słyszeć znajome słowa i akcenty; dostrzegli ubrania, których styl rozpoznali. Spojrzeli na siebie i unieśli brwi na znak, że wiedzą, iż znów są wśród swoich. Gdy skończyli odprawę i pozbyli się dużych bagaży, Gerry powiedział, że chętnie by się napił.

Przy najbliższej sposobności Stella skręciła w lewo i weszła do miejsca, które przypominało brytyjski pub. Usiadła na kanapie. Gerry położył obok niej torbę na ramię.

– Weź mi wodę gazowaną – powiedziała.

Poszedł do baru i złożył zamówienie. Stella siedziała nieruchomo, całkowicie bezwiednie słuchając lecącej w tle muzyki. *Blowing in the Wind* przeszło płynnie w *All Shook Up*.

Gerry wrócił do stolika, pchnął w jej stronę butelkę wody i szklankę, a przed sobą postawił whiskey.

– Skąd wygrzebują te ramoty? – spytał. – Do takich piosenek tańczyliśmy we Fruithill, pięćdziesiąt lat temu.

Stella przyznała mu rację. Usiadł.

– A zatem. Jak poszło na spotkaniu?

– Nie chcę o tym mówić.

– Czemu?

– Bo poniosłam całkowitą klęskę.

– To znaczy?

– Jestem za stara – powiedziała. – Jeśli chcę poświęcić życie religii, będę musiała zrobić to we własnym zakresie.

– Przecież wszystko zaplanowałaś.

– Miałam pewien pomysł – powiedziała cicho. – Musiałam dowiedzieć się więcej.

Odchrząknęła i zaczęła opowiadać, a w jej głosie pobrzmiewało zdenerwowanie. Wyjaśniła, że zakon, którego szukała, dawno już nie istnieje. Przegapiła swoją szansę. Ostatnia beginka zmarła w latach siedemdziesiątych. Kobiety nadal przybywały tam, by wieść niezwykłe życie, ona jednak była już na to za stara. I tyle.

W tle rozbrzmiała kolejna piosenka. *I Saw Mommy Kissing Santa Claus* – nikt najwyraźniej nie przejmował się tym, że święta już dawno minęły. Może dlatego, że tekst był w obcym języku, co naturalnie pozbawiało go znaczenia. Piosenka mogła też lecieć z prywatnej kasety barmana. Śpiewał jakiś amerykański dzieciak o nosowym głosie.

– Myślisz, że damy radę odlecieć? – spytała Stella. Rozejrzała się w poszukiwaniu okna, ale nigdzie żadnego nie dostrzegła.

– Nie jest aż tak źle – odparł Gerry. – Pada najwyżej od godziny.

– Zdaje się, że mają tu podgrzewane pasy startowe – powiedziała Stella. – A twój siniak na brodzie znów zmienia kolor.

– Z jakiego na jaki?

– Z czarnego na fioletowy.

– A zieleń?

– Pojawi się znacznie później.

– Dzięki. I po co komu lustra?

Gerry uniósł dłoń i pogładził siniak niczym długą brodę.

– Pamiętasz chwilę, gdy załapałaś, o czym jest ta piosenka?

– Nie – odparła. – Choć muszę powiedzieć, że w moim domu rodzinnym była źródłem irytacji i zażenowania. – Wykrzywiła twarz. – Mama zawsze krzyczała „Wyłączcie to!", choć nie mieliśmy jeszcze pojęcia, czym jest cudzołóstwo.

– Ale przecież właśnie w tym rzecz – powiedział Gerry.

– W czym?

– Kobieta nikogo nie zdradza. To jej mąż.

– Święty Mikołaj?

– Tak. Przebrał się na Wigilię. Jak na okładce amerykańskiego pisma. Rozkłada prezenty pod choinką. Mąż i żona przeżywają wzruszający moment czułości. Całują się. A dziecko to dostrzega.

– Chyba się czerwienię. Nigdy o tym nie pomyślałam. Tak bardzo wierzyłam w Świętego Mikołaja.

– Poważnie? – zaśmiał się Gerry.

– Tak. Myślałam, że w piosence mowa o prawdziwym Mikołaju. – Wzięła łyk wody ze szklanki. – Ile mieliśmy wtedy lat?

– Bóg jeden wie. – Gerry dopił resztkę drinka. – Były wczesne lata pięćdziesiąte.

Poszedł do baru i zamówił następną dużą whiskey. Wrócił do Stelli i zaczął narzekać na lotniskowe ceny alkoholu. Podniósł torbę.

– Posłuchaj – powiedział. Potrząsnął bagażem, aż w jego wnętrzu coś zabulgotało. Stella potrząsnęła głową.

– Nic nie słyszę.

– To „przyjaciółka podróżnych". Źle oceniłem zapotrzebowanie. Przeliczyłem się.

– Nie pozwolą ci przenieść butelki przez kontrolę – powiedziała Stella.

Gerry wzruszył ramionami.

– Powinieneś był zapakować ją do walizki. Owinąć w piżamę noir. Teraz ją skonfiskują.

– Nie będą mieli okazji. – Gerry zerknął, by upewnić się, że barman obsługuje rodzinę, która dopiero co weszła do baru. Wyciągnął butelkę wciąż zawiniętą w torebkę ze strefy wolnocłowej i dolał sobie do szklanki porządną porcję alkoholu. – Nie pozwolę, by jakiś żołdak ciepnął ją do zlewu.

– Zamiast tego ciepniesz sobie całość do gardła?

– Owszem. Stałem kiedyś w kolejce za facetem, który stracił pełną butelkę wódki. Po prostu ją wylali. A następnie opróżnili cały słoik dżemu. Plum.

– Dżemu rzeczywiście szkoda. – Wskazała na torbę Gerry'ego. – Ile ci zostało?

– Kropelka na dnie.

Zacisnęła wargi. Niedobrze. Rzucił okiem w stronę baru. Barman w kamizelce skończył obsługiwać rodzinę, odwrócił się plecami do sali i ustawiał właśnie szklanki na półce. Gerry dźwignął się na nogi, poszedł do baru i poprosił o „aqua". Powtórzył prośbę dwa razy, aż barman litościwie dopytał, czy chodzi o wodę. Skinął głową. Barman odruchowo wrzucił do szklanki lód i napełnił ją z kranu. Gerry wolałby bez lodu, wiedział jednak, że wyświadczono mu przysługę, i to za darmo, nic więc nie powiedział. Wrócił, grzechocząc kostkami w szklance. Pod stolikiem, gdzie nie sięgał wzrok barmana, dolał sobie whiskey.

Stella stukała palcami do rytmu piosenki *Mr. Tambourine Man* Dylana, póki nie zastąpiła jej ABBA i *I Believe in Angels*. Gerry zacisnął torbę wokół szyjki butelki.

– Coś jest nie tak z moją wodą – powiedziała Stella. – Nie dam rady całej wypić.

– Nie znoszę gazowanej. Smakuje jak szampan dla biedaków. Albo sok ze śmietnika.

Barman spojrzał na Gerry'ego, który ukrył w dłoni szklankę.

– Puszczają te numery w całej Europie – powiedział. – Szczególnie tam, gdzie panował kiedyś komunizm.

– Muszą nadgonić – stwierdziła Stella. – Przegapili dobrych artystów, gdy byli na topie. Ich piosenki masz już wryte w mózg. A barman ma cię na oku.

– Nie lubi samoobsługi. Chodźmy.

Gerry dopił, umieścił torbę między kolanami i odkorkował flaszkę. Spróbował przelać wodę do środka. Kilka kostek lodu brzęknęło o wlot szyjki i z szelestem wpadło do torebki. Wstając od stolika Stella wychyliła się naprzód tak, że objęła spojrzeniem jej zawartość.

– Kropelka na dnie? – spytała. – Odkąd to dno ciągnie się do połowy butelki?

– Szperasz mi po bagażach?

– Daj spokój, Gerry.

– W hotelu byłem bardzo wstrzemięźliwy. Powinnaś być ze mnie dumna.

– Dlaczego w ogóle to robisz?

– Bo nie lubię pić samej whiskey. – Jego głos zadrżał ze zdenerwowania. Odwrócił się od Stelli, by dokończyć dzieła. – Woda sprawia, że całość tak kurewsko nie piecze.

Stella wstała, włożyła własną butelkę do torby i wyszła. Skoro Gerry był w takim nastroju, nie miała ochoty iść z nim do bramki, gdzie musieliby siedzieć sami lub w tłumie innych ludzi. Tutaj mogli spokojnie się rozdzielić.

– Najpierw znajdźmy bazę – powiedziała.

Szli, póki w jednym z korytarzy nie trafili na sześć pustych krzeseł – stal nierdzewna, wykończenia w czarnej skórze – ustawionych przy oknie, za którym panowała ciemność. Stella wybrała miejsce twarzą do szyby.

– Idealnie – stwierdziła.

Śnieżyca dalej szalała nad lotniskiem, a Stella wydawała się zahipnotyzowana jej nieprzebraną energią. Najwięcej dostrzec można było tam, gdzie jarzyły się aureole lamp i innych świateł – im bliższe, tym wyraźniej zarysowane. Lampy sodowe zabarwiały śnieg na żółto, zwykłe na błękitnobiało. Płatki burzyły się, wirowały i pędziły dalej. Z dala od źródeł blasku śnieżyca zdawała się zanikać. Zastępowała ją jedwabista, nieprzenikniona ciemność, a śnieg pojawiał się jedynie tuż przy samej szybie okna, które wychodziło na płytę lotniska. Najbliższe stateczniki, kadłuby i skośne skrzydła widać było nieźle, odleglejsze szybko stawały się niewyraźne i tonęły w mroku. Gdy burza brała wdech, wiatr ustawał, a tłuste płatki wspinały się po szybie w ciemności, osłonięte przed światem. Stella wybierała jedną konkretną śnieżynkę – zwykle niewielką – i obserwowała jej postępy. Unosiła się, płynęła w powietrzu, wirowała w górę, zsuwała się pomiędzy inne. Była niezdecydowana. Gdy znikała z jej pola widzenia, Stella wybierała kolejną i śledziła ją, trzymając kciuki, by zdołała przetrwać jak najdłużej. Gerry położył torbę na podłodze i usiadł kilka metrów dalej.

– Uwielbiam ten wiersz Hardy'ego – powiedziała Stella. – „Każda gałąź nim wielka, każda gałązka zgięta"*.

– Pod gołym niebem rzeczywiście wytrzymałby dziś tylko ktoś naprawdę hardy.

– Tak, ale jest przepięknie – odparła. – Śnieg na śniegu. Całkiem jak w kolędzie *Wśród mrocznej zimy*.

Usłyszała metaliczny pisk, gdy Gerry odkręcił butelkę. Następnie cichy chlupot, kiedy zaczął pić. Cmoknął ustami. Znów pisnęło – nakrętka wróciła na miejsce. Nie musiała się odwracać, by na niego spojrzeć; widziała jego odbicie w szybie, przed którą siedziała, czuła się więc jak detektyw obserwujący zdarzenia przez lustro weneckie. Znów skoncentrowała wzrok na ruchach śniegu. Na prędkości, z którą przemieszczały się kolejne białe płachty. Tym razem Gerry nie schował nawet butelki do torby. Trzymał ją w dłoni, nagą, odartą ze sklepowej siatki.

– Ściągnąłem jej pończochy – obwieścił.

– Przeciekasz.

Zerknął na zebraną u jego stóp kałużę. Woda ciekła z siatki.

– To tylko stopiony lód.

– Uważaj, Gerry – ostrzegła. – Osobom pijanym mogą zakazać wstępu.

---

* Chodzi o wiersz *Snow in the Suburbs*, czyli *Śnieg na przedmieściach*.

– Kto?

– Linie lotnicze. Mają prawo zatrzymać cię przy bramce.

– A kto tu niby jest pijany? Po prostu nie znoszę marnotrawstwa.

– Może przejdźmy przez kontrolę bezpieczeństwa – powiedziała. – Miejmy to za sobą.

– A myślisz, że czemu tu siedzę i dopijam resztkę z dna butelki?

– Resztka wciąż się rozrasta.

– Bo dolałem wody. Postanowiłem wypić porcję strażników. Przejdziemy, gdy nie będą mogli mi już nic odebrać.

– Zrobisz sobie krzywdę.

– Akurat cię to obchodzi.

– Słucham?

– Słyszałaś.

Stella wpatrywała się w niego przez dłuższą chwilę.

– Co, gdybym wstała teraz i zwyczajnie cię zostawiła? Winiłbyś mnie?

Gerry potrząsnął głową.

– Nie.

– Szkoda, że się nie widzisz. Kiedyś byłeś dobry i wrażliwy. Co się stało? Został z ciebie jedynie apetyt.

– Kto nie marnuje, temu nie brakuje. – Niezdarnie przysunął się do niej po krzesłach. Próbował ująć jej dłoń, ale wyszarpnęła ją i wstała.

– Idę na spacer.

– Kiedy mówisz takie rzeczy... – mruknął – zaczynam się bać.

Stella wsunęła ramię w rączkę skórzanej torby i ruszyła, jakby była spóźniona do pracy. Gerry przekraczał czasem wszelkie granice. Daleko z przodu zobaczyła światła meleksa, którego sygnał ostrzegawczy brzmiał jak okrzyki derkacza. Stał się głośniejszy, gdy pojazd podjechał bliżej. Jego koła bezszelestnie toczyły się po posadzce. Kierowcą był sikh w turbanie i granatowym mundurze. Stella spojrzała na pasażerów. Czworo starszych państwa z laskami w dłoniach – dwóch łysych mężczyzn i dwie siwe kobiety świeżo po przedwyjazdowej wizycie u fryzjera. Wszyscy zdawali się lekko zażenowani tym, że zwracają na siebie uwagę reszty podróżnych. Nie jest z nami jeszcze tak źle, pomyślała Stella. Pozostajemy samobieżni. Chodzimy o własnych siłach, na własnych nożyskach. Spojrzała na oznaczenia i ruszyła w stronę symbolu WC.

Zaskoczyło ją, że w damskiej toalecie zdołała znaleźć pustą kabinę. Weszła do środka i zaryglowała drzwi. Wyciągnęła kawałek papieru toaletowego z ogromnego pojemnika, wytarła deskę, przygotowała się i usiadła. Oparła łokcie na kolanach, a twarz schowała w dłoniach. Po chwili zaczęła łkać. Niższej jakości łzy padały jej na policzki. Płakała cicho, bo nie chciała, by inne kobiety usłyszały ją i zaczęły pytać, czy mogą jakoś pomóc. Bo oczywiście nie mogły. Musiała być naprawdę głupia, by sformułować właśnie takie marzenie. Marzenie, które ewidentnie miało pozostać niespełnione. Powinna mieć więcej rozsądku. W jej wieku. Próba spłacenia duchowego długu spełzła na niczym. Stella wiedziała, że jeśli zamierza zmienić świat na lepsze, nie traktując przy tym nikogo z góry, musi zacząć od samej siebie. Stać się naczyniem na miłość, przyjmować ją jednak z pokorą niczym niezasłużony dar. Przypomniała sobie wiersz Raymonda Carvera *Późny fragment*. Carver też miał problem z alkoholem, przed śmiercią zdołał jednak pokonać uzależnienie.

Krótki wiersz zaczynał się od pytania: „Czy życie dało ci, czego chciałeś, mimo wszystko?". Kiwnięcie głową, tak. A co konkretnie? „Mogłem powiedzieć, że jestem kochany. Czuć się kochany na tej ziemi". Stella nie pragnęła jednak miłości innej osoby, lecz znacznie większego bytu. Jednocześnie chciała być skromna – mimo że co rano nakładała subtelny makijaż. Drobne przyzwyczajenie, którego trudno byłoby jej się pozbyć. Odrobina akwareli. Jej marzenie rozpadło się w pył. Kobieta, z którą spotkała się tamtego ranka – szefowa Astrid Hoogendorp – była bezpośrednia i mówiła przyzwoicie po angielsku. W całej rozciągłości potwierdziła wersję wydarzeń przedstawioną przez Kathleen. Wyglądało na to, że zakon przestał istnieć. Istniała za to społeczność niezależnych kobiet, które prowadziły pożyteczne i szczęśliwe życia. Ale. Ale. Ale wiek Stelli stanowił problem. Była za stara. Nie na religijność, ale na to, by stać się częścią ich organizacji. Przygryzła wargę. Nie pisnęła słówkiem o tym, co spotkało ją w Belfaście. Sprawa była zbyt skomplikowana, a Astrid nie miała w sobie ciepła Kathleen. Spojrzała na Stellę znad okularów i zrobiła współczującą minę. Chciała wyjaśnić, że ich reguły nie wzięły się znikąd. Stella kiwnęła głową. Nie warto było czekać, aż zwolni się mieszkanie. Mówiąc łagodnie, nie miała szans tego dożyć. Czuła zresztą, że może umrzeć w każdej chwili, nawet w trakcie trwania rozmowy. Opuściła ją cała nadzieja. Astrid patrzyła na nią z sympatią, Stella czuła się jednak jak uczennica, której udzielano reprymendy. Marnujesz mój czas, a twój sweterek ma dziurę na łokciu. W dzisiejszych czasach, tłumaczyła Astrid, transakcja dotyczyła nieruchomości, a nie duchowości. Stella drgnęła na słowo „nieruchomość". Czy naprawdę aż tak wiele kobiet było w podobnej sytuacji jak ona?

Wdowy, ofiary przemocy, kobiety potrzebujące własnego pokoju, pragnące odnaleźć w życiu powagę i pobożność, chcące oddalić się od świata w imię świętości. Stella zamierzała poświęcić życie regułom wiary katolickiej. Właśnie z nich czerpała przecież swoją dobroć i poczucie sprawiedliwości. No i pokorę, nie zapominajmy o pokorze. Katolicyzm był dla niej źródłem duchowych komórek macierzystych. Mogły zmienić się we wszystko, czego potrzebowała akurat jej dusza. Oferowały pomoc w radzeniu sobie z trudnościami, takimi jak to, że duchowieństwo stało się wylęgarnią potworów, prawicowych despotów i dewiantów seksualnych. Był przecież taki czas, gdy zdawało się, że w zorganizowanych instytucjach dziećmi opiekują się wyłącznie pedofile w koloratkach. A ich szefowie, ci w grubszych koloratkach, zamiatali wszystko pod dywan, by ratować twarz Matki Kościoła. Stella zawsze uważała zaś Kościół za wspaniałą, dobrą organizację. Gdy była dzieckiem, rodzice zaszczepili jej łagodną uległość, umiejętność przyjmowania i przekazywania innym miłości. Pragnęła Kościoła, który byłby racjonalny, życzliwy, kochający, zrytualizowany i skupiony na Chrystusie. Który w końcu dopuściłby kobiety do kapłaństwa, choć wiedziała, że za jej życia z pewnością się to nie stanie. Kościoła, który nie będzie się wtrącał i zaglądał ludziom do łóżek – nic, czego dokonywano za obopólną zgodą, nie mogło przecież być grzechem. Stella pragnęła religii opartej na modlitwie, zawierającej w sobie satysfakcjonujące, piękne rytuały – jak choćby obchody Wielkanocy. Wiary, która przejmuje się i działa dla dobra ludzi; religii wartości, zawsze gotowej pomóc; takiej, która każdego dnia na tysiąc sposobów próbuje zaspokoić potrzeby innych. Jej własna wiara nie wypływała z głowy, lecz z serca pełnego humanitaryzmu.

Teraz zaś sama istota rzeczy, o których marzyła, obróciła się wniwecz.

* * *

Porzucenie Gerry'ego wydawało jej się czymś absolutnie niemożliwym. Wszystko musiało przecież zostać po staremu. Czy w ich wieku nie było już za późno na zmianę całego życia? Znała wiele osób, które zdecydowały się na rozstanie – i to takich, które jej zdaniem doskonale do siebie pasowały. Myślenie życzeniowe. Nie da się poznać prawdy o związku, przyglądając mu się z zewnątrz, choćby przez dzień czy dwa. Raz poszła nawet – z poczucia lojalności wobec obojga byłych partnerów – na imprezę z okazji separacji. Ich dorosłe już dzieci roznosiły chipsy i orzeszki oraz uzupełniały kieliszki, a wszyscy wokół prowadzili nerwowe rozmowy. Swobodnie czuła się jedynie para świeżych rozwodników – gości paraliżował lęk, że powiedzą coś niewłaściwego. Przynajmniej dopóki do głosu nie doszedł alkohol.

Gdzie będzie mieszkać? I gdzie zamieszka Gerry? Jak ma o wszystkim powiedzieć ich synowi? Niegdyś przeszkody te zdawały się nie do pokonania. Teraz, gdy na szalę trafił również problem picia, wszystko stało się możliwe. Stella nie zdołała dołączyć do wybranej wspólnoty, nadal mogła jednak zamieszkać sama. Można było sprzedać lokal w kamienicy i kupić dwa małe, urocze mieszkanka. Jej – koniecznie z ogrodem. A Gerry musiałby pozbyć się wszystkich książek i płyt CD i zacząć samemu przygotowywać sobie kolacje. Może powinien znaleźć mieszkanie w okolicy sklepu Marks & Spencer. Zdała sobie sprawę, że znów to robi – organizuje wszystko za niego. Próbuje się nim opiekować.

Pociągnęła nosem i zauważyła, że już nie płacze. Warto wykorzystać papier toaletowy, skoro jest pod ręką. Oderwała kolejny kawałek i wydmuchała nos, po czym się zaniepokoiła, że jednocześnie płacząc i sikając, może się odwodnić. Myśl wzbudziła uśmiech. Należało doliczyć jeszcze smarkanie nosa. Kolejny przeciek. Ostatni raz płakała, gdy była z Gerrym na pasterce. Wystarczy: jeśli weźmie więcej papieru, będzie musiała sięgnąć po zapasową rolkę. Syndrom suchych oczu nie oznaczał wcale, że łzy przestawały ciec. Nie spełniały jednak swojej funkcji ze względu na niewłaściwy skład. Niski stopień nawilżenia – powiedział lekarz. – Zła proporcja wody, tłuszczów i śluzu. Są o połowę zbyt wodniste.

Gdy zerknęła w dół, zauważyła, że ma na udach okrągłe, czerwone ślady. Przypominały rumiane policzki szmacianej lalki: doskonale okrągłe, doskonale rumiane. Przez chwilę zastanawiała się, jaką złapała chorobę. Tu, w obcym kraju. Zauważyła też, że jej uda są bardzo chude. Potem dotarło do niej, skąd wzięły się ślady – sama odcisnęła je łokciami, gdy łkała z twarzą w dłoniach.

Niesamowite. Jeszcze przed chwilą płakała, bo okazało się, że jest na coś za stara, a jednak wciąż przypominały jej się fakty z dzieciństwa. W domu nadal trzymała kartonową tubę z dyplomem na zakończenie pierwszego cyklu szkoły średniej. Sekcję „przedmioty zdane z wyróżnieniem" wypełniono po brzegi. Na Boga, przecież była już emerytką! Czemu całe jej życie było tak ubite i skompresowane? W jednym z albumów ze zdjęciami trzymała kartę urodzenia Małego Gilmore'a, na której podano jego wagę w funtach i uncjach. Miała też jego opaskę identyfikacyjną. Jedna szybka myśl potrafiła przenieść Stellę sześćdziesiąt lat wstecz, w jej pamięci istniały jednak ogromne luki. Okresy, z których nie zostało absolutnie nic. Dokąd uciekały wspomnienia? Miała nadzieję, że nie poderwą się któregoś dnia do lotu – wszystkie jednocześnie niczym gołębie na placu, zostawiając ją samą, opuszczoną i zdziecinniałą. Liczyła, że klaśnięcie przeżytych lat nie spłoszy myśli; nie sprawi, że rozpłyną się w powietrzu. Widziała, co spotkało na starość jej matkę i babcię. Między innymi dlatego regularnie rozwiązywała krzyżówki. Uprawiała gimnastykę mózgu, bo takie problemy były chyba dziedziczne. Cóż to za pomysł: uniknąć w życiu wszystkich poważnych chorób tylko po to, by na koniec zapomnieć, kim się było, i siedzieć, gapiąc się w ścianę. Wyminąć slalomem wszelkie przeszkody, a i tak skończyć w zamieci. Potem gaśnie światło. A potem nie zostaje nic. Jedynie brak czegokolwiek. Gerry był do tego na najlepszej drodze: zapominał nie tylko słowa, ale także przebieg całych rozmów. Wielokrotnie pytał, „co będziemy dziś jeść?", a ona za każdym razem mu odpowiadała. Ale i tak zapominał. Zatracał się w tym, co akurat robił, i wylatywało mu z głowy, że mieli na przykład pójść na bankiet do ratusza. Gdy Stella pojawiała się w drzwiach jego gabinetu, odstawiona, w najlepszym płaszczu, podnosił wzrok znad książki niczym przerażone zwierzę przydybane przy wodopoju. Wśród innych architektów przechadzał się później niedogolony i niechlujnie ubrany, z łupieżem na kołnierzu granatowego płaszcza.

– Masz szczęście, że siwa szczecina na brodzie jest teraz modna – szeptała mu do ucha. – Choć ja osobiście za nią nie przepadam.

Gdy byli na imprezach branżowych, nie zwracała uwagi, ile Gerry pije. Zawsze zachowywał się jednak dość odpowiedzialnie.

Wiedział, że nie może zhańbić się bełkotem lub utratą równowagi. Musiała przyznać: przez te wszystkie lata rzadko widziała go pijanego. Spędził całe życie na spotkaniach towarzyskich, doskonale wiedział więc, jak postępować. Jadł tyle tartinek, ile mógł, by wchłonęły alkohol. Co pewien czas wypijał szklankę wody, która pozwalała mu przepłukać organizm, i uważał z czerwonym winem, chyba że było akurat naprawdę dobre. Stella piła niewiele, potrafiła jednak rozpoznać dobre wino, gdy już zdarzyło jej się na nie trafić. Choć raczej nie na imprezach organizowanych przez miasto. A jeśli się napiła, nie znosiła granatowej mazi, którą wypluwała później podczas wieczornego mycia zębów. Gerry przyznał kiedyś, na rauszu, że czuje się dobrze tylko, gdy w domu jest butelka jamesona. „Na wypadek, gdybym nabrał ochoty". Potrzebował takiego zabezpieczenia. Dlatego, kiedy wyjeżdżali, musiał zadbać o „towarzyszkę podróżnych".

Co to właściwie miało być – przegląd całego życia na desce klozetowej? Powołanie, któremu Stella postanowiła poświęcić życie, było początkowo jedynie jedną z możliwości; tematem do zbadania. Tymczasem szła na skróty, wybiegała myślą naprzód, modliła się i snuła marzenia, a wszystko po to, by jej próba odnalezienia w życiu nowego sensu ostatecznie zakończyła się niepowodzeniem. Jej położenie nie zmieniło się ani o włos, odkąd trzy dni temu opuściła mieszkanie. A może cztery dni temu? Dzisiejsza rozmowa przekreśliła wszystkie jej plany. Jeśli życie z Gerrym nadal miało toczyć się w oparach alkoholu, musiała znaleźć dla siebie inne miejsce. Nowe schronienie. Szpula zadudniła, gdy Stella wyciągnęła jeszcze kawałek papieru toaletowego i znów wydmuchała nos. Następnie wrzuciła papier do toalety. Wstała z westchnieniem. Upewniła się, że wygląda przyzwoicie, rozejrzała się po kabinie i nacisnęła spłuczkę drobnym gestem dłoni. Poczuła, że powoli wraca do rzeczywistości. Otaczały ją dźwięki płynącej wody, trzaskania i ryglowania drzwi, odkręcanych kranów oraz ryki suszarek do rąk.

Po odejściu Stelli, Gerry odchylił głowę i wbił spojrzenie w ogromny sufit. Wydawała się zirytowana, co było zupełnie nie w jej stylu. Lotnisko to kolejna poczekalnia, nic więcej. Choć tym razem okoliczności były zdecydowanie inne. Ile czasu minęło od wypadku? Odpowiedzią był wiek Michaela: czterdzieści dwa lata temu Gerry spędził większość dnia i całą noc w poczekalni szpitalnej w Belfaście. Ze ściśniętym żołądkiem. Ile papierosów musiał wypalić, by napięcie odpuściło? Zapalił kolejnego i zmiął pustą paczkę. Poszedł wyrzucić ją do kosza, po czym wrócił na miejsce. Powiedział Mavis, różowej damie, że idzie do szpitalnego sklepiku. Odparła, że może go wyręczyć i spytała, czego sobie życzy. O tym właśnie rozmawiali, gdy oddziałowa przekazała Gerry'emu wiadomość, że za jakąś godzinę będzie mógł odwiedzić żonę na intensywnej terapii. Wizyta musiała być krótka – najwyżej kilka minut. Oddziałowa poleciła Mavis, by we właściwym czasie zaprowadziła pana Gilmore'a na miejsce.

Mavis zabrała go do sklepu. Kupił paczkę papierosów Benson & Hedges. Jego osobista różowa dama taktownie została na korytarzu. Chodziła tam i z powrotem z dłońmi splecionymi za plecami, a Gerry pomyślał, że jest naprawdę troskliwą, łagodną osobą. Zerwał folię z opakowania i zapalił. Instynktownie zamierzał uśmiechnąć się do sprzedawczyni, jednak jego twarz nie zareagowała. Nagłówki w leżących obok gazetach nie miały nic wspólnego z nim i jego życiem. Ważkie zdarzenia dotyczyły całego społeczeństwa; tragedie były prywatne. Stał w miejscu, gapiąc się na asortyment kwiatów. Szeroki wybór w samym środku lata. Eksplozja barw. Goździki, które Stella bardzo lubiła. Białe i czerwone. Biorąc pod uwagę okoliczności, Gerry zdecydował się kupić całe mnóstwo białych i poprosił sprzedawczynię, by je zapakowała. Gdy skończyła, lada połyskiwała od kropel wody. Brązowy papier pakunkowy ciemniał od wilgoci. Gerry zapłacił, a sprzedawczyni przekazała mu kwiaty, dodając, że uwielbia ich zapach. Zapatrzył się na ich misterną konstrukcję i śnieżną biel. Zerknął na zegarek. Czas mijał bardzo powoli. Istniało zapewne wiele czynności, które należało wykonać przed przeniesieniem Stelli na oddział intensywnej terapii. Zauważył, że odkąd przybył do szpitala, jego nogi nie przestawały drżeć. Nie trzęsły się, ale gdzieś do ich wnętrza wkradł się ledwie zauważalny dygot. Wibrowały niczym kamertony, zależnie od tego, na którą akurat przeniósł ciężar ciała. Podskórne drżenie, jak gdyby wypełniał go przenikliwy chłód. Jak gdyby nogi mogły w każdej chwili się ugiąć, a Gerry nie musiałby nawet jechać do szpitala, bo już w nim przecież był. Biel goździków nie była brakiem koloru; tym, co pozostaje, gdy się kolor usunie. Była intensywna, wyrazista i nieskazitelna. Lśniąca biel – odbijająca światło. Gerry usłyszał słowa dziewczyny, uniósł bukiet do twarzy i wziął głęboki wdech nosem. Ledwie zdawał sobie sprawę, co robi. Powiedział, że owszem, są piękne – czy coś w tym stylu. Przypominały mu bukiecik, który miał w butonierce podczas ślubu.

Gdy wyszedł na korytarz, Mavis zrobiła smutną minę. Powiedziała, że kwiaty nie są mile widziane na oddziale intensywnej terapii. Zostawił papierosa w najbliższej popielniczce, a Mavis spojrzała na zegarek i stwierdziła, że równie dobrze mogą wrócić do poczekalni. Był to zegarek medyczny, przypięty do kołnierzyka, Gerry'emu nie chciało się jednak o niego pytać. Później wyjaśniła, że jest emerytowaną pielęgniarką. Pewnie właśnie dlatego miała tak nietypowy czasomierz. Gdy ofiarował jej bukiet, przyjęła go i przez dłuższą chwilę siedziała z kwiatami w ramionach. Obiecała znaleźć dla nich dobry dom. Przekazać je komuś, kogo naprawdę ucieszą. Gerry tymczasem chciał, by już się oddaliła, między innymi ze względu na woń goździków – miał wrażenie, że cała poczekalnia przesiąkła już ich słodyczą. Mavis zdawała się czytać mu w myślach. Zapytała, czy miałby coś przeciwko, gdyby poszła zająć się pewną nową sprawą, obiecując przy tym, że wróci na czas, by zaprowadzić go do właściwej sali. Gerry siedział ze wzrokiem wbitym we własne stopy. Nie mógł przestać słuchać tego, co się działo wokół. Zdecydowanie zbyt często zerkał na zegarek. Nie potrafił się powstrzymać.

Gdy Mavis w końcu wróciła, na szczęście nie miała już ze sobą kwiatów. Zaprowadziła Gerry'ego w stronę windy i nacisnęła przycisk. Czekali całą wieczność, a gdy nareszcie weszli do środka, wybrała odpowiednie piętro. Na wewnętrznej stronie drzwi widać było nabazgrane przez kogoś graffiti. Wraz z nimi jechały jeszcze dwie osoby, które ewidentnie były razem, nie zamieniły jednak ani słowa. Wysiadły na trzecim piętrze. W windzie nie było luster – szpital to nie hotel. Gerry chciał się modlić, ale nie mógł, bo już dawno stracił wiarę. Modlitwa była jedynie formą intensywnego wyrażania pragnień. Pragnął, by Stella przeżyła. By jej ciało nie było trwale uszkodzone. Drzwi się otworzyły, a gdy wyszedł z windy, poczuł, że odzyskał wolność i znów może odetchnąć. Jaki widok miał mu się za chwilę ukazać? Gdy dotarli na oddział intensywnej terapii, musieli umyć ręce. Środek czyszczący stygł i odparowywał. Gerry stał z rękoma za plecami, prawą dłonią obejmując lewy nadgarstek. Pielęgniarka podkreśliła, że jego odwiedziny muszą być krótkie. Była niemal opryskliwa – najwyżej minuta czy dwie. Powinien też pamiętać, że Stella dopiero wybudza się spod narkozy. Później będzie mógł porozmawiać z lekarzami.

Łóżko zdawało się duże i bardzo wysokie. Niczym ołtarz przykryty prześcieradłem chirurgicznym. Wokół pełno było rurek, monitorów, cewników i statywów do kroplówek. A w środku tego wszystkiego – jej twarz. Oczy zamknięte. Wymówił jej imię. Potem swoje na wypadek, gdyby nie rozpoznała go po głosie. Podszedł do brzegu łóżka i ujął jej dłoń. Do jej palców przymocowano coś, co przypominało spinacz do bielizny. Uścisnął jej dłoń najczulej jak potrafił.

– Kocham cię – powiedział.

Wstał i obserwował śnieg wirujący gdzieś za jego odbiciem w oknie. Musiało być oszklone podwójnie, bo widział dwa zachodzące na siebie obrazy. Dwoiło mu się w oczach, choć pijacy widzieli przecież podwójnie jedynie w kreskówkach. Próbował skoncentrować się na odbiciu guza, który miał na podbródku, zadanie utrudniały mu jednak chmury śniegu i błyskające światła samolotów. Guz był zresztą zbyt mały i miał nieodpowiedni kolor. Zanim trafili na pusty rząd krzeseł, przeszli obok apteki, gdzie na pewno znajdowało się lustro. Gerry przyjrzał się swemu odbiciu, gdy byli jeszcze w lobby, tuż przed wyjściem z hotelu, nie zarejestrował jednak koloru siniaka. Nie zamierzał jednak wracać teraz po własnych śladach tylko po to, by zobaczyć trochę czerni i fioletu. Musiałby targać dwa zestawy bagażu: swoją torbę i walizeczkę Stelli. Gdyby zostawił je bez nadzoru, z głośników od razu poleciałoby ostrzeżenie, a zanim by się obejrzeli, ich dobytek zostałby wysadzony w drobny mak. Usiadł z powrotem. Słyszał w głowie głos whiskey. Jej miły szept tuż przy uchu. Czuł się dobrze i rozłożył szeroko ręce. Tutejsze krzesła były biedną wersją dzieł Marcela Breuera. Stalowe rurki i czarna skóra. Przejechał po niej paznokciem i przyjrzał się wyżłobieniu, które niemal natychmiast zniknęło. Syntetyk. Wcale nie skóra. Na naturalnym materiale ślad byłoby widać dłużej. Całkiem jak na skórze starca.

Butelka nie była do końca pusta. Został jeszcze jeden, ostatni łyk, Gerry postanowił jednak odmówić sobie na razie tej przyjemności. Potem wspomniał płytę, którą kupił. Wygrzebał ją z torby na ramię. *Siedem ostatnich słów na krzyżu.* Połyskujący dysk patrzył na niego wyczekująco. Gerry wyciągnął go z pudełka, odwrócił na drugą stronę i przyjrzał się odbiciu swego siniaka. Wyglądał kiepsko, a sytuacja tylko się pogarszała. Stella poprawnie określiła kolor. Sam widział plamę o barwie ściętej krwi. Cóż za wykwintne danie – bakłażan z truskawkami. A gdzie krem angielski*? Kiedy właściwie siniaki żółkną? Ewidentnie później. Słodki sos był na deser. Gerry patrzył na swe odbicie w krążku CD, aż zdał sobie sprawę, że w samym jego centrum znajduje się dziura. Brak duszy. Dusza nie istnieje. Nie ma czegoś takiego. Wcisnął płytę z powrotem do pudełka

---

* Custard – sos na bazie mleka i żółtek, o żółtej barwie.

i wsunął je do torby. *Siedem krzyżówek do ostatniej.* Kurwa mać! – rzeczywiście był pijany, skoro mylił słowa. A może to kwestia wieku? Zaczynał dziecinnieć. Albo dziadzieć. Wyobraził sobie, że jego błąd był proroczy. Że Stella miała niedługo umrzeć i że zostało jej tylko siedem krzyżówek, zanim będzie mogła rozwiązać ostatnią w swoim życiu. Siedem krzyżówek do ostatniej. Powinien zapamiętać tę frazę i przedstawić ją Stelli. Może ją rozbawi. Udobrucha, ułagodzi. Zanim odeszła, rzuciła mu naprawdę okropne spojrzenie.

„Krzyżowanie słów" mogło też oznaczać kłótnię. Potrzebnych byłoby zatem siedem słów wypowiedzianych w złości. W dzieciństwie, w drodze do szkoły, widywał w oknie warsztatu szewca zasilaną prądem marionetkę. Dzień w dzień niezmordowanie biła młotkiem w kopyto szewskie. Gerry z czasem zaczął jej nienawidzić. Pac – pac – pac. „Zrób mi przysługę i spierdalaj, ty draniu". Nie mógł przestać się śmiać. Dlatego właśnie mówił, że alkohol wyostrza mu dowcip. Rany, czuł się naprawdę wspaniale! Policzył słowa na palcach. „Zrób mi przysługę i spierdalaj, ty draniu". Równo siedem. Pojawił się jednak pewien problem. Czy „i" naprawdę należało liczyć jako osobny wyraz? Zacisnął pięść i po kolei prostował palce. Zdecydowanie siedem słów. Zaczął się śmiać, udając, że wbija gwoździe w buty. Pac – pac – pac. Śmiał się do łez, które musiał w końcu otrzeć chusteczką.

Wyjazd udał się wyśmienicie. Spędzili trochę czasu we dwoje. Chociaż musiał przyznać, że Stella była ostatnio bardzo milcząca – wczoraj i dziś prawie nie otwierała dzióbka. To nie w jej stylu. Powinien z nią pomówić. Jeśli ktoś miał wiedzieć, co konkretnie jej doskwiera, to z pewnością właśnie ona. Wiedziała przecież wszystko! Znała odpowiedź na każde pieprzone pytanie. I za to ją właśnie podziwiał, a podziw uważał od zawsze za nieodłączną część miłości – powtarzał Stelli, że mogłaby zostać premierem lub papieżem, gdyby nie to, że jedno z tych stanowisk nie było dla niej dostępne. Miała w domu wypełnioną po brzegi puszkę po cukierkach Quality Street, na której widniał napis nakreślony jej charakterystycznym stylem pisma: „Klucze nieznanego pochodzenia". Gerry uwielbiał jej optymizm. Trzymała klucze w nadziei, że może kiedyś znajdą się do nich zamki. Miała też zdobione talerze pełne przedmiotów, których zastosowania już dawno nie pamiętał. Były tam czarne plastikowe wihajsterki do ścian, wygięte śrubki, cążki do paznokci, niezatemperowane ołówki, kostki do gry, pęsety, niespodzianki z krakersów świątecznych, okrągłe pojemniczki na balsam do ust, pilniki do paznokci, piłkę do gry w ping-ponga, pół kawałka białej kredy, niezliczone wsuwki do włosów i Bóg wie co jeszcze. Na czym konkretnie znała się Stella? Długo by wymieniać. Gerry przyznał jej niezliczoną ilość tytułów naukowych z gerontologii, stomatologii, filozofii i historii. Miała u niego doktorat z teologii i embriologii, jak również z wiedzy na temat tapet projektowanych przez Williama Morrisa. Wiedziała, że pełny tytuł litanii recytowanej po odmówieniu różańca podczas adoracji Najświętszego Sakramentu brzmi: *Litania do Najświętszej Maryi Panny*. Wiedziała, że ojciec Alberta Pierrepointa również był katem, że ziemniaki skrobiowe są sypkie, ale że sypkich włosów nie można określić mianem skrobiowych. Choć nigdy nie cierpiała na zapalenie błędnika, znała jego objawy: zawroty głowy i mdłości, które potrafiły powalić kobietę w średnim wieku na kolana. Gdyby zdarzył jej się taki atak, znała wszystkie linie autobusowe w Glasgow, które mogły zawieźć ją do domu lub w jego okolice: 66, 20, 11, 59, 18, 44 i 44A. Przynajmniej do chwili, gdy ojcowie miasta postanowili jednego dnia pozmieniać wszystkie trasy. Wtedy – jak wszyscy inni – Stella nie miała pojęcia, dokąd jedzie. Przez wiele miesięcy mieszkańcy Glasgow kręcili się po Barcelonie zaskoczeni, że nie są w Drumchapel. Wiedziała, do której szkoły chodziły siostry Seamusa Heaneya. Znała na pamięć modlitwę *Memorare*. „Pomnij, o Najświętsza Panno Maryjo, że nigdy nie słyszano, abyś opuściła tego, kto się do Ciebie ucieka, twej pomocy wzywa, Ciebie...", co było dalej? Zapomniał, jak szło *Memorare*. Niezbyt wielka to strata dla banku pamięci.

Znała przepis na strogonowa z grzybami, spaghetti carbonarę i jakieś czterdzieści dwa inne dania – nie musiała nawet zaglądać do książki kucharskiej. Wiedziała, że mecz curlingu odbywał się na tafli lodu, że kamienie curlingowe wydobywane były na wyspie Ailsa Craig oraz że Ailsa Craig zwana była „kamieniem milowym Iroli", bo znajdowała się w połowie drogi między Belfastem a Glasgow. I wiele, wiele więcej. Aha – wiedziała jeszcze, że „Sitzprobe" to nie część wyposażenia szpitalnego, lecz termin oznaczający próbę w operze. Wiedziała, że pokojówkę nazywano również „służącą damy". Że jegginsy to krzyżówka dżinsów i legginsów. Pamiętała, o której godzinie są wiadomości na BBC1, ITV, BBC2, Channel 4 – nawet w weekendy świąteczne, gdy zmieniano ramówkę. Umiała rozpoznać śmieciarkę marki Vulture. Gdy przeszli się po sklepach z artykułami używanymi, była w szoku, że aż tyle osób zarzuciło naukę kaligrafii. I zrezygnowało z lektury dzieł Cecelii Ahern oraz Maeve Binchy. Wiedziała, jakie pytania zadawać dzieciakom, które dopiero co poszły do szkoły. Na przykład „obok kogo siedzisz?". Wiedziała, czym jest haft kładziony na podkładzie, choć sama nie umiała go wykonać i musiała zadowolić się robieniem na drutach. Wyniosła z podstawówki wiedzę, że Cambridge leży nad rzeką Cam, a Oksford nad rzeką Cherwell. Wiedziała, że zaproszenia na ślub wysyłają tylko rodzice panny młodej. Znała dzieła Grahama Greene'a – nie thrillery, ale długie powieści o wierze. *Sedno sprawy, Trąd, Moc i chwała.* Wiedziała, że zabawy taneczne w wiejskich dystryktach Irlandii Północnej zwane były „połóweczkami" (każda z nich to w połowie *ceilidh**, w połowie bal), że skrót CODA oznaczał festyn tańca w Andersontown, że festyn ten odbywał się w ogromnym namiocie, gdzie w latach sześćdziesiątych występowały kapele grające covery. Można było tańczyć do muzyki, legalnie dotykać się na oczach wszystkich i trzymać nieznajomych za ręce. Wiedziała, że Vicky Coren, której felietony ukazywały się w niedzielnych wydaniach „Observera", była również światowej sławy pokerzystką oraz córką Alana Corena, satyryka, który pisał do czasopisma „Punch", a którego nie ma już niestety wśród żywych. Wiedziała, że Claire Rayner, redaktorka rubryki porad osobistych, była matką Jaya Raynera, krytyka kulinarnego. Wiedziała, jak pisze się niemal każde słowo w języku angielskim z wyjątkiem „marchewek", które zawsze pisała przez samo ha. „Marhewki". Chryzantemy, hieroglify, zróżnicowanie, horyzont, kszyk – nigdy się nie myliła. Z wyjątkiem marhewek. Mimo że rzadko miała do czynienia z alkoholem, wiedziała, że kilka kropel wódki starczyło, by wywabić z białej tkaniny plamy czerwonego wina. Że słowo *Madrileño*

---

* Ceilidh – spotkanie towarzyskie, w trakcie którego grana jest szkocka lub irlandzka muzyka folkowa.

oznaczało madrytczyka, a *Madrileña* – madrytkę. Umiała przeliczać kilometry na mile, mnożąc razy pięć i dzieląc przez osiem. W pamięci, w mgnieniu oka. „Baltimore leży 32 kilometry stąd", mówiła, trzymając mapę na kolanach. „Dwadzieścia mil". Wiedziała, że to Glen Campbell wykonywał piosenkę *Wichita Lineman*. Uważała, że wiatr doskwiera człowiekowi mniej na leżąco, niż na stojąco. Wiatr, nie wiatry. Wiedziała, że rutynowe badanie wzroku zajmuje czterdzieści pięć minut, a nie – jak zasugerował jej mąż – pół godziny. Wiedziała trochę, choć nie wszystko, o świecowaniu uszu metodą Indian Hopi. Wiedziała, że skrót SSŻ oznacza staw skroniowo-żuchwowy. Wiedziała, że syn Tony'ego Blaira chodził na uniwersytet w Bristolu i że St. Pauls jest w tym mieście szemraną dzielnicą. Wiedziała, że Diego Forlán grał wcześniej dla drużyny Manchester United, ale przeniósł się do Villarealu, a potem do Atletico Madryt. Wiedziała, że Amerykanie zawsze wybierają prezydenta w listopadzie, a wybory powszechne w Wielkiej Brytanii odbywają się we wtorki. Jeśli chodzi o pociski, potrafiła rozróżnić kąty RPY – *roll*, *pitch* i *yaw* – i wiedziała, kiedy obrót wokół osi pionowej zmienia się w koziołkowanie. Zakonnice w szkole nauczyły ją różnych technik cerowania dziur i wzmacniania przetartego materiału. Wiedziała, że w języku irlandzkim istnieje konkretne słowo określające krowę, która ssie ogon innej krowy. *Bradáan*. Wiedziała, że Cecil Frances Alexander była kobietą, a nie mężczyzną, że pochodziła z Derry i napisała wiele bardzo popularnych hymnów, takich jak *Wszystkie rzeczy jasne i piękne*, *Daleko stąd jest zielone wzgórze* i *Pewnego razu w mieście króla Dawida*. Tak, pomyślał, o ile myślał o czymkolwiek, wyglądało na to, że jego tyrada zmieniała się w hymn na jej cześć. Na cześć Stelli,

Gwiazdy Morza. Pean z jego ego ją wychwalający. Mężczyzna w darze dla kobiety. Dla Jaśnie Pani. Niestety, niełatwo będzie ułożyć myśli tak, by pasowały do muzyki. Stella wiedziała, że pomarańcze z Walencji są bardzo soczyste i niemal pozbawione pestek, co sprawia, że doskonale nadają się do wyciskania soku. Pomarańcze z Sewilli, gdy zerwie się je prosto z drzewa, są zaś gorzkie jak sadza i dobre tylko na marmoladę. Wiedziała, że czerwone jagody mogły powstać jedynie, gdy w okolicy były drzewa ostrokrzewu obu płci. Znała się też na miłości – umiała ją uprawiać i naprawiać. Znała kroki hornpipe'a wykonywanego na Dzień Świętego Patryka i potrafiłaby go zatańczyć – z Gerrym lub sama – gdyby nie to, że jej kończyny były obecnie nieco zbyt sztywne. Znała dwa dowcipy, ale żadnego z nich nie potrafiła opowiedzieć. W każdej chwili wiedziała doskonale, gdzie znajdują się wszystkie przedmioty w ich mieszkaniu – od lusterka kosmetycznego po musztardę, zarówno tę w proszku, jak i w słoiku. Wiedziała, gdzie są nożyczki do paznokci z czerwoną rączką, klej UHU w sztyfcie, czarne słomki do picia, kłębek sznurka, zestawy do *Scrabble* i *Monopolu*, mosiężna pinezka, którą nazywała pluskiewką, spinacze, nowe rolki papieru toaletowego, świece i skrobaczki do farb. Wiedziała, jak ustawić gałkę częstotliwości, by odszukać program Radio 4. Wiedziała, że Ashby de la Zouch to nie imię i nazwisko ich sąsiadki, ale nazwa miasteczka w hrabstwie Leicestershire.

Ewidentnie nie była durna. Ale „marchewka" pisała przez samo ha.

Dokończył butelkę.

W szybie odbił się pomarańczowy błysk. Gerry uniósł wzrok i usłyszał sygnał dźwiękowy lotniskowego meleksa. Pojazd zatrzymał się przy rzędzie krzeseł, pisk jednak nie ustawał. Gerry odwrócił głowę. Jedyną pasażerką była Stella. Wstała z miejsca za sikhem i zaczęła ostrożnie schodzić z powrotem na stały ląd.

– Dziękuję. Jestem wdzięczna za pomoc – powiedziała. Kierowca skinął głową.

– Uznał, że może potrzebuję podwózki – wyjaśniła Gerry'emu. Wydawała się onieśmielona niczym dziecko. – Nalegał.

– Mówiłem, żebyś nie wsiadała do samochodów obcych mężczyzn – rzekł Gerry. – Pewnie uznał, że jesteś stara.

Meleks odjechał.

– Brzmi jak derkacz. Doskonale do ciebie pasuje. To gatunek na skraju wyginięcia.

– Co masz na myśli?

– Ludzi wierzących. Wszyscy gdzieś zniknęli! Poza tobą oczywiście. – Gerry gestykulował zbyt żywiołowo; machał rękoma, starał się skupić, lekko się chwiał. – Derkacze znaleźć można już tylko na jakichś cholernie odległych wyspach. Religijnych fanatyków tak samo. Kobiety, które nigdy nie strzygą włosów. Miejsca, gdzie współczesny świat – i jego meto... metodologia jeszcze nie dotarły.

– Naprawdę jesteś pijany – powiedziała. – Wiem, bo po pijaku zawsze ze mnie kpisz.

– Nie kpię.

– Nie zapamiętujesz kpin, bo jesteś pijany.

– Jaki masz problem?

– To nie o mnie chodzi – powiedziała. – Jeśli nie wpuszczą cię do samolotu, z przyjemnością wrócę do domu sama.

Dźwignął się na nogi, stanął z nią twarzą w twarz i zamarł.

– Płakałaś? – spytał. Nie doczekał się odpowiedzi. – Dlaczego?

Usiadła. Nie chciała na niego patrzeć, ale gdy kierowała wzrok przed siebie, widziała jego odbicie w szybie. Zasłoniła oczy dłonią i spuściła głowę.

– Gerry...

– No co?

Zapadło długie milczenie.

– Zawsze, gdy zaczynasz od mojego imienia, wiem, że będzie źle.

– Chcę cię zostawić – powiedziała. – Ale nie wiem, jak to rozegrać.

Gerry przez dłuższy czas stał w bezruchu.

– Czy jest ktoś inny?

Parsknęła śmiechem.

– Puknij się w głowę.

Bezskutecznie próbował pociągnąć łyk z pustej butelki.

– To koniec. *Fi-ni-to.*

– Z nami czy z flaszką? – Odwrócił głowę i zatoczył się lekko. – Muszę znaleźć kosz, żeby pozbyć się tego drania. – Odszedł, trzymając butelkę w dłoniach splecionych za plecami. – Dokładnie to samo musiałaś pomyśleć sobie o mnie! – zawołał przez ramię. – Niedługo wrócę.

Stella wyciągnęła i rozpięła kosmetyczkę. Czy w ogóle usłyszał, co powiedziała? Głupio z jej strony, że podjęła temat w takiej chwili. Wiadomo, że Gerry nic nie zapamięta. Wsunęła sobie opaski na nadgarstki, upewniwszy się, że plastikowe elementy są ustawione do wewnątrz i przylegają do skóry. Następnie: puderniczka. Otworzyła ją i przejrzała się w lusterku. Miała zaczerwienione oczy, ale nie było aż tak źle. Znalazła okulary, a gdy je rozkładała, zawias uszczypnął ją w palec. Jakby ugryzła ją biedronka. Kolejne upokorzenie. Wsunęła szkła na nos i dokładnie obejrzała bolące miejsce. Krwi nie było. Tamtego lata w Toronto biedronki atakowały zewsząd; plażę nad jeziorem obsiadły całe ich miliony. I co pewien czas gryzły. Zupełnie jakby rozpoczął się koniec świata. Apokaliptyczne natarcie biedronek. Były brązowo-żółte, a nie – jak w Wielkiej Brytanii – czerwono--czarne. Nie sposób było uniknąć miażdżenia ich pod stopami. Chrzęściły jak chrupki ryżowe. Albo czekoladowe płatki śniadaniowe.

W tym świetle Stelli trudno było przyjrzeć się swoim oczom. Zdjęła okulary i nachyliła się do lusterka. Dziwne uczucie – oczy wpatrzone w oczy. Gdzieś za nimi czaiła się bolesna rana, próżno by jednak szukać jej odbicia. Podczas którejś z minionych kłótni Gerry rzucił, że gdyby dusze – w które nie wierzył – istniały, dusza Stelli musiałaby być ostra jak żyletka. Winą za to obarczył Kościół katolicki, który rzekomo uczynił z niej osobę nieustępliwą, ograniczoną i zdolną do dokonywania ogromnych zniszczeń w imię przestrzegania reguł i przepisów. Stella absolutnie się nie zgodziła. Powiedziała Gerry'emu, że wszystko, co w niej dobre, zawdzięcza właśnie religii. Kościół wpoił jej poczucie słuszności, sprawiedliwości i równości. Jej nauczycielami – obok rodziców i szkolnych pedagogów – byli jego przedstawiciele. Ludzie, którym ufała i których kochała. To oni zaszczepili w niej miłość do bliźnich i do Chrystusa. Banał. Idea zarazem dziecinnie prosta i absolutnie niepodważalna, czerpiąca z jej naturalnych pokładów miłości. Niemająca nic wspólnego z filozofią czy inteligencją. Wedle Stelli religia zrównywała ze sobą wszystkich ludzi. Można było siedzieć w ławce kościelnej z przedstawicielami innych ras, z osobami o różnych kolorach skóry i możliwościach intelektualnych – z panią profesor, aktorką, farmerem czy bezrobotnym durniem – i wiedzieć, że w oczach Boga wszyscy są tacy sami. Cała jej życzliwość i hojność pochodziła właśnie z tego źródła. Nie było tu miejsca na snobizm czy nienawiść. Z wyjątkiem, odpowiadał na to Gerry, sposobu, w jaki traktowane są w Kościele przedstawicielki płci pięknej. Ale to nie koniec: Stella zawdzięczała religii również swoją gotowość do poddania się losowi, umiejętność absorbowania i rozdzielania miłości, spokój, stoicyzm, skromność. Jej mąż zawsze odpowiadał, że nikt przy zdrowych zmysłach nie powinien chwalić się skromnością. Takie rzeczy, tłumaczyła Stella, może bez skrępowania mówić sobie dwoje ludzi, których łączy miłość. Kościół był dla niej wszystkim, choć jak w każdej organizacji zdarzały się w nim czarne owce. Biblijny Raj stanowił metaforę miejsca i plemienia, Stella była jednak gotowa założyć się o ostatni grosz, że niektórzy członkowie tego plemienia pożądali przedstawicieli tej samej płci. Gerry mówił, że ostatni grosz warto było w takim razie wydać. „Pamiętaj, że chodzi też o mężczyzn", przypominała Stella. W Raju nie było ogrodnika. Ostatecznie nie było też Raju, ale jeśli trzymać się metafory, jedno z naszych prarodziców musiało być ogrodnikiem, a drugie kwiatem. „Jabłko było zaś robaczywe", kwitował takie rozważania Gerry.

Stella zdała sobie sprawę, że słyszy znajomy dźwięk – charakterystyczne warknięcie. Zerknęła przez ramię i zobaczyła, jak zza węgła wysuwa się Gerry.

– Nigdzie nie ma ani jednego cholernego kosza.

– Do kosza można włożyć bombę – powiedziała. – Dlatego nie stawiają ich na lotniskach. Kwestia bezpieczeństwa.

– Niestety, akurat nie mam ze sobą bomby.

– Idź do hali odlotów. Przy bramkach mają kosze na puste butelki.

Gerry wzruszył ramionami i chwiejnie ruszył naprzód. Stella obserwowała, jak czujnie wypatruje oznaczeń, które wskazałyby mu drogę do celu. Przy okazji minął stojący tuż obok kosz na śmieci.

Nadal miała przed sobą otwartą kosmetyczkę. Odłożyła okulary i odchyliła głowę, a łokcie uniosły się niemal odruchowo. Musiała robić to dziesięć, dwadzieścia razy dziennie – dzień w dzień, bez wyjątku. Wbiła wzrok w metalowe krokwie pod sufitem i ścisnęła plastikową buteleczkę. Najpierw nic. Potem, zupełnie niespodziewanie, zimna kropla trafiła ją w lewe oko. Zamrugała. Z prawym było tak samo. Odruchowo poruszyła powieką, tym razem jednak łzy przelały się i spłynęły jej po policzku. Podlewała oczy tak, jak podlewa się kwiaty. Doglądała ich, a potem oglądała nimi świat. Gerry z pewnością doprowadzi ją dziś wieczór do łez, o ile nie przestanie tłuc się po omacku w tę i z powrotem. Dopiero co płakała w toalecie – wspomnienie tej chwili przypomniało jej rozstanie na lotnisku w Glasgow, gdy żegnała się z synem i wnukiem. I oczywiście z Danielle. Kiedyś, zanim zaczęła ją męczyć suchość oczu, potrafiła płakać naprawdę po mistrzowsku. Tamtego lata, gdy Kanadyjczycy po raz pierwszy odwiedzili Glasgow, bardzo im się poszczęściło: pogoda była piękna. Trwała niemalże fala upałów. Niski poziom wody w rzekach obserwowali, wspierając przedramiona na rozgrzanych barierkach mostów. Skwar nie odpuszczał nawet wieczorami, gdy na schodach ich kamienicy ustawiały się całe grupy ludzi w samych T-shirtach. Było za wcześnie na osy, nic nie zakłócało więc sielankowych pikników. Dziecko wciąż płakało. Stella miała w oczach obraz Gerry'ego pchającego po ogrodzie botanicznym wózek, który nazywali spacerówką, jakby kosił za jego pomocą trawę. W przód i w tył, w przód i w tył, aż dziecko wreszcie zasypiało, a trawę pokrywały ślady kółek. Później, kiedy byli już na lotnisku i nadszedł wreszcie moment pożegnania, Stella przestraszyła się, że nigdy więcej nie zobaczy bliskich. W kolejnym spotkaniu mógł przecież przeszkodzić wypadek; nieprzewidziana tragedia. Wraz z Gerrym wybrała się niegdyś na górujące nad Oceanem Atlantyckim Klify Moheru, najwyższe w całej Irlandii. Podczas wielkiego głodu rodziny przychodziły tam, by obserwować znikające w oddali statki wiozące ich krewnych do nowego domu, z którego mieli już nigdy nie wrócić. Emigranci. Wygnańcy. To, że Michael i jego rodzina wracali samolotem, w niczym nie ułatwiało pożegnania. Stella wiedziała, że mogą utrzymywać kontakt telefoniczny – czasy, gdy połączenie kosztowało trzy i pół funta za minutę, minęły bezpowrotnie, a funt naprawdę coś wtedy znaczył. Okoliczności te nie zmieniały sytuacji. Stelli brakowało codziennych rytuałów wychowania i miłości; opieki nad dziećmi, kąpieli, czytania książek, tulenia, chwil spędzonych z twarzą przy twarzy, niezaprzeczalnej fizyczności wszystkich przeżyć. Pierwszych słów. Pierwszych kroków. Tego, że była potrzebna, że nazywano ją babcią. Stella i Gerry odwiedzali, rzecz jasna, Kanadę, nie było to jednak to samo. Podczas wizyt do głosu dochodziła uprzejmość. Należało szanować Danielle. Trzymać usta na kłódkę. Stella zakręciła zakraplacz do oczu i wytarła policzki chusteczką. Odzyskawszy klarowność widzenia, zaczęła rozglądać się za Gerrym.

Nareszcie wrócił z pustymi rękoma i usiadł obok niej. Przez długi czas nic nie mówił. Nie patrzyła na niego, bawiąc się opaskami.

– No i? – spytał.

– No i co?

– Co konkretnie chcesz powiedzieć?

– Kiedy wrócimy do domu, wystawimy mieszkanie na sprzedaż – powiedziała. – Potem kupię sobie własne.

Dłonie Gerry'ego były puste. Splótł palce i ścisnął je, aż skóra mu pobielała.

– Lepiej zaczekaj do lata – powiedział. – Ceny spadną.

– I tak będę szukać czegoś taniego.

Znów zaległa cisza. Gerry pozwolił, by głowa mu opadła i wsparł brodę na piersi. Stella zastanawiała się, czy zasnął.

– Włożyłaś je trochę przedwcześnie – odezwał się, nie poruszając głową.

– Co masz na myśli?

– Opaski. Lot jest opóźniony.

– Z powodu śniegu?

– Do Sherlocka Holmesa mi daleko, ale myślę, że to wysoce prawdopodobne. Na wyświetlaczu nie ma miejsca na uzasadnienia.

– Może się okazać, że spędzimy tu całą noc – powiedziała Stella. Zaczęła ściągać opaski.

Gerry usiadł prosto, jakby się obudził.

– Wiele samolotów ma opóźnienie – powiedział.

Spojrzała na śnieg za oknem.

– Pada coraz mocniej. Może powinniśmy przejść przez kontrolę bezpieczeństwa i poczekać przy bramce? Jeśli tu zaśniemy, mogą odlecieć bez nas.

– Mogą? *Na bank* odlecą bez nas.

Stella wstała i zaczekała na Gerry'ego, który z westchnieniem podniósł się z krzesła.

– Znasz drogę – powiedziała. – Ścieżkę pustej butelki.

Ruszyli. Gerry szedł chwiejnie, a Stella wpatrywała się w oznaczenia wskazujące, jaką trasę muszą jeszcze pokonać.

– Na pewno dobrze się czujesz? – spytała. – Może powinniśmy wezwać sikha i pojechać jego wózkiem?

– Wykluczone.

Do punktów kontroli bezpieczeństwa ustawiły się kolejki. Wielokilometrowe. Na kilka godzin stania. Gdy krążyli po labiryncie barierek, który wił się na wszystkie strony niczym zwinięty szlauch, Gerry wylądował w pewnym momencie obok atrakcyjnej młodej kobiety, tak że oddzielała ich jedynie rozciągnięta między słupkami taśma. Sytuacja powtórzyła się kilkakrotnie. Za każdym razem próbował zainicjować rozmowę na temat śnieżycy, nieznajoma odwracała jednak wzrok. Stella zasugerowała, że może nie rozumieć po angielsku, a kiedy następnym razem znaleźli się obok dziewczyny, zagrodziła Gerry'emu drogę i zgromiła go spojrzeniem, by się nie odzywał.

– Nie dlatego, że jest atrakcyjna – wyjaśniła. – Po prostu jesteś namolny.

Płaskie ekrany wyświetlały to, co do nich należało – nakazywały zdjąć kurtkę, wyjąć laptop z torby i opróżnić kieszenie. Tłumaczyły, co zrobić z żelami, kremami i pastą do zębów. Stelli i Gerry'emu nareszcie udało się dotrzeć do skanerów rentgenowskich, a po wszystkim ponownie spakowali się na aluminiowej ławce i ruszyli w głąb wydzielonego terminalu.

– Absurdalnie łatwo poszło – powiedział Gerry. – Zamierzałem zdradzić strażnikowi, że ukryłem przed nim pół butelki alkoholu. – Otworzył usta i wskazał palcem gardło. – Ale się rozmyśliłem.

Przy bramce zebrała się spora grupa ludzi, pustych miejsc jednak nie brakowało. Wybrali krzesła w rogu, zwrócone na zewnątrz – w stronę ciemności za oknami. Stella usiadła, Gerry chwiał się jej nad głową.

– Chcę się wyciągnąć – obwieścił.

– Nie możesz zająć trzech krzeseł.

Położył torbę na podłodze, by wykorzystać ją w charakterze poduszki. Ułożył się pod nogami Stelli i niemal natychmiast zaczął chrapać. Kobieta z niemiecką gazetą w dłoni rozejrzała się w poszukiwaniu źródła dziwnych dźwięków. Stella uśmiechnęła się, ale nie zareagowała. Po chwili sięgnęła stopą i szturchnęła Gerry'ego noskiem buta. Nie przyniosło to żadnego rezultatu. Pchnęła mocniej – a potem niemal go kopnęła. Zamilkł i obrócił się przez sen. Niemka potrząsnęła gazetą i znów spojrzała na Stellę. A Gerry znów zaczął chrapać. Nieznajoma wyciągnęła iPoda i wsunęła do uszu słuchawki.

Stella otworzyła przegródkę w walizce podręcznej. Wyjęła jedną z angielskich krzyżówek, które wyrwała z gazety, gdy siedzieli jeszcze w knajpie nad brzegiem Amstel. Była to jej ostatnia. Pół godziny później, gdy zdołała ją rozwiązać, postanowiła rozciągnąć nogi. Bała się jednak, że ktoś zgarnie jej bagaż. Nie chciała nikogo kłopotać. Ostatecznie przesunęła walizkę bliżej Gerry'ego.

Podeszła do zawieszonego niedaleko wyświetlacza, na którym dostrzegła imponującą kolumnę identycznych komunikatów „opóźniony". Dobrze, że nie musieli spieszyć się na przesiadkę: w domu nie czekały na nich w zasadzie żadne pilne sprawy. Stella była jednak zdenerwowana oczekiwaniem; zawiedziona, że coś zakłóciło ich plan.

Wokół zdążył się zebrać tłum ludzi. Niemal wszystkie miejsca były teraz zajęte. Podróżni siadali na podłodze, dzieci spały na materacach ze złożonych płaszczy. Stella uśmiechnęła się do dziewczynki, która patrzyła na nią, ssąc kciuk. Trudno było nie zachwycić się bezczelnością małych dzieci – wbijały wzrok w kogo chciały, nieświadome zasad uprzejmości i taktu. Nieświadome samych siebie. Dziewczynka siedziała obok matki, która gładziła jej włosy na wysokości karku. Na następnym krześle rozsiadła się zaś babcia, która mówiła coś, mówiła, mówiła...

Trzy pokolenia.

Mogła równie dobrze pójść i dowiedzieć się więcej w punkcie informacji. Zajęła miejsce w kolejce, która zdążyła w międzyczasie narosnąć przed biurkiem. Biedne dziewczyny w uniformach były na ostatnich nogach. Gdy Stella zapytała, ile wyniesie opóźnienie, jedna z nich zerknęła przez ramię na padający śnieg, jakby chciała dać do zrozumienia, że trudno cokolwiek powiedzieć. Poinformowała Stellę, że opóźnionych lub odwołanych było już kilkadziesiąt lotów, a sytuację komplikował strajk kontrolerów ruchu lotniczego w Hiszpanii. Śnieg padał wszędzie, od Niemiec po Wielką Brytanię. Tu, na lotnisku Amsterdam-Schiphol, kierownictwo wysłało pługi do oczyszczania pasów startowych. Wedle prognoz można było się spodziewać jednak intensywniejszych opadów i gołoledzi. Zapadła cisza. Dziewczyna w uniformie delikatnie wzruszyła ramionami. Wymieniły uśmiechy, po czym Stella odwróciła się i odeszła.

Włóczyła się po centralnym korytarzu, pomiędzy zmierzającymi w obie strony ruchomymi chodnikami. Dostrzegła znak wskazujący drogę do Centrum Medytacji, oparła się jednak pokusie. Odwiedzała podobne miejsca na innych lotniskach. Religia najmniejszego wspólnego mianownika. Modlitewniki do wynajęcia. W szufladzie obraz Najświętszego Serca Jezusa. Napis: „Stroje modlitewne dla kobiet znajdują się w szafie". I Bóg wie co jeszcze. Poszła więc do sklepów. Tymczasem wiatr smagał śniegiem bryłę lotniska.

Podróżni znieruchomieli, by wysłuchać długiego obwieszczenia po holendersku. Następnie rozległy się szmery i jęki oburzenia. Jedni przewracali oczami, inni kręcili głowami. Gdy zabrzmiało angielskie tłumaczenie komunikatu, okazało się, że fatalne warunki pogodowe wpłyną na wszystkie planowane loty. Obsługa obiecała informować pasażerów na bieżąco, tego wieczora nie miał już jednak wystartować ani wylądować żaden samolot. Tym razem narzekali i krzywili się anglojęzyczni turyści. Jakaś kobieta głośno łkała. Stella wzruszyła ramionami i dalej kartkowała pisma, podczas gdy komunikat powtórzono w wielu innych językach. Powinna iść do Gerry'ego – przekazać mu złe wieści.

Wróciła do miejsca, gdzie się położył. W międzyczasie ktoś zajął oczywiście jej miejsce – starszy pan w czerwonej czapce z daszkiem, który również smacznie spał. Gdy jej nie było, Gerry najwyraźniej obrócił się do ściany. Przyklękła, otworzyła walizkę i wyciągnęła ze środka powieść, którą akurat czytała. Przed odejściem przykucnęła jeszcze i potrząsnęła męża za ramię.

– Gerry.

Otworzył oczy i spojrzał na nią dopiero, gdy powtórzyła jego imię po raz trzeci.

– Nie opuścimy dziś lotniska – powiedziała. – Wszystkie loty odwołane. Możesz spać dalej. Tylko pilnuj bagaży.

Wstała, wspierając się na poręczy krzesła – tego, które straciła na rzecz staruszka w czerwonej czapce – i znów się oddaliła.

Podeszła do innej bramki, przy której oświetlenie było przygaszone. Nie wyświetlał się też cel podróży. Wokół zgromadziło się trochę osób, dla których gdzie indziej zabrakło krzeseł, widziała jednak wolne miejsca. Panowała przyjemna cisza. Było ciemno i ciepło. Nie wiedziała, czy światła przygaszono, żeby dać do zrozumienia, że bramka nie funkcjonuje, czy też po prostu doszło do awarii. Usiadła, mając po obu stronach puste krzesła. Dalej leżało jedno czy dwoje wyciągniętych podróżnych. Spali – nie była pewna, czy to mężczyźni, czy kobiety, zdjęli bowiem buty, a twarze mieli przesłonięte przez łokcie bądź hidżaby. Wyprostowała nogi, skrzyżowała stopy i poczuła, że oparcie przyjemnie otula jej plecy. Lepiej niż w Centrum Medytacji. Próbowała czytać, ale brakowało jej światła, więc w końcu się poddała. Półmrok sprawił, że lepiej widać było świat za oknami. Śnieg zacinał w ciszy.

Przymykała oczy, dla równowagi krzyżując ramiona na piersi. Matka Stelli pod koniec życia nauczyła się spać na siedząco ze względu na przepuklinę rozworu przełykowego. Stella tego nie potrafiła. Często zdarzało jej się drzemać podczas kazań, nie był to jednak prawdziwy sen. Jej głowa powoli sunęła naprzód, a gdy sięgała za daleko, całe ciało napinało się i rozbudzało w jednej chwili. Bez powodzenia próbowała wówczas uświadomić sobie, o czym właściwie mówił ksiądz, później zaś, nie otwierając oczu, modliła się za oboje rodziców – by mogli leżeć w pokoju. Było to kolejne z powiedzonek jej ojca. W dzieciństwie często wspinała się do jego łóżka. Później, gdy drgnęła jej choćby powieka, zaraz mówił: „leż w pokoju". Czyżby wciąż spała? Czy wyprawa do beginażu była jedynie koszmarnym snem? Pochyliła się, wsparła łokieć na ramieniu krzesła, a głowę na dłoni. Oczy nadal miała zamknięte. Dryfowała. Znalazła się dziś w sytuacji bez wyjścia. Cały wyjazd stanowił jedną wielką ślepą uliczkę. Jej marzenia rozpłynęły się w nicość – niczym płatek śniegu, gdy opadnie na język. Snuła plany w oparciu o fakty, których nie mogła być pewna. A teraz wraca do domu w zupełnie innym stanie niż go opuszczała. Pan Ryan, jej nauczyciel ze szkoły podstawowej, wyposażył uczennice w zestaw uniwersalnych sformułowań do zastosowania w wypracowaniach. Najpierw wycierał tablicę, a jeśli zza okna świeciło słońce, w powietrzu widać było chmurę pyłu. Następnie zapisywał swym doskonałym stylem pisma temat: „Słowa i frazy". Stella najlepiej zapamiętała lekcję o „Spacerze na wsi". Kreda syczała, gdy pan Ryan pisał; trzaskała i stukała o tablicę, gdy stawiał kropki i przecinki. Musiał unosić głos i przekrzykiwać chrobot.

– Zapisuję te sformułowania, by wam pomóc. Chcę widzieć je później w użyciu, choć wiem, że są w klasie osoby, które uważają, że same poradzą sobie lepiej. Mam rację, Geraldine Kearnery?

Oznaczało to, że wypracowania były do siebie podobne. Wszystkie dzieci „wstawały wcześnie" i „ruszały w dobrych

nastrojach na spacer po górach czy lasach", a matki „szykowa-
ły im kanapki z jajkami". Po drodze wszystkie spotykały tego
samego pasterza, który przestrzegał je, by nie ignorowały „odległych ryków osła". Była to bowiem „niechybna zapowiedź
deszczu". W momencie gdy właśnie miały „rozpocząć ucztę pod
gołym niebem", „dawał się słyszeć pierwszy grzmot". Wracały
zatem do domu „pod niebem zdecydowanie różnym od tego,
które towarzyszyło im, gdy wyruszały". Takie frazy pozwalały
z łatwością zidentyfikować nauczyciela i placówkę, do której
chodził dany uczeń. Siostra Marie-Thérèse, która uczyła Stellę
angielskiego w pierwszej klasie szkoły średniej, oddając zebrane
prace, pytała zwykle: „A jak się miewa pan Ryan?".

Na terminalu robiło się coraz ciszej. Hałas pojawiał się i zni-
kał jak zakłócenia w niedokładnie ustawionym radiu. Mowa
oczywiście o dawnych czasach, zanim pokrętła zastąpiła elektro-
nika. Stella zresztą niemal nie zauważyła tej zmiany – i tak lubiła trzymać się jednej częstotliwości To Gerry wciąż przy niej
majstrował. Zmieniał stację na Radio 3, po czym samolubnie
nie przywracał poprzedniego ustawienia. Z czajnikiem to samo.
Gdy ona go opróżniała, zawsze nalewała z powrotem świeżą
wodę, by ułatwić życie kolejnej osobie. Czyli Gerry'emu. Może
na lotnisku wcale nie zrobiło się ciszej, może zawodził ją słuch.
Odgłosy napływały falami. Odległe echa, płacz dziecka, sygnały dźwiękowe, komunikaty z megafonów – trudno ocenić, czy
po angielsku, czy holendersku. Równie trudno odróżnić sen od
jawy. Poczuła niepokój. Miała zbyt ciężką głowę, by spać. Była
zmęczona – wypalona do cna. Jak gdyby w jednej chwili poczuła na sobie ciężar całego życia. Do stresu związanego z pracą

nauczycielki dołączyła każda pieluszka, którą kiedykolwiek uprała, każdy przygotowany posiłek, wyprasowana koszulka, odkurzony fragment podłogi. Odczuwała w kościach echa wszystkich tych czynności. Gdy Gerry zaczął pić na ostro, w Stelli też zaszła zmiana. Stała się nerwowa, a jej myśli popłynęły w kierunku, z którego nie była dumna. Do tego doszło jeszcze wspomnienie postrzału. Opowiedziała wszystko nowo poznanej kobiecie, Kathleen. Zbyt dużo wrażeń w zbyt krótkim czasie. Zacisnęła oczy w nadziei, że zaśnie, było to jednak na nic. Droga do snu prowadzi przez relaks, nie stres. Próbowała skierować myśli na nowe tory, za każdym razem nieubłaganie wracała jednak do feralnego dnia w Belfaście. Taki dzień nie zdarza się tam często – *Kiedy umieram**. Był słoneczny i gorący; białe chmury tańczyły na błękitnym horyzoncie. Ten kierunek rozważań zbliżał ją do niebezpieczeństwa, powinna zająć się czymś innym. Pamiętała podobne chwile z dzieciństwa – lipcowe dni, podczas których słońce topiło asfalt. Jego wspaniały zapach. Rodzice ostrzegali, że nie wolno bawić się smołą. Tak, wspomnienie stanowiło doskonałą tarczę, ochronę przed zagrożeniem. Pamiętała pokrzykiwania matki: „Możesz prać i prać, a czarne plamy i tak nigdy nie zejdą z ubrań!". Wszystkie tkaniny gotowano w ustawionej na kuchence ocynkowanej balii. Ubrania wypływały na powierzchnię, trzeba było więc je dociskać drewnianą łyżką. Wyciskać z nich bańki powietrza. Rozgrzana kuchnia pachniała mydłem i perfumami. Tamtego dnia Stella podeszła wcześniej do jezdni i przykucnęła w rynsztoku, by grzebać patyczkiem od lizaka w roztopionym asfalcie.

---

* William Faulkner *As I Lay Dying* – dosłownie „kiedy leżę i umieram".

Ciągnął się niczym gęsta melasa. Widziała drżenie powietrza nad jego ciemną powierzchnią. Czarna materia. Niebezpieczeństwo. Zbyt blisko. Uwielbiała jednak ten ciężki zapach. Maź ubrudziła jej dłonie, które oczywiście wytarła w to, co akurat miała na sobie. A miała na sobie niewiele, bo dzień był naprawdę upalny. „Jak śmiesz przychodzić tu w takim stanie?!", krzyknęła matka. „Ubrania musisz wyrzucić. Inaczej smoła zabrudzi resztę prania!". *Kiedy umieram* Williama Faulknera – rzecz absolutnie niewiarygodna. Dziwna, wspaniała książka, którą Stella dopiero co przeczytała. Nie mylić z Brianem Faulknerem, który sprawował wówczas – na początku lat siedemdziesiątych, w najgorszej fazie wojny – urząd premiera. Może powinna znów pomyśleć o czarnej mazi. Zarówno maź, jak i gotowanie ubrań stanowiły bezpieczny grunt. Dla Stelli zdumiewająca była klarowność wspomnień poprzedzających najważniejsze wydarzenie. Z czego konkretnie wynikała? Skąd umysł wiedział, że należy zapamiętać określone detale, skoro nie mógł przecież przewidzieć nadchodzącego koszmaru? Mózg musiał wydzielać rodzaj biologicznego utrwalacza. Miała na sobie białą sukienkę i sandały. W sklepach nadal dostępne były wówczas sukienki o linii A, które pozwalały jej w pewnym stopniu ukryć swój stan. Nigdy nie chciała się przechwalać... nawet czymś tak naturalnym jak dziecko. Teraz jednak ciąży nie sposób było ukryć, zawsze znajdowała się tuż przed Stellą. Dzień był zbyt gorący na rajstopy. W poradni usłyszała, że niektóre matki z zadowoleniem wspominały zimowe ciąże ze względu na podniesioną temperaturę ciała. Być w ciąży to jak nosić owiniętą wokół pasa butelkę z gorącą wodą. Stella nadal pamiętała, że tamtego dnia zastanawiała się, jakie zmiany zajdą w jej życiu. Zostanę matką, będę wstawać w środku nocy, by karmić piersią, i będę przeszczęśliwa. A Gerry będzie ze współczuciem odwracał się na drugi bok. Może nawet przyniesie śniadanie-do-łóżka, zanim pójdzie do pracy. Śniadanie-do-łóżka: trzy słowa splecione w jedno ze względu na rzadkość opisywanego przez nie zjawiska. Jak się później okazało, całkowita fikcja. *Kiedy umieram* – gdy czytała powieść po raz pierwszy, podczas drugiego cyklu szkoły średniej, była zupełnie zdezorientowana. Rozdziały nosiły dziwne tytuły, takie jak *Darl* czy *Klejnot,* a wszystko pisane było w pierwszej osobie. Stella myślała – co później uznała za okropnie głupie – że podmiotem mówiącym jest ciągle jedna postać, jedno i to samo „ja", podczas gdy w istocie przemawiali kolejni bohaterowie, a tytułami rozdziałów były ich imiona. Wciąż przerzucała kartki, skacząc raz w przód, raz w tył – co tu się dzieje? – póki wreszcie nie pojęła prawdy. Pluła sobie w brodę, że nie połapała się od razu. Tamtego dnia wracała właśnie z biblioteki, gdzie oddała *Kiedy umieram* i dwie czy trzy inne książki, których nie mogła sobie teraz przypomnieć. Pewnie coś o porodzie i macierzyństwie. Może poradnik doktora Spocka. „Wiesz więcej, niż ci się wydaje". Wybierała się na skrzyżowanie, do rzeźnika, po kiełbaski i kotlety, a może i wątróbki cielęce, jeżeli będą. Od jakiegoś czasu lubiła za jednym zamachem zaopatrzyć się w mięso na tydzień. Trzymała wszystko w lodówce, by jak najrzadziej pokonywać dystans z domu do sklepu. Miało to szczególne znaczenie teraz, gdy była w takim stanie. I podczas fali upałów. Obok mięsnego stał warzywniak Madden's, w którym zamierzała kupić ziemniaki, kapustę włoską i uwielbiane przez Gerry'ego buraki. Twierdził, że czuć w nich smak ziemi. Wszystko poszło zgodnie z planem i miała szansę porozmawiać ze Starym

Trevorem, który giął się w ukłonach, jakby zamiast buraków podawał jej złote jabłka. Przyłączyła się do zabawy. Gdy przyjęła warzywa, również się ukłoniła, jakby otrzymała prawdziwy skarb. Stary rzeźnik przekomarzał się tymczasem z asystentem, który – jak wynikało z dochodzących z zaplecza dźwięków – ostrzył właśnie noże. Obłożył każdy kawałek mięsa osobno szarym papierem, po czym zawinął całość w zgrabny, brązowy pakunek. Wyjaśnił, że dochodzi do siebie po urazie barku – bez problemu wiązał fartuch, ale nie byłby w stanie zapiąć rano stanika. Śmiała się, patrząc, jak demonstruje swoje ograniczenia – i swoją porażkę. A potem znów była na skrzyżowaniu, wśród ryku samochodów, gdzie miraże połyskiwały nad asfaltem, a daleko w tle piętrzyły się szarozielone wzgórza. Powietrze drgało od gorąca. Brytyjski pojazd wojskowy podjechał do świateł, jakby chciał skręcić w stronę Andersontown, ale ostatecznie zatrzymał się po jej stronie jezdni. A potem coś się stało. Stella jest na przejściu dla pieszych, gdy zostaje trafiona. Ma wrażenie, że uderzył w nią samochód. Jak to możliwe? Przecież nie przechodziła na czerwonym. Był środek dnia, za kierownicą mógł jednak siedzieć pijak. Nieostrożny kierowca. Poczuła, że musi biec. Usłyszała dochodzący gdzieś ze swego wnętrza głos; cała jej natura mówiła: *biegnij*. Biegła więc, kurczowo przyciskając do siebie koszyk. Nie wiedziała, jak długo to trwało i ile pokonała kroków, z jakichś przyczyn bieg zmienił się jednak w upadek i nagle była na ziemi – przewróciła się jak długa, trzasnęła o chodnik – prosto na brzuch – i z jakichś przyczyn nie była w stanie podnieść głowy ani nawet spojrzeć na kolana, by ocenić, czy zdarła je do krwi. Musiała „wytrzymać", jak w dzieciństwie, gdy zdarzało jej się wyrżnąć z taką mocą, że dłonie paliły,

a z kolan ciekła krew. Żeby nie wiem co, nie wolno było się roz-
płakać. Musiała pobiec do domu, do mamy; wytrzymać – stłu-
mić w sobie szloch. Poczekać, aż mama ją obejmie, aż przytuli
do siebie jej twarz. Dopiero wtedy mogły trysnąć łzy. Ale jej
matka zmarła przecież lata temu, a ona sama była teraz czterdzieści mil od domu, w którym się wychowała, i nie mogła po-
jąć, czemu leży na chodniku, a raczej – to właściwe określenie
– dlaczego jest rozwalona. Rozwalona na ziemi; na kopule, która
rozwinęła się w jej wnętrzu. Niezdolna spojrzeć nawet na własne
kolana. Panował zamęt. Miała wrażenie, że słyszy dzieciaki
strzelające z pistoletów na kapiszony. Mętlik w głowie. Przecież
powinny być w szkole; siedzieć w klasie ze wzrokiem wbitym
w tablicę. Potem przypomniała sobie, że trwają wakacje. Pach,
pach, pach, pa-pach. Zauważyła, że kosz, który leżał tuż obok
jej twarzy, ma w plecionce dziurę, której wcześniej nie było.
Sączył się z niej jakiś płyn, który sunął w jej stronę po pochyłym
terenie. Coś musiało pęknąć, gdy upadła – burak lub wątróbka
– strumień miał bowiem kolor brązowofioletowy. Poczuła wilgoć. Czyżby odeszły jej wody? Zastanawiała się, czy zdoła poru-
szyć ręką. Sięgnęła palcami aż do pasa. Tak, zdecydowanie była
przemoczona. Odejście wód przerabiali na zajęciach. Brzmi jak
tytuł piosenki folkowej. *Odejście wód*. Uwielbiała irlandzkich
śpiewaków i ich ballady. Jedna z nich – *Molly Bawn* – opowiada
o dziewczynie zastrzelonej przez kochanka, który pomylił ją
z łabędziem. Ze względu na biały fartuszek. I wieczorny zmrok.
Dostrzegł coś kątem oka: ostrzeżenie, króliczy omyk. Obrócił
się i strzelił, a jej kończyny zwiotczały. Mimo to uniosła dłoń do
oczu i zobaczyła krew. Jezus Maria, coś było poważnie nie tak.
Może została postrzelona jak Molly Bawn i czekała ją śmierć.

Akt żalu i skruchy. Dobry Boże, serdecznie żałuję. Zresztą chyba sam już to wiesz. Może postrzelono ją przez kosz. Przez nieszczęsny koszyk na pieczywo. Czytała kiedyś w gazecie historię katolickiego chłopca, którego postrzelono przypadkiem podczas strzelaniny na Antrim Road. Przed śmiercią zdołał przebiec pół mili, aż do Ponsonby Avenue. Pach, pach, pach. Rozległ się płacz dziecka. Bardzo młodego. Sądząc po głosie mogło być nawet jednodniowe. Musiało krzyczeć z całych sił, aż pąsowiała mu buzia – ua! ua! ua! – wrzaski były szybkie, następowały jeden po drugim, splatały się z dźwiękami ruchu drogowego, z rykiem motocykla – czy to moje dziecko? pomyślała Stella – czy urodziłam tu, kiedy umierałam? Czy dziecko wydostało się na świat, a ja nic nie poczułam? Jezu, zlituj się. Nie tak miało być. Chodziła do szkoły rodzenia, gdzie nikt nie zająknął się o takiej sytuacji. Chodnik był szorstki. Dociśnięty do jej policzka. Nie mogła się ruszyć. Mogła tylko drżeć. Drżenie przychodziło łatwo. Wnętrze jej brzucha szorowano metalową szczotką – taką, jakiej jej matka używała do czyszczenia przypalonych garnków. Stella mówiła o niej później na lekcjach angielskiego. Oksymoron: miękka twardość. Wełna stalowa. Stella leżała obok niskiego murku z czerwonej cegły. Na stojąco sięgałby jej – lub komukolwiek innemu – najwyżej do kolan. Była przed supermarketem Safeways. Tuż przy jej głowie wyrastała ze szpary między płytami chodnikowymi kępka żółtych mleczy. Niektóre miały kwiaty, inne tylko pąki. Jeden z nich – dmuchawiec, kula szarego puchu – był już gotów popędzić na cztery wiatry. Czy Stella miała jeszcze trochę czasu? A jej dziecko? Bóg wie, gdzie była jej sukienka. Mogła podwinąć się aż do samej szyi. Dokładnie po drugiej stronie murku znajdował się żołnierz. Sądziła, że z tej perspektywy nie widzi jej bielizny. Krzyczał coś do niej, ale nie rozumiała słów. Po co wysyłali tu ludzi o całkowicie niezrozumiałych akcentach? Co za egoizm – w takiej chwili myślała tylko o sobie, zamiast o zawieszonym w jej ciele dziecku. Przecież właśnie ono było tu najważniejsze, wśród huku kapiszonów. Była absolutnie pewna, że nosi chłopca – powtarzała, że kopie ją, jakby miał na nogach korki do gry w piłkę. Gdy brała kąpiel, widziała przez skórę brzucha blade, przesuwające się punkty nacisku. W końcu zamknęła oczy. Zaciągnęła zasłony. Za powiekami czekała ją czerwień – rdzawy wszechświat jej własnego ciała. Jakiś mężczyzna schylił się i spytał, czy wszystko w porządku. Potrząsał ją delikatnie za ramię, ale nie miała sił odpowiedzieć. Następnym dźwiękiem, który usłyszała, było wycie karetki. Po raz pierwszy w życiu, którego integralną częścią stał się ostatnio dźwięk syren, zrozumiała, że tym razem ambulans jedzie właśnie po nią.

Miała na twarzy urządzenie z przezroczystego plastiku, które pomagało jej oddychać. Słyszała niewyraźne wycie z zewnątrz karetki. Znajdowała się w środku. Sanitariusz pogotowia ciągle coś przy niej robił, czasem jednak odrywał się od swoich zadań, by pogłaskać ją po dłoni i powiedzieć kilka pokrzepiających słów. Wszystko będzie dobrze. W głowie zadudniła jej świadomość, że jeśli została postrzelona, postrzelone było również jej dziecko. Zaczęła się modlić z mocą zaczerpniętą z głębi przeoranych wnętrzności. Błagała o jedno: jeśli ktoś musi dziś umrzeć, niech padnie na nią, a nie na dziecko. Potrzebowała cudu. Modliła się więc, aż zaczęła drżeć, a potem złożyła przysięgę. Jeśli dziecko przeżyje, ona... ktoś nią potrząsał. Mówił do niej. Był to Gerry, który przykucnął tuż obok. Nadal panował mrok.

– Co? Co się dzieje?

– Myślałem, że poszłaś. – Jego głos był zachrypły, skacowany. – Szukałem cię. Wszędzie.

Musiał być niemal na czworaka, by patrzeć jej w oczy. Stella wyprostowała się na krześle, zamrugała i sprawdziła, czy z ust nie płynie jej ślina. Serce wciąż waliło jej jak młot.

– Nie spałam. – Zadrżała. – Od lat mi się to nie przydarzyło.

Wiedział, że powinien patrzeć jej w oczy. Wziął ją za rękę.

– To wina stresu – powiedział.

– Wywołują go pijacy.

– Trzęsiesz się.

– Myślisz, że nie wiem?

Wstał z ziemi i wsunął się na sąsiednie krzesło. Mocno ścisnął jej dłoń. Objął ją, poklepywał po plecach. Miał nieświeży oddech. Delikatnie ułożył jej głowę na swoim ramieniu, po czym przytulił policzek do jej włosów i czoła.

– Biedactwo.

– Czuję się, jakby wszystko działo się od nowa. Teraz. Nadal.

– Nie jesteśmy co prawda w najlepszym miejscu na świecie, ale skup się na tu i teraz. Wsłuchaj się w dźwięki lotniska. Nie wracaj tam. Skup się. Zostań ze mną.

Miała wrażenie, że przez całą wieczność gładzi palcami wierzch jej dłoni. Drugą ręką mocno ją obejmował, aż w końcu zaczęła się uspokajać.

– Która godzina? – zapytała.

– Po siódmej.

– Pamiętałeś o mojej walizce?

Wskazał krzesło obok, na którym ją postawił. Jego własna torba leżała na podłodze.

– Umieram z pragnienia – powiedział.

Gdy drżenie całkiem ustąpiło, Stella sięgnęła do torebki i wyciągnęła z niej plastikową butelkę do połowy wypełnioną wodą.

– Jest letnia.

Gerry przytknął ją do ust, odchylił głowę i zaczął pić.

– Grunt, że mokra. – Przekazał butelkę Stelli.

Napiła się, ale gdy został już tylko jeden łyk, przerwała i oddała ją Gerry'emu. Kiwnął głową i dopił resztkę.

– Udało ci się zasnąć? – spytał.

– Na moment. Z przerwami. – Stella spojrzała przez ramię na ciemne okna. – Nadal sypie.

– Kilka razy przestało – powiedział, kiwając głową. – Myślałem, że mnie zostawiłaś.

– A niby dokąd miałabym pójść?

Wokół nich budzili się inni podróżni. Z głośników dochodziły sygnały i obwieszczenia. Gdzieś niedaleko płakało dziecko. Stella jak najdyskretniej powąchała swoje pachy.

– Co ze sprzedażą mieszkania? – spytał Gerry.

Zapadło długie milczenie.

– Mam kiepski moment, Gerry.

– Przepraszam.

– Musiałbyś pójść na kilka ustępstw.

– Jakich?

– Takich, na które godzą się zakłamani alkoholicy.

– Nie jestem zakłamanym alkoholikiem.

– Właśnie udowodniłeś jedno i drugie. Jesteś alkoholikiem i sam się okłamujesz.

– Nonsens.

– Gerry, potrafisz doprowadzić mnie do szału. Myślisz, że nie wiem, ile pijesz? Jeśli o tym wspomnę, zaraz nazywasz mnie zrzędą. Sądzisz, że nie mam nosa? Ani oczu? Byłbyś gotów nadal pić po kryjomu, póki do końca nie unicestwiłbyś swojej wątroby. I nie chodzi tu tylko o picie, ale o związane z nim oszustwa. Tylko ty możesz naprawić sytuację. Nikt inny.

– Jeśli mówisz serio, jestem gotów.

– Ile razy już to słyszałam?

– Raz czy dwa. – Wzruszył ramionami. – Po ostatniej nocy kończę z alkoholem.

– Składasz przyrzeczenie?

– Tak.

– Święte przyrzeczenie?

– Nie wierzę w takie rzeczy. To moje przyrzeczenie. Zapowiedź tego, co zamierzam zrobić.

– A jeśli nie zdołasz?

– Znajdę pomoc. Złożę je ponownie.

– Tylko ty możesz wprowadzić niezbędne zmiany.

– Rzuciłem palenie. Było to największe wyzwanie w moim życiu. Pamiętam, jak kładłem się w palenisku i wydychałem dym z krótkiego cygara prosto w komin, gdy już leżałaś w łóżku.

– Myślałeś, że nic nie czułam? Rano, gdy szłam rozsunąć zasłony? Kiedy wreszcie rzuciłeś, byłam z ciebie dumna.

Wziął ją za rękę i zaczął gładzić po grzbiecie dłoni. Skośnie padające światło połyskiwało jej na skórze. Gerry zamrugał, po czym uniósł wzrok.

– Przepraszam – powiedział, patrząc jej w oczy.

– Za co?

– Za wszystko. – Nadal mierzył ją spojrzeniem. – Kiedy na ciebie patrzę, widzę to, jaka byłaś.

Zamilkli na długą chwilę.

– I jaka jesteś. Potrafiłabyś zbudować udany związek absolutnie z każdym.

– Ewidentnie poza tobą.

– Ważną częścią jest podziw.

– Częścią czego?

– Miłości. – Rozejrzał się, by sprawdzić, czy nikt go nie usłyszy. – Kocham cię – szepnął. – I podziwiam.

Znów zapadło milczenie. Stella wyciągnęła dłoń z jego uścisku i znacząco uniosła ramiona.

– Gdyby tak było, nasze życie wyglądałoby inaczej. Kiedyś byłeś niezwykle troskliwy i czuły. Alkohol wszystko niszczy. Sprawia, że druga osoba czuje się porzucona.

– Zaplanowałaś całą tę wyprawę.

– Miałam pewien pomysł – powiedziała Stella cicho. – Musiałam dowiedzieć się więcej.

– Przepraszam za moje wczorajsze zachowanie.

– Słyszałam już tę gadkę.

– Wczoraj wyczerpałem swój limit.

– Dobrze słyszeć. – Skrzyżowała ramiona. Następnie spojrzała mu prosto w oczy. – A co z drwinami?

– Nigdy z ciebie nie drwiłem.

– A z mojej wiary?

– Prowadzimy debatę. Chodzi przecież o największe oszustwo w życiu nas wszystkich.

– Trudno o jaskrawszy przykład kpiny. Ludzie szukają sensu i celu swego istnienia.

– A jeśli sens i cel, który znajdują, jest fałszywy? Co wtedy?

– Przyjrzyj się tej sprawie jeszcze raz. Spójrz uważniej. Spójrz lepiej, jak powiedziałby pan Beckett.

– Co, jeżeli nic nie znajdę?

– Moją religią jest *praktykowanie* mojej religii. Msza stanowi największy skarb w moim życiu. Storyboard tego, jak przez nie przejść. Taka właśnie jestem i powinieneś mnie szanować, ale wolisz kpić.

– Musisz pozwolić mi wierzyć w moją prawdę – rzekł Gerry.

– Tę *prawdziwą*.

– Znowu mnie lekceważysz – powiedziała, mierząc go spojrzeniem. Wzięła do ręki kosmetyczkę. – Przepraszam.

– Ostrożnie podniosła się z krzesła.

Gerry uniósł na nią wzrok.

– Muszę wiedzieć.

– Wszystko w porządku. Wrócę.

Przez noc podniósł się poziom wszechobecnych odpadów. Kosze, których nie mógł znaleźć wczoraj Gerry, były przepełnione, tak że śmieci leżały obok, na podłodze. Papierowe kubeczki po kawie z plastikowymi wieczkami, gazety, opakowania po trójkątnych kanapkach, chusteczki, skórki pomarańczowe oraz pakunki, które podejrzanie przypominały ciasno zwinięte, używane pieluszki. Cóż mieli począć pasażerowie? Znaleźli się w pułapce. Stella dostrzegła błysk wśród odpadów, była to jednak tylko zatopiona w płytach podłogowych mika. Gwiezdny pył. Szron migoczący z każdym krokiem Stelli. Biodra miała obolałe po nocy spędzonej w niewygodnej pozycji, a w brzuchu czuła jeden wielki supeł. Wnętrzności były napięte i nadal drżały po niedawnym wybuchu wspomnień. Czuła chłód, jakby połknęła grudę lodu. Kolejka do damskich toalet zaczynała się już w korytarzu, Stella zdecydowała się więc je wyminąć. Nigdzie wokół nie było wolnych krzeseł, zauważyła jednak z boku nieco przestrzeni – wyrwę w tłumie ludzi. Odłożyła kosmetyczkę, oparła się plecami o ścianę i powoli zsunęła na podłogę. Udało się, nie wiedziała jednak, czy zdoła wstać, jeśli nikt nie poda jej pomocnej dłoni. Z tego miejsca mogła obserwować kolejkę. I pomyśleć. Siedziała na podłodze jak nastolatka, z kolanami podciągniętymi pod brodę. Co robić? Układ, który rozważała, zmieniłby jej życie na zawsze. Nie można jednak przeprowadzić odwrotu, jeśli się nie wie, w którą stronę iść, a jej wymarzony azyl przestał przecież istnieć już wczoraj rano. Potrzebowała nowego miejsca, nowego pomysłu. Czuła się też trochę oszukana. Ciężko harowała i dużo zniosła, by wywalczyć sobie przyjemną starość w towarzystwie drugiej osoby. Miała do tego prawo. Jak do emerytury. Zasłużyła na kogoś, na kogo ramionach mogłaby polegać. Miłość to rozmowy, które wypełniają życie. Oraz milczenie. Świadomość, kiedy należy milczeć. A przede wszystkim, kiedy należy się śmiać. Przymknęła oczy i zmówiła modlitwę, prosząc, by jej decyzja była słuszna.

Jeśli Gerry zerwie z nałogiem, wszystko stanie się możliwe. W gruncie rzeczy był dobrym, zdolnym mężczyzną. Po prostu miał problem. Stella rozważała, czy jest gotowa zgodzić się na kompromis. Jej obecność z pewnością pomoże Gerry'emu – o ile tylko będzie trzeźwy. Szanse na to wzrosną, jeśli z nim zostanie, nie chciała jednak zmienić się w nadzorczynię. Musiała sprawić, by naprawdę uwierzył w możliwość separacji – inaczej nie było szans na zmianę. Jeden z położonych w Glasgow sklepów charytatywnych, które odwiedzała, miał nad drzwiami wymalowany slogan: „Nikt nie powinien zostać bez nikogo". Czy wydarzenia z Belfastu zraniły również Gerry'ego? Stella doszła w końcu do siebie, ale jemu mogło się nie udać. Czyżby pił z jej winy? Czy powinna dać mu kolejną szansę, bo weszło jej to w nawyk? Kolejka do toalety powoli stawała się coraz krótsza.

W drodze powrotnej czuła się dużo lepiej. Jej wnętrzności były znacznie spokojniejsze. Weszła na ruchomy chodnik i rozkoszowała się uczuciem, że coś wiezie ją naprzód. Ruch nieokupiony wysiłkiem. Położyła dłoń na czarnej poręczy, by zachować równowagę. W ustach miała miętówkę, a jej skóra była odświeżona po umyciu. Kolejka do toalety to żadna nowość. Do umywalki też ustawił się wężyk chętnych. Gdy okazało się, że nie ma świeżych ręczników papierowych – większość leżała na podłodze, wchłaniając wilgoć, Bóg wie jakiego pochodzenia – Stella wytarła twarz w rękaw.

Gerry wciąż siedział na tym samym krześle. Wydawał się oszołomiony. Próbowała w miarę możliwość uporządkować otaczającą go przestrzeń. Wprowadzała ład wedle swego uznania, przygotowując obozowisko dla nich obojga; złożyła gazety i wepchnęła torbę Gerry'ego stopą głębiej pod krzesło, by nikt się o nią nie potknął. Podniosła i zgniotła tekturowy kubek, nie mogła jednak znaleźć miejsca, by go wyrzucić, więc ostatecznie wrócił tam, gdzie go znalazła. Wzruszyła ramionami i spojrzała na Gerry'ego, który przykucnął i w bliżej niesprecyzowany sposób usiłował jej pomóc.

– To nie do zrobienia – stwierdziła.

Usiadła i wskazała Gerry'emu puste miejsce obok siebie, na które w połowie opadł, a w połowie się wdrapał.

– Skoro koncepcja żeńskiego kolektywu religijnego upadła... – Wzięła długi oddech i równie długo westchnęła. – Jeśli dotrzymasz słowa i skończysz z piciem, sprzedaż mieszkania może nie być konieczna.

Gerry skinął głową i położył jej dłoń na ramieniu. Przez chwilę milczeli.

– Wszystko będzie dobrze – powiedział Gerry.

– Jeszcze raz.

– Wszystko będzie dobrze.

Stella zataczała rękoma szybkie kółka, pokazując, że czeka na więcej.

– Ze wszystkim będzie dobrze – dokończył Gerry. Zamilkł na chwilę. – Nienawidzę siebie, gdy piję.

– Ale pijesz przez cały czas.

– Więc przez cały czas czuję nienawiść.

– Pomogę ci znów się w sobie zakochać – powiedziała. Zakrył dłonią jej dłoń, którą trzymała na poręczy. – Nie zostało nam zbyt wiele czasu, więc powinniśmy rozpieszczać się nawzajem.

– To znaczy?

– Od czasu do czasu miło byłoby dostać kwiaty.

Schylił się i wyciągnął spod krzesła torbę. Rozpiął zamek błyskawiczny.

– Coś dla ogrodnika – powiedział, wyciągając czerwony woreczek.

– Co to?

– Cebulki kwiatów.

– Aż tak głupia nie jestem. Pytałam o gatunki.

– Mieszane. Tak mi powiedział sprzedawca. – Gerry podał jej pakunek.

Uśmiechnęła się i zajrzała do środka przez siateczkę.

– Możesz posadzić je przed wejściem. Choć w tym roku chyba jest już za późno.

– To tulipany?

– Oby nie. Takiego banału bym nie zniósł. Tulipany z Amsterdamu.

– Dziękuję ci za nie... czymkolwiek są.

– Możliwe, że w zestawie jest kilka cebulek tulipanów. Nie wiem, w jakim kolorze. Na pewno są tam narcyzy. I Bóg wie co jeszcze. Przez chwilę bałem się, że skonfiskują mi je podczas kontroli bezpieczeństwa.

– Posadzę je na jesieni – powiedziała. – A w przyszłym roku wszystko się wyjaśni.

Podał jej wyciągnięte z kieszeni werthersy.

– Kupiłem je jeszcze w Glasgow.

Stella podziękowała, otworzyła paczkę i włożyła jeden karmelek do ust.

– Też się poczęstuj.

Śnieg pokrył wszystko warstwą grubą jak materac. W niektórych miejscach nawiało go jeszcze więcej. Białe fale. Łagodne zbocza.

Siedzieli razem, wyglądając przez okno, gdzie powoli robiło się coraz jaśniej, aż świt nakreślił na horyzoncie bladą linię blasku. Przez dłuższą chwilę nie padły żadne słowa. Powietrze wokół nich wypełniał zapach karmelu. Lotnisko powoli wyłaniało się z ciemności, nabierało kształtów i krawędzi w świetle odbitym od świeżego śniegu.

– Lepiej czy gorzej?

– Znacznie gorzej – odparła Stella. – Co masz na myśli?

– Optyczka zawsze zadaje to pytanie.

– Jakie?

– Lepiej czy gorzej? Kiedy dobiera soczewki.

– Lepiej, skoro wiem już, o co chodzi. Ale wczoraj w nocy było gorzej.

– Myślisz, że uda nam się dziś stąd wydostać? – spytał Gerry.

– Miejmy nadzieję. – Stella zakropliła oczy, zamrugała i wytarła naddatek chusteczką. Uśmiechnęła się. – Nie ignoruj odległych ryków osła.

Gerry przytaknął i powiedział:

– Powrócili zaś pod niebem zdecydowanie różnym od tego, które towarzyszyło im, gdy wyruszali.

Oboje spojrzeli w mrok. Nad odległymi budynkami pojawiło się jaskrawe światło przywodzące na myśl podchodzący do lądowania samolot. Najwyraźniej lotnisko zaczynało powoli odżywać. Gerry trącił Stellę łokciem i wskazał jej nadlatującą maszynę. Jednak im dłużej na nią patrzyli, tym bardziej byli pewni, że wcale się nie rusza. Blask stał się zielonkawy. Po chwili doszli do wniosku, że to jednak nie samolot. To Jutrzenka. Rozświetlona niczym reflektor planeta Wenus. Stella powiedziała, że Wenus była rzymską boginią miłości. Gerry dodał, że czytał gdzieś, iż planeta świeciła czasem wystarczająco jasno, by rzucać cienie. Jeśli tak było, tym razem cienie z pewnością położyłyby się na dziewiczym śniegu, nie mogli ich jednak dostrzec, choć z całych sił wytężali wzrok.

Gerry próbował wyobrazić sobie, jak otaczające ich tereny wyglądały przed śnieżycą. Kiedy mu się udało, usunął z mentalnego obrazu budynki. Wyburzył je i cofnął się o kilkaset lat, do czasów na długo zanim człowiek choćby pomyślał o lataniu. Rodziny mogły wówczas podróżować co najwyżej w łodziach o płaskich dnach lub w wydrążonych pniach drzew, uciekając przed niebezpieczeństwem, walcząc z silnym nurtem. A jeszcze kilka tysięcy lat wcześniej były tu moczary, w których odbijał się świt, porośnięte drgającą na wietrze turzycą. Śpiew ptaków. Kuliki kreślące ogromne koła od horyzontu po horyzont. Całe stada ptaków brodzących, które w jednej chwili podrywały się do lotu, by powitać nowy dzień. W takich miejscach składano ludzi w ofierze. Duszono ich, topiono na mokradłach i zapominano, że w ogóle istnieli. Pogrzeby ocalałych. Ofiary bezimiennej religii leżały później w swych bagiennych mogiłach, czekając do naszych czasów, aż ktoś osuszy grunt i wydobędzie je na światło dzienne, by zachwycać się stanem ich doskonale zachowanych ciał, na których przetrwał nawet zarost. Szczątki tych ludzi były jedynym dowodem na to, że kiedykolwiek żyli. Gerry czuł się zaszczycony, że może siedzieć obok Stelli w szarawym świetle poranka, i cieszył się tą wspaniałą chwilą mimo upiornej historii otaczających go terenów. Uważał, że wszystko i wszyscy zasługiwali na uwagę, nawet na takim tle jego towarzyszka była jednak zupełnie wyjątkowa. Jej obecność liczyła się dla niego bardziej niż cały świat. Wraz z otaczającymi go gwiazdami. Stella uosabiała występujące na świecie dobro, fakt, że mógł iść przez życie u jej boku, stanowił więc dla niego najprawdziwszy cud.

Tytuł oryginału: *Midwinter Break*
Redakcja: Paweł Sajewicz
Korekta: Teresa Kruszona

Projekt graficzny okładki: © Suzanne Dean
Zdjęcie na okładce: most © George Pachantouris/Getty;
para © Keith Lloyd Davenport/Alamy
Opracowanie graficzne: Elżbieta Wastkowska

ul. Czerska 8/10
00-732 Warszawa

Dyrektor wydawniczy: Małgorzata Skowrońska
Redaktor naczelny: Paweł Goźliński
Koordynacja projektu: Magdalena Kosińska

Druk: CPI Moravia Books